CONSEJO SUPERIOR DE INVESTIGACIONES CIENTÍFICAS
PATRONATO «MENÉNDEZ Y PELAYO»   INSTITUTO «MIGUEL DE CERVANTES»
REVISTA DE FILOLOGÍA ESPAÑOLA. — ANEJO LI

PEDRO SIMÓN ABRIL

POR

MARGHERITA MORREALE DE CASTRO

MADRID

1949

MARGHERITA MORREALE
DE CASTRO

Nació en Milán en 1922. Cursó estudios en Austria, Estados Unidos, Italia y España, obteniendo el título Bachiller de Arte norteamericano y los grados de licenciada y doctora en filosofía y letras (sección de lenguas clásicas) por la Universidad de Madrid. Aun sin perder de vista las humanidades, se dedica con amor a las cosas de España, a la que ofrece este primer fruto de su paciente investigación.

Después de reconstruir la biografía de tan errabundo maestro, cual fué, en el siglo XVI, Pedro Simón Abril, la autora estudia su actividad como reformador de la enseñanza, profesor de latín y griego y vulgarizador de la *ciencia*.

Un examen imparcial de sus escritos revela cuán profundamente estaba arraigado en la tradición medieval. Pero si su actitud *consciente* hacia los clásicos no revela una sensibilidad humanística en el sentido actual de la palabra, es en su estilo castellano donde hay que buscar los frutos de su larga intimidad con los autores antiguos. Por tanto, aparte el interés intrínseco que pueda tener, es preciso estudiar su obra y la de tantos otros contemporáneos suyos, si se quiere arrostrar con datos concretos la tan disputada cuestión del humanismo español.

Al tratado de Simón Abril sobre la filosofía natural dedica la autora tanto espacio por ser un manuscrito autógrafo hasta ahora desconocido. Otros documentos inéditos se publican en el apéndice. Señalamos además la cuidadosa y detallada descripción de las varias ediciones de los escritos originales y traducciones de Simón Abril que la Dra. Morreale contribuye a la catalogación del patrimonio bibliográfico español.

PEDRO SIMÓN ABRIL

CONSEJO SUPERIOR DE INVESTIGACIONES CIENTÍFICAS

PATRONATO «MENÉNDEZ Y PELAYO»   INSTITUTO «MIGUEL DE CERVANTES»

REVISTA DE FILOLOGÍA ESPAÑOLA. — ANEJO LI

PEDRO SIMÓN ABRIL

POR

MARGHERITA MORREALE DE CASTRO

MADRID
1949

S. AGUIRRE-TELÉF. 230366-MADRID

A mis padres.

INDICE

7

PROLOGO

Célebre humanista, gran pedagogo, elegante traductor, buen estilista, reformador en materia de estudios, pensador y filósofo profundo, gramático consumado, Cascales manchego... Estos y muchos otros son los calificativos que solemos encontrar junto al nombre de Pedro Simón Abril. Contrastan vivamente con esa otra autodesignación de «hombre ignorado» que él mismo empleaba, quizá no tanto en señal de humildad —falsa o verdadera— como porque realmente así era.

Su nombre, impreso en las portadas de numerosas obras, penetró en los catálogos bibliográficos; al principio, con una escueta calificación: «Aludo a la inteligencia fácil de las artes», dice de él Tamayo de Vargas en su *Junta de Libros* [1]. Nicolás Antonio [2] y Pellicer [3] le dedican asimismo

---

[1] JVNTA DE LIBROS / La maior que España a visto en su lengua / Hasta el año de MDCXXIV / Por Don Thomas Tamaio de Vargas. Biblioteca Nacional. Ms. 9753, II Parte (se trata de una bibliografía ordenada alfabéticamente por autores; cfr. el artículo de Maestro Pedro Simon Abril).

[2] *Bibliotheca Hispana Nova*. Madrid, Viuda de Ibarra, 1788, vol. II, pgs. 238-9. (Los datos biográficos de Nicolás Antonio están evidentemente sacados de las palabras mismas de Pedro Simón Abril; por haberse copiado tantas veces en las historias literarias, bibliografías, etc., los reproducimos aquí: "Petrus Simon Abril, natus in Alcaraz oppido Toletanae dioecesis, Caesaraugustae in academia Graecae linguae, alibique per Aragoniae regnum amoenioris literaturae quatuor ac viginti annorum professor celebris, Latinorum & Graecorum plura versa a se aut exposita dedit nostris hominibus, utriusque harum linguae principis cum nostra commercium egregie fovens...")

[3] Pellicer y Saforcada, *Ensayo de una bibliotheca de traductores*

algunas líneas ensalzando su habilidad didáctica. Mayáns y Siscar, que contribuyó mucho a que se reeditaran sus obras, por su utilidad en la enseñanza del latín, le encomienda a la Compañía de los Impresores de Valencia, designándole como «*obscuro* pero insigne Escritor» [1].

Por otra parte, el mismo Tamayo de Vargas, en su *Discurso a los aficionados de la lengua Española* [2], escrito para demostrar a los detractores de España que «los Sabios de otras (lenguas) hablan en Español», enumera a Simón Abril entre los traductores. En este sentido, le veremos incluído muchas veces en esas listas de nombres con las que se ha querido defender las *buenas letras* y, luego, al cambiar la terminología, el *humanismo* del siglo de oro. Entre los «insignes humanistas» figura, p. ej., en la *Ciencia Española* de Menéndez y Pelayo [3], hecho que notamos aquí, no ya en menosprecio del eminente crítico, sino para advertir que hay que tener en cuenta el fin polémico si queremos valorar rectamente su juicio.

Hasta el siglo XVIII inclusive se reeditaron las obras de

---

españoles, Madrid, A.º de Sancha, 1778; citamos algunas líneas por lo sencillo y atinado de su juicio: "El intento de Pedro Simon Abril era de enseñar la lengua Griega y la Latina por medio de Gramaticas faciles escritas en la nuestra, y de versiones de los Autores clasicos Griegos y Latinos publicados con ellas y con el texto, por ser este un metodo breve y aparente para conseguir la propiedad de ambas lenguas...", pg. 153.

[1] Cfr. la edición valentina de las *Epístolas Selectas* (1770), "D. Gregorio Mayans i Siscar a quien leyere". Mayáns y Siscar escribió prólogos para casi todas las ediciones valentinas de esta época. Sabía desde luego más de las obras de Pedro Simón Abril que de su vida. Pero sus juicios son todos acertados. Le considera uno de los que tuvieron "especial don de Dios para enseñar a otros" y juzga "puras" y "elegantes" sus traducciones *(Fábulas de Esopo,* 1760). Y de la traducción de la oración contra Verres dice que es "fiel, i en la correspondencia de los modismos de una i otra lengua, mui feliz". Las notas son "oportunas y útiles".

[2] Se halla en la parte preliminar del segundo tomo de la HISTORIA NATVRAL DE CAYO / PLINIO SEGVNDO. / Tradvzida por el Licenciado Geronimo de Huerta... / Año 1629... / EN MADRID. Por Iuan Gonçalez.

[3] Ed. de Madrid, Pérez Dubrull, 1887, vol. I, pgs. 11 y 27.

Simón Abril, por su utilidad práctica en la enseñanza del latín. Pero desde la centuria pasada ha habido mayor interés —si se puede hablar de verdadero interés— en el *contenido* de las obras originales, en el valor social y cultural de su actividad, todos conceptos característicos de la actitud de las últimas generaciones frente a la historia. Así, p. ej., Menéndez y Pelayo, incluyendo sus obras en el «Inventario Bibliográfico de la Ciencia Española», lo llama «uno de los primeros tratadistas de filosofía en lengua vulgar» y «uno de los más inteligentes vulgarizadores de la ciencia antigua»[1]. En el siglo pasado, D. José Clemente Carnicero editó dos veces (en 1815 y 1817) los *Apuntamientos,* haciendo hincapié en las ideas de Simón Abril para propugnar una reforma de la instrucción pública y universitaria en sus propios tiempos. Del mismo memorial trata también el Dr. Eloy Bullón en relación con la enseñanza, la de entonces y la de ahora[2]. Marcadamente polémico es, en cambio, el artículo de Mariano Marfil[3] sobre «las ideas políticas y sociales» de Simón Abril, en el que glosa unos trozos sacados más o menos arbitrariamente de la dedicatoria y de las anotaciones a la *República* de Aristóteles, haciendo de Simón Abril poco menos que un precursor de los progresistas del siglo XIX y de los demócratas del nuestro, y proponiéndolo como modelo a los defensores del sufragio universal (!).

Un interés objetivo en el *contenido* de su obra, muestra

---

[1] *Ibid.,* vol. III, pg. 194 (donde enumera sus obras filosóficas).

[2] *Los precursores españoles de Bacon y Descartes.* Salamanca, 1905, pgs. 225-230.

[3] "Pedro Simón Abril. Sus ideas políticas y sociales", en *Nuestro Tiempo,* año VIII, n.º 110, febrero de 1908, pgs. 195-205. En este artículo dice el autor que "la desfloración del terreno incumbe honrosamente a un ilustre maestro mío, el Marqués de Valleameno [Sr. Sánchez y Rubio], Catedrático de Zaragoza", pg. 197. Sobre el mismo tema pronunció éste un discurso para la apertura del curso universitario 1900-1, impreso en Zaragoza, Viuda de Ariño, 1900, 40 pgs., 4.º (Hay ejemplar en la Biblioteca Universitaria de Zaragoza.) He podido ver tan sólo algún extracto.

Marcial Solana, que resume la *Filosofía racional* de Simón Abril en su *Historia de la filosofía española* [1]. Y asimismo hacen referencia a los *Apuntamientos* los que escriben de «historia de la metodología científica», y, en general, de la enseñanza en España [2].

Bajo uno u otro concepto se hallarán notas más o menos largas sobre Simón Abril en muchas otras publicaciones de carácter general, las historias literarias de alguna extensión [3], los artículos y monografías sobre temas humanísticos [4], las crónicas y descripciones de carácter local [5]

---

[1] Solana, Marcial, *Historia de la Filosofía española en el Renacimiento,* Madrid, 1941, pgs. 386-399.

[2] R. Blanco y Sánchez, en su *Bibliografía pedagógica de obras escritas en castellano o traducidas en este idioma,* Tip. Rev. Arch., 1907, reproduce íntegra la edición de los *Apuntamientos* de 1817, pgs. 2-21. Cfr. también otras historias de la pedagogía española. El P. Mauricio de Iriarte, tratando de la "Renovación de la Metodología científica", en su *El Doctor Huarte de San Juan y su Examen de Ingenios,* Ed. Jerarquía, 1939, pg. 163, los clasifica como "páginas brevísimas, pero de gran interés histórico y metódico".

[3] P. ej.: Cejador y Frauca, *Historia de la lengua y literatura castellana,* Madrid, 1918, t. III, pgs. 108-109 (con una extensa bibliografía de sus obras).

[4] P. ej.: Carlos Viñas Mey, *Una página para la historia del helenismo en España,* en *Rev. de Arch.,* 1921, pgs. 168 y sigs.; Apráiz, Julián, *Apuntes para una historia de los estudios helénicos en España,* Madrid, Impr. de J. Noguera, 1874; sobre Simón Abril da muy breves noticias de segunda mano, pgs. 70, 113, 118; González de la Calle, P. U., *Sebastián Fox Morcillo,* Madrid, 1903, pg. 74, etc.

[5] P. ej.: Baquero Almansa, A., *Hijos ilustres de la provincia de Albacete,* Madrid, A. Pérez Dubrull, 1884, 8.°, pgs. 11-20. Por lo que se refiere a la biografía, reproduce las noticias dadas por Pellicer; señala además diez de sus obras impresas, con indicaciones que se pueden retrotraer a las de Mayans y Siscar.

Roa y Erostarbe, J., *Crónica de la provincia de Albacete,* Albacete, Viuda de J. Collado, 1894, vol. I, pgs. 78-81. Estas páginas ofrecen un ejemplo muy claro de cómo se creó y engrandeció el renombre de Pedro Simón Abril. Una frase tan sencilla como la de Pellicer: "Desde muy joven enseñó publicamente Latinidad y lengua Griega en varios pueblos y provincias de España", copiada por Baquero, la expresa

las historias de la Universidad de Zaragoza [1]. Todas obras que, por tratarse genéralmente de datos de segunda mano, sin aportaciones originales, no nos interesan aquí más que para explicar cómo se ha difundido el renombre de nuestro autor.

Carácter moderno tiene la cuidadosa —pero no crítica— edición de la *Etica* preparada por Bonilla y San Martín bajo los auspicios de la Real Academia de Ciencias Morales y Políticas [2]. Sin embargo, hay que advertir que la publicación del manuscrito no se ha hecho por tratarse de una versión de Simón Abril, sino por ser la mejor traducción de esta obra aristotélica hasta la fecha (o, por lo menos, hasta 1918).

En la Introducción que acompaña esta obra, el Sr. Bonilla clasifica de «castizo y ameno» el lenguaje de Abril [3]. «Elegante» lo llamaba Menéndez y Pelayo, proponiéndolo como modelo a los traductores de hoy [4]. Sus versiones sir-

---

Roa y Erostarbe en la forma siguiente: "casi en sus mocedades prodigó por muchos pueblos y ciudades de España el parto intelectual de sus conocimientos griegos y latinos" (pg. 79.—En cambio, en el libro de Fr. Pérez de Pareja, *Historia de la Primera Fundación de Alcaraz...*, Valencia, Joseph Thomas Lucas, 1740, 4.°, 12 h. y 434 pgs., hallamos noticias sobre Doña Oliva Sabuco de Nantes, pero nada se dice de nuestro autor.

También habla de Pedro Simón Abril y su proceso con la Universidad de Huesca Escagüés Javierre, I., *Las cinco villas de Aragón,* Vitoria, Imprenta Moderna, 1944, pgs. 205 y sigs.

[1] Borao, Geronillo, *Historia de la Universidad de Zaragoza,* Zaragoza, 1869, pg. 111; Jiménez Catalán, Manuel, *Memorias para la historia de la Universidad de Zaragoza,* Zaragoza, Imprenta de la Academia, 1926 (es una lista de graduados de la Universidad de Zaragoza; trata de Pedro Simón Abril con extensa bibliografía de segunda mano y con muchas inexactitudes, pgs. 491 y sigs.).

[2] *La Etica de Aristóteles / Traducida por Pedro Simón Abril.* Madrid, Fortanet, 1918, 4.°, XLVIII + 501 pgs.

[3] *Op. cit.,* pg. XXXVIIII.

[4] *Ensayos de crítica filosófica,* Madrid, Fortanet, 1918 (cap. "La filosofía platónica en España"), pg. 88. "Obras de vulgarización inteligentísima, dice de la *Lógica* y de la *Filosofía Natural* donde tiene bien que

vieron para el «Diccionario de Autoridades» [1]. En cambio, en nuestros tiempos, los estudios lingüísticos relacionados con Simón Abril no han pasado, que yo sepa, de las notas de Cejador y Frauca sobre su fraseología en la traducción de Terencio [2].

Fruto del renovado interés por los estudios de archivo son las investigaciones de carácter biográfico. El trabajo más extenso en este sentido lo publicó J. Marco e Hidalgo, formando parte de sus *Estudios para la historia de la ciudad de Alcaraz* [3]. Este se planteó, sin poder resolverlo, el problema de cuál fué el *Alma Mater* de Simón Abril; realizó pesquisas en Tudela, Zaragoza y particularmente en Alcaraz, donde fué Registrador de la Propiedad, publicando varios documentos del archivo de esta última, como lo indicaremos en su correspondiente lugar. A pesar de las lagunas e inexactitudes de su estudio (p. ej.: el deducir erróneamente de una dedicatoria latina que Simón Abril se educó en Játiva), es el primero dedicado exclusivamente a nuestro autor, y ha servido de base a casi todo lo que se ha escrito después.

De un interesante documento, el *Proceso,* que copiamos

---

aprender el que intente adaptar el tecnicismo filosófico a nuestra lengua, tan maltratada, por lo común, en esta parte". (En este mismo lugar dice de Pedro Simón Abril que era "aristotélico puro, como lo prueban la elegante *Lógica* o *Filosofía racional,* que imprimió en castellano, y otro tratado de Física o *Filosofía Natural,* que se conserva manuscrito [Nota: En la biblioteca de nuestro sabio amigo D. Aureliano Fernández-Guerra]" y que sus traducciones de Platón respondían a un fin puramente literario).

[1] *Diccionario de la Academia, 1726-1739.* Entre los autores elegidos por la Real Academia Española para el uso de las voces y modos de hablar entre el 1500 y 1600 aparece el nombre de Pedro Simón Abril (t. I, pg. LXXXVI). En el tomo II se indica como fuente la traducción de las *Comedias de Terencio.* En el tomo IV, además de esta última, la traducción de las Epístolas de Cicerón, "la Philosophia" (probablemente la *Filosofía racional)* y la *República* de Aristóteles.

[2] *Fraseología o estilística castellana,* Madrid, 1922, Introd., pgs. 13 y sigs.

[3] *Rev. de Arch.,* 1908, XII, pgs. 385-415.

en el apéndice, dió noticia Ricardo del Arco y Garay en un artículo publicado en la revista *Linajes de Aragón,* en 1916 [1], como también en sus *Memorias de la Universidad de Huesca* [2]. Otros documentos los aportaron los Sres. Sinués y Catalán en su historia de la Universidad de Zaragoza [3].

A éstos añadió el P. A. Andrés, O. S. B., una carta autógrafa de Simón Abril, encontrada por él en el archivo de Zabálburu [4], y José Ramón Castro publicó tres más, fruto de sus investigaciones en el Archivo de Protocolos de Tudela [5]. Y, finalmente, D. Jesús Carrascosa, abogado e «hijo predilecto» de la villa natal de Simón Abril, declaraba haber visto unos acuerdos municipales referentes a sus viajes a Toledo [6]. Tanto en Alcaraz como en Zaragoza y en Medina de Rioseco se abren vastos campos de investigación, erizados desde luego de dificultades, pero ricos también de perspectivas.

Resumiendo en pocas palabras lo que de él se ha dicho hasta aquí, nos lo representamos como un maestro de vida errante, que enseñó principalmente lenguas clásicas

---

[1] "Un pleito ruidoso entre Zaragoza y Huesca en el siglo XVI por cuestión de la Universidad", en *Lin. de A.,* 1916, t. VII, pgs. 208-223.

[2] *Colección de documentos para el estudio de la historia de Aragón,* tomo XI, vol. II, pgs. 31-33.

[3] *Historia de la Real y Pontificia Universidad de Zaragoza,* Zaragoza, Tip. La Académica, 1923, 2 vols., en los lugares que citaremos más adelante.

[4] *Pedro Simón Abril, Carta inédita de 1575,* Santander, 1936. Publicación de la Soc. de Menéndez y Pelayo, 7 pgs. Habiéndole expuesto mis dudas acerca de la fecha de esta carta, el P. Alfonso Andrés, muy amablemente, consintió en comprobarla y, reconocido el error, manifestó su intención de rectificar dicho artículo. Débese, por tanto, leer 1585 en lugar de 1575.

[5] *Ensayo de una Biblioteca Tudelana,* Tudela, Impr. Castilla, 1933, pg. 229, y "Simón Abril y Malón de Echaide", en *Príncipe de Viana,* 1942, III, pgs. 323 y sigs.

[6] Cfr. un apunte biográfico en el periódico *Albacete,* 4 de mayo de 1944 y otro posterior (al que me refiero aquí) con fecha 19 de julio del mismo año.

valiéndose de unas gramáticas sencillas, escritas en lengua castellana, y de textos clásicos con versión yuxtapuesta y anotaciones; como un hombre deseoso de reformar la enseñanza, vulgarizador de la cultura, traductor de muchas obras antiguas, entre otras, las de Aristóteles.

Pero queda por puntualizar estas actividades, descubrir lo que Aristóteles, y el mismo Simón Abril, llamaría sus *causas*. Ahora bien: si, dejando a un lado todo elemento encomiástico, nos basamos en el juicio de Bonilla y San Martín, de que Simón Abril «no es, como pensador, una figura extraordinaria»[1], o, según nuestra propia conclusión al leer sus obras, de que es un pensador mediocre, estamos justificados en preguntarnos de nuevo si merece la pena dedicarle un estudio más detallado.

A esto hemos de contestar afirmativamente si pensamos que la historia no se hace tan sólo de cumbres, sino de medianías, y en este sentido puede ser interesante aislar una figura que vivió casi toda su vida en la periferia de la cultura española del siglo xvi y ver cómo en parte refleja y en parte se enfrenta en las ideas de sus tiempos.

Convencida de esto, he realizado simultáneamente · la compilación de la bibliografía, el estudio de las obras mismas y las investigaciones de carácter biográfico.

Fruto de lo primero ha sido la lista y descripción de las obras impresas y de algunos manuscritos del autor y la aportación de un manuscrito autógrafo que contiene la *Filosofía Natural*.

En cuanto a las obras, he estudiado su contenido por orden de materias, dedicando capítulos aparte a las ideas pedagógicas, los elementos humanísticos y los valores de lenguaje y estilo evidenciados en ellas.

Considerando el carácter heterogéneo de las obras de Simón Abril, que por el universalismo característico de la cultura de sus tiempos, lo mismo escribe de filosofía, de

---

[1] *Op. cit.,* pg. xxxviii.

filología, de astronomía o de historia (aunque sin profundizar), hubiese sido tal vez más acertado escoger una sola obra y hacer un estudio completo de ella, investigando sus fuentes, relacionándola con otras anteriores y contemporáneas, esto es, proponiéndome hacer un trabajo monográfico más en conformidad con la especialización a la que hoy se tiende. Con todo, a un análisis en *profundidad* debe preceder un examen *horizontal* de conjunto y tanto más cuando el objeto de estudio es una figura para quien, como, en general, en el siglo XVI, todas las fases del pensamiento humano están íntimamente relacionadas. Además, tan sólo una vista de conjunto de todas las obras puede servir como base para el estudio del estilo de Simón Abril, tema quizá el más interesante entre los que sugieren sus escritos.

Por otra parte, la extensión de la materia y el tener que señalarme un límite de tiempo que las circunstancias han abreviado, me determinaron a dejar desaprovechados parte de los datos a mi disposición. En particular, por lo que se refiere a la biografía, tuve que cortar bruscamente mis investigaciones, siempre lentas y erizadas de dificultades y demoras, dada la vida errabunda de Simón Abril, contentándome con los documentos que aporto en el apéndice y con un ensayo de reconstrucción biográfica, en que los datos existentes se interpretan en relación con los escritos y actividad de nuestro autor. El carácter de las obras mismas hace que la falta de una biografía completa y segura no constituya una laguna decisiva, como lo sería en el caso de otros autores.

Con todo, no es ciertamente por la brevedad por lo que tengo que disculparme. De Aristóteles decía Simón Abril que «vna misma cosa la dize muchas vezes en lugares diferentes» [1]. Lo mismo y con mucha más razón podríamos decir nosotros de él. Simón Abril es el hombre de los lugares

---

[1] *Filosofía racional*, fol. 10.

comunes. No nos causen impaciencia. Tan sólo contra el fondo de ideas prestadas y combinadas de mil maneras análogas, se delinearán con alguna objetividad histórica las figuras de estos hombres que durante generaciones enteras repitieron los mismos conceptos. Se trata, pues, de distinguir, hasta donde es posible, cuáles proceden directa o indirectamente de los clásicos, cuáles de la experiencia o inventiva de cada uno, pero más aún de rastrear la influencia de este conjunto de tópicos, conglomerado de ideas greco-romanas y de principios cristianos (y escolásticos) sobre su modo de pensar, su *Weltanschauung,* su concepto de la cultura y hasta sobre su estilo.

¿Cuántos estudios particulares harán falta para escribir una página de síntesis en este sentido? El presente trabajo no pretende ser más que uno de tantos eslabones, aun remotos, que permitirán algún día determinar, con más documentación de lo que se ha hecho hasta ahora, hasta qué punto la cultura española del siglo de oro se abrió al humanismo. Su publicación es debida a la generosidad del Consejo Superior de Investigaciones Científicas. A esta benemérita institución cultural española, al Sr. Dr. D. Santiago Montero Díaz, por sus utilísimas orientaciones, a todos los estudiosos, bibliotecarios, amigos y desconocidos, que de una u otra manera contribuyeron a estas investigaciones y *last but not least* a la imprenta de S. Aguirre por su esmero y diligencia, quiero expresar aquí mi más sincero agradecimiento.

VIDA Y ACTIVIDAD

El 21 de julio de 1566, Simón Abril escribía en Uncastillo Inseguridad acerca de la fecha de nacimiento. la dedicatoria de su segunda gramática latina [1]. Esta es la primera fecha segura que nos puede servir de apoyo para intentar determinar la cronología de su existencia, ya que, desgraciadamente, no se conserva en la iglesia parroquial de Alcaraz su partida de bautismo [2], y a falta de pruebas documentales debemos contentarnos con cálculos retrospec-

---

[1] Titulada *Methodvs Latinae Linguae docendae*, Zaragoza, 1569. Para la indicación bibliográfica completa véase la Bibliografía. En esta parte indicamos lo estrictamente necesario para identificar las obras.

[2] El Sr. Párroco de Alcaraz, P. Hilario Hidalgo, me informa que los libros más antiguos conservados en la parroquia son de 1565, habiendo desaparecido algunos anteriores durante el Alzamiento.

Que Simón Abril nació en Alcaraz, hoy población de 5.943 habitantes, a 80 kilómetros de Albacete, lo afirman muchas de las portadas de sus obras. "Fuí hasta *mi tierra*" escribe en 1577 a D. Pedro de Agramonte refiriéndose a Alcaraz. Con todo, no sería en el mismo Alcaraz donde vió la luz, sino más bien en alguna aldea del vecindario, llamada La Parrilla: "de la Parrilla", reza el título español del 2.º *Methodus;* lo mismo indica el adjetivo de *craticulensis* (craticula = parrilla) que añade alguna vez a su nombre, p. ej. en la portada del *Methodus* de 1561. No he podido localizar dicha población. El Sr. Carrascosa, abogado de Alcaraz, que amablemente se ha interesado por el asunto, sugiere que podría ser un caserío de la jurisdicción de Alcaraz que pertenecía hasta hace años a un señor muy acaudalado del próximo pueblo de Peñascosa, D. Sabino Flores.

tivos. En la dedicatoria que acabamos de nombrar, recuerda en tono algo displicente otra obrilla suya, fruto de sus primeros esfuerzos, el *Methodus* de 1561 [1]. Si entre la composición de estas dos gramáticas hubiesen pasado efectivamente tan sólo cinco años [2] y la fecha de la composición de la primera coincidiese con la fecha de su publicación, todo quedaría resuelto, porque entonces, según su propia declaración, tenía Simón Abril veintiún años [3], lo cual equivaldría decir que nació en 1540 y no hacia el 1530 como se afirma comúnmente. En tal caso, los años de «egercicio» y de «licion antigua» [4] no habría que considerarlos

---

[1] Nótese que esta obra fué editada en Lión por circunstancias que ignoramos. Cfr. la Bibliografía.

[2] En la dedicatoria del *Methodus* de 1569 (la dedicatoria está escrita en 1566) el primer *Methodus* aparece como un recuerdo lejano: "... cum olim adulescentulus peneque puer rudia de hac eadem re praecepta quaedam aedidissem vix hoc usu digna, quem ex aliquot annorum lectione consecutus essem...".

Dos años más tarde, en la dedicatoria del *De arte poetica*, hace otra referencia a este mismo tratadito "... cum de ratione erudiendi adulescentes in Latina lingua non multis ante annis scripsissem". Considerando que en el primer caso puede haber cierta exageración retórica, se podría suponer sin demasiada dificultad que los *aliquot anni* y los *non multi anni* sean cinco y siete, respectivamente.

[3] "... ego vigesimum secundum adhuc aetatis lustrans annum..." (*Meth.*, 1561, pg. 111).

[4] En la dedicatoria de las *Comedias de Terencio* (1577) habla de "muchos años de experiencia así *aprendiendo* como *enseñando*".

En el prólogo de los *Dos Libros de Epístolas Selectas*, 1583, afirma que tiene ya "treinta i seis años de egercicio" en las lenguas.

En la *República*, 1584, escribe: "por auer io empleado veinte i quatro años de mi vida los mejores i mas floridos della enseñando letras humanas en muchos pueblos dela iurisdicion i gouierno de V. S. Ilustrissima..." (Dedicatoria).

En la *Filosofía racional*, 1587, habla de "algun poco de licion antigua, que en tiempo de quarenta años e leydo" (Al lector).

En los *Apuntamientos*, 1589, escribe: "Yo pues breuemente aduertirè a V. M. lo que en quarenta y tres años de estudios de letras Griegas, y Latinas, y todo genero de dotrina, en que me è exercitado, è podido aduertir de yerro en la manera de enseñar..." (fol. 3). Y al final: "Todo

como años de enseñanza, sino que los contaría nuestro autor desde aquella temprana época en que su docto tío paterno, el médico Alfonso Simón, encendió en él el amor al estudio y empezó a enseñarle letras latinas [1], no habiendo inconveniente que Simón Abril tuviera entonces seis o siete años.

Bien poco sabemos de aquella primera época y de su familia. Los apellidos, Simón y Abril, parecen indicar origen judío. Gozarían probablemente de una posición bastante holgada. Su tío Alfonso Simón, como acabamos de ver, era médico. A otro tío suyo, Francisco Abril, ciudadano —no se sabe si honorario o por nacimiento— de Játiva [2], le llama «materni nostri generis et decus et splendor» [3]. Según se desprende de la dedicatoria del segundo *Metho-* La familia.

---

esto, que yo à V. M. è escrito, lo è colegido de quarenta años de buenos estudios que è tenido, Griegos, y Latinos, en la licion de los mas graues y antiguos escritores en todo genero de letras" (fol. 23).

En cambio en las *Epistolas Familiares,* impresas el mismo año, dice: "Pero lo que sobre todo me à induzido a ello, es el amor y aficion que yo a la lengua Latina tengo por auer gastado en ella quarenta y tres años de vida, enseñando su elegancia y propiedad en diuersas partes y prouincias..." (Dedicatoria).

[1] Cfr. la Dedicatoria del *De arte poetica* a su tío materno Francisco Abril, escrita en 1568 en ocasión de la muerte de Alfonso Abril, "medicus prudentissimus, doctos & honestus vir", a quien hubiese querido dedicar su tratadito como testimonio de gratitud, ya que "quidquid in me sit vel litterarum vel studij, quod profecto sentio quam sit exiguum (¡cfr. Cic. *pro Archias!),* totum id illi debere me referre acceptum. Nam & ipse me amore litterarum disciplinaeq. inflammauerat, & erudiendo mihi in litteris Latinis non mediocrem diligentiam adhibuerat, operamq. dederat: vt iam non patrui sed parentis loco eum habere philosophiae legibus tenerer". No hay razón alguna para suponer, como demostraremos más adelante, que estos primeros estudios los hiciese en Játiva por vivir allí su tío paterno, como supone Marco e Hidalgo *(loc. cit.,* pg. 387).

[2] Quizás dejaría algún rastro en Játiva este *civis Setabensis.* Pero el Sr. Carlos Sarthou me informa que el archivo municipal de dicha ciudad, ahora a su cargo, fué incendiado en 1707 y queda muy poco material del siglo XVI.

[3] Cfr. la Dedicatoria citada arriba (n. 1).

dus, su familia estaba ligada por lazos de amistad con la de D. Diego Ramírez Sedeño de Fuenleal, que había desempeñado un alto cargo eclesiástico en Alcaraz [1] y que luego fué obispo de Pamplona. Por lo demás, exceptuados sus dos tíos, ninguno de sus otros familiares dejan rastro en sus escritos. La madre y una Francisca de Peñafiel (¿acaso su mujer?) aparecen fugazmente en una de sus cartas (la de 1577 q. v.), sin que se sepa más de ellas.

Los estudios universitarios. Además de la indicada referencia a sus primeros estudios, nos queda el recuerdo no menos vago de unos años, *aliquot anni,* pasados escuchando a profesores de varias facultades. Esta noticia autobiográfica nos llega, como casi todas las suyas, a través de una dedicatoria latina [2] entre reminiscencias de Catón, Horacio y Tulio. ¿Fué la vista del estado de depravación de la humanidad, la consciencia de su propia obligación para con el bien común, un amor desinteresado a las letras y el aprecio de la lengua como lazo y fundamento de la vida social lo que determinó a nuestro joven a los veintiún años a abrazar la profesión de profesor de latín? Desde luego no es tan fácil distinguir el puro convencionalismo de los verdaderos sentimientos del autor, cuando éstos revelan una inspiración clásica tan marcada. Pero hay dos frases en que Simón Abril se revela claramente: escogió el latín, porque por su corta edad no se atrevió a enseñar otras disciplinas, «aunque tal vez su talento le capacitara para ello»; y en segundo lugar se propuso desde un principio la tarea de disponer con *orden* y *método* las reglas acumuladas sin discernimiento por los profesores de la Península (*nostrates*) [3].

---

[1] Simón Abril dice que había sido "praefectus et templo et sacris nostri municipij".

[2] Es la dedicatoria a D. Fernando de Aragón, Arzobispo de Zaragoza, de su primer Método.

[3] Reproducimos los pasajes correspondientes por lo raro de esta edi-

No tenemos elementos suficientes para indicar cuál fué la Universidad en la que Simón Abril oyó dichas facultades [1], una de las muchas que entonces funcionaban en Es-

---

ción: "... quum per annos aliquot diuersarum facultatum professores audiuissem, ociosusque spectassem, disciplinas alias per ingenium fortasse, at per annorum saltem paucitatem profiteri, arbitratus, non licere: animum, mentemque ad latinum sermonem conuerti docendum, hac una re de literaria Republica non pessime mereri posse ratus, si quod illi excidij, ruinaeque causa erat, pro viribus resarcirem, ac corrigerem... Quod quidem in docendo, cum magis congessisse, quam digessisse nostrates professores praecepta mihi viderentur, ea quae ad latinum docendum discendumque mihi esse necessaria videbantur, methodo quapiam, serieque disposui".

[1] Marco e Hidalgo intentó, como ya indicamos, averiguar en qué centro universitario cursó estudios nuestro autor (cfr. *loc. cit.*, pgs. 386-87). Examinó los libros de matrículas y de grados existentes en el Archivo Histórico Nacional, sin encontrar su nombre, hecho que he comprobado en el mismo archivo. Por tanto, no sé en qué se fundan los Sres. J. M. Sánchez y Ricardo del Arco al afirmar rotundamente que "estudió en Alcalá". Menos persuasivo parece el argumento de Marco e Hidalgo para excluir la Universidad de Salamanca, fundándose en el hecho de que Alejandro Vidal y Díaz no lo cita en su *Memoria histórica de la Universidad de Salamanca*. De más peso hubiese sido aducir como prueba el que Pedro Simón Abril, en su dedicatoria de la *Gramática griega* al Rector y Claustro de la Universidad de Salamanca no alude a ninguna relación personal para con este centro. Se trata también de un argumento negativo; pero hay que considerar que este silencio contrasta con la costumbre de Pedro Simón Abril de expresar gratitud por los favores recibidos. Además no hubiese dejado de valerse de un antecedente como éste.

En cuanto a la Universidad de Zaragoza, el problema se hace más complicado. Citamos por entero el párrafo de Marco e Hidalgo: "Tampoco estudió en la de Zaragoza, puesto que ni Borao, Camón y Frailla lo citan como alumno de esta Universidad y sí como maestro de lenguas y Gramática. Don Inocencio Camón, en sus *Memorias manuscritas de la Universidad de Zaragoza*, dice de él lo siguiente: 'el célebre Pedro Simón Abril, natural de Alcaraz, catedrático de gramática y lenguas, que había sido nombrado por el Sr. Fundador en 15 de Agosto de 1583, *fué creado licenciado el día 6 de Noviembre y Maestro el 7 de 1584.* Así consta del protocolo de Miguel Español, escribano del Ayuntamiento de Zaragoza, de dicho año, página 291'. En el protocolo y página citados no aparece la escritura que menciona Camón y sí el nombramiento de profesores para aquel curso, hecho por D. Pedro Cerbuna, en virtud de las Bulas ponti-

paña, o quizá aun fuera de España. El mismo nunca nombra su Alma Mater. Y tampoco sabemos con qué grado salió, él, que tanto desprecio mostrará (¡cfr. Luis Vives!) por los grados académicos y por la prisa de los estudian-

---

ficias que en él aparecen, por escrituras de 15 de agosto de 1583 y 16 de octubre de 1584", pg. 386.

De ahí concluye Marco e Hidalgo que Pedro Simón Abril incorporaría los grados recibidos en otro centro docente, puesto que en Aragón sería considerado como extraño. Desgraciadamente, no hemos podido comprobar las referencias a los documentos conservados en el Archivo Notarial de Zaragoza, porque, según nos informa su Director, el Sr. J. M. Laguna Azorín, "hoy por hoy no hay medio de poder examinar ningún documento superior a cien años por no estar los protocolos y documentos ordenados ni clasificados".

Por lo que se refiere a la Universidad de Valencia, la suposición de Marco e Hidalgo de que probablemente Pedro Simón Abril estudió allí por estar a corta distancia de Játiva, no tiene fundamento, porque se basa en una falsa interpretación de la carta de nuestro autor a su tío materno, Francisco Abril, en la que, como vimos, alude a otro tío Alfonso Simón, con el cual se había educado nuestro autor. Pero no hay motivo alguno para afirmar que éste terminó sus días en Játiva, ya que Pedro Simón Abril recibe la noticia de los suyos ("repente de illius morte certior factus sum litteris meorum"), que probablemente vivían en Alcaraz. Además sería el alejamiento de ambos, de nuestro autor y de Francisco Abril, y no tan sólo del primero lo que determinaría esa distancia física *(locorum intervallum)* que lamenta en su carta. Y tampoco me parece muy fundado el argumento de que Pedro Cerbuna, al restaurar los estudios universitarios de Zaragoza, llevaría allí a Pedro Simón Abril por haberlo conocido en Valencia, donde Cerbuna había recibido el grado de Bachiller en Artes el 4 de noviembre de 1559. La causa de este nombramiento sería, con más probabilidad, la escasez de maestros de humanidades, de latín, y no digamos de griego, y el conocer D. Pedro Cerbuna las obras de Pedro Simón Abril, a una de las cuales, las *Comedias de Terencio,* había puesto la licencia, el 14 de julio de 1577, alabando su utilidad.

Una respuesta definitiva la darían, naturalmente, los libros de grados (los de matrículas sólo comprenden los de los años 1651 a 1741). El Sr. D. Fernando de Rojas, de Valencia, cortésmente, se ha prestado a revisar dichos libros desde 1549 a 1556 y desde 1560 a 1569 —faltan los intermedios—, hoja por hoja, comprobando que el nombre de Pedro Simón Abril no aparece en niguno.

Hasta que no se hagan estudios completos de las distintas Universites en alcanzarlos, aunque al pasar los años irán apareciendo junto a su nombre, Lcdo. Abril, Maestro Abril y, después de 1587, *Dotor* Abril.

Pero volvamos a nuestro punto de partida, ya que he-

---

dades españolas como de la de Alcalá hizo el P. Urriza, resolver esta cuestión equivale a buscar una aguja en un pajar.

De eventual orientación para una futura pesquisa en este sentido puede servir la siguiente lista de citas que revelan la fluctuación de los títulos atribuídos a Pedro Simón Abril en las varias épocas de su vida, algunos de ellos probablemente con valor académico; otros, simplemente, índices de su profesión:

1570. *Processus.—*"Petrus simon lingue latinae professor...".

1572. *Tres libros de Epístolas Selectas.—*Privilegio real: "Porquanto por parte de vos Pedro Simon Abril, *maestro maior* del estudio dela nuestra ciudad de Tudela...".

1573. *Gramática latina.—*El mismo privilegio. Además la licencia del Maestro Ripa: "he visto estos quatro libros de grammatica del *maestro* Pedro Simon Abril".

1574. *In Verrem.—*fol. 40: "En el Palacio real de Aljafferia... ante los señores Inquisidores... parecio el *maestro* Pedro Simon Abril."

1577. *Comedias de Terencio.—*Portada: "Las seis Comedias... traduzidas... por Pedro Simon Abril *professor de letras humanas y philosophia*".

Licencia de D. P. Cerbuna: "... las seis Comedias de T. ... traduzidas en Castellano por Pedro Simon Abril".

Firma de la dedicatoria a D. Fernando de Austria: "Pedro Simon Abril".

1578. Nombramiento del *Licenciado* Pedro Simon Abril como preceptor de Alcaraz, cfr. Marco e Hidalgo, *loc. cit.,* pgs. 388-89.

1583. Carta a Felipe II acompañando su Arbitrio para el desempeño de la Corona, firmada: "Pedro Simon Abril".

— *Dos libros de Epístolas Selectas.—*Portada: "... por el *maestro* Pedro Simon Abril, *professor de letras humanas i Filosofia*".

— *Dos libros de la gramática latina en castellano.—*Portada: "Por Pedro Simon Abril".

Dedicatoria a D. Diego de Austria: "Pedro Simon Abril".

1584. *República.—*Portada: "... por Pedro Simon Abril natural de Alcaraz i *Cathedratico de Rhetorica enla Vniuersidad de Çaragoça.*"

Dedicatoria al Reino de Aragón, firmada: "Pedro Simon Abril".

Aprobación de Geronymo Ximenez: "... el maestro Pedro Simon

mos querido empezar estas notas biográficas por la estancia de Pedro Simón Abril en Uncastillo, siendo los datos anteriores a 1566 casi todos meras conjeturas.

Abril *Cathedratico de letras humanas,* en esta Vniuersidad de Çaragoça."

Licencia del Lcdo. Alonso Gregorio: "... El *Maestro* Pedro Simon Abril *Cathedratico de Retorica...,* etc.", y más abajo "dicho *Maestro* Pedro Simon Abril".

1586. *Gramática griega,* ed. Zaragoza. — Portada: "Por Pedro Simon Abril ... *maestro en la Filosofía i Cathedratico de lengua Griega en la Vniuersidad de çaragoça...*".

Dedicatoria a la Universidad de Salamanca, firma: "El *Maestro* Abril".

1587. *Gram. griega,* ed. Madrid.—Portada: "... por Pedro Simon Abril... *maestro en la Filosofia*".

— *Filosofia racional.*—Portada: "... por Pedro Simon Abril *Dotor Siquier, Maestro en la Filosofia...*".

Aprobación por el Doctor Vallés: "... El *maestro* Pedro Simon Abril".

Firma de la Dedicatoria a D. Juan de Idiáquiz: "Pedro Simon Abril".

1589. *Epístolas Familiares.*—Portada: "... por el *Doctor* Pedro Simon Abril".

Aprobación del Maestro Lazcano: "... por Pedro Simon Abril, *Maestro en Artes y Filosofia*".

Dedicatoria a Mateo Vázquez de Leca, firmada: "El *Dotor* Abril".

— *Apuntamientos.*—Portada: "... por el *Dotor* Pedro Simon Abril...".

— Carta a Felipe II, firmada: "El *Doctor* Abril".

1594. Carta al Ayuntamiento de Tudela desde Rioseco, firmada: "el *dotor* Abril".

— *Etica.*—Portada: "... por Pedro Simon Abril *Professor de letras humanas y philosophia*".

— *Filosofia natural.*—Portada: "por el *Dotor* Pedro Simon Abril".

Dedicatoria a D. Martín de Alagón, firmada: "El *Dotor* Pedro Simon Abril".

Por estas indicaciones vemos que fluctúan las designaciones de nuestro autor, tanto las que le dan otros como las que se da él mismo. Con todo, haremos notar que por primera vez se firma *Maestro Abril* en 1586 y que la firma *El Dotor Abril* aparece constantemente en las obras de 1589, habiéndosele llamado ya en 1587 "Dotor Siquier, Maestro en la Filosofía", esto es, Doctor o Maestro. No deja de extrañar este título, porque, como se sabe, en la Facultad de Filosofía no había doctorado.

Uncastillo, una de las cinco villas de Aragón, hoy población de poco más de 3.000 habitantes, era en el siglo XVI un centro de cultura. Veintiséis Beneficiados contaba hasta el primer tercio del siglo XVII una de sus iglesias, la de San Martín [1]; y en las bibliotecas parroquiales, tanto la de esta última como la de Santa María, se conservaban preciosos códices [2]. A su Estudio, cuya fundación remonta al año 1543 [3], acudían alumnos aragoneses y navarros a cursar artes.

Maestro en Uncastillo.

En Uncastillo, nuestro autor no tan sólo enseñó gramática, sino también filosofía. En efecto, no es otro aquel *Petrus simon linguae latinae professor habitator Villae de vn Castillo*, cuyo nombre leemos en la copia de un proceso [4] conservado en la Biblioteca Provincial de Huesca. El enseñar artes liberales, pública o privadamente, constituía una infracción de los privilegios concedidos a la Universidad de Huesca en 1354 por el Rey Pedro y confirmados

Proceso incoado por la Universidad de Huesca.

---

[1] Cfr. el opúsculo del P. D. Emilio Bayarte Arbunies, Cura Párroco de Uncastillo, titulado *Breves noticias históricas de la villa de Uncastillo y sus iglesias*, Impr. Gambón, Zaragoza, s. d. h. 7 v.

[2] *Ibid.*, h. 9 y v. El P. Bayarte ordenó con gran cuidado la Biblioteca parroquial de la iglesia de Santa María y, según me informa, tiene examinado cuidadosamente el archivo parroquial buscando *con especial interés* noticias sobre la actuación de Pedro Simón Abril en la escuela de humanidades que funcionó en la villa, pero con resultado negativo.

Escagüés Javierre, I., *Las Cinco Villas de Aragón*, Impr. Moderna, Vitoria, 1944, pg. 205.

Cfr. el Apéndice. La causa contra Pedro Simón Abril fué aducida en el proceso entre la Universidad de Huesca y la de Zaragoza para probar que la primera había tenido y mantenido siempre su derecho exclusivo de enseñar artes en Aragón. Sobre este pleito cfr. Del Arco y Garay, R., "Un pleito ruidoso entre Zaragoza y Huesca...", en *Linajes de Aragón*, 1916, pgs. 208-223, y sus *Memorias de la Universidad de Huesca*, Zaragoza, 1916, vol. II de la *Colección de documentos para el estudio de la historia de Aragón*, pgs. 31-33, y la "Sentencia pronunciada a favor de la Universidad de Huesca el 28 de abril de 1586", publicada *ibid.*, pgs. 211-225, en la que se hace mención del proceso contra Pedro Simón Abril, en la pg. 215.

luego por otros monarcas, por los cuales se constituía dicha universidad como el único centro en el que se pudiera cursar teología, derecho canónico y civil, filosofía y retórica. Solamente se permitía enseñar gramática en otras localidades, y la teología en determinados conventos.

La actuación de Pedro Simón Abril llamaría la atención de la Universidad, que protesta ante su subconservador, el Prior del Monasterio de Santa María del Monte Carmelo, Fr. Bartolomé Goys, quien el 12 de diciembre de 1570, por instancia de José Apeztegui, síndico de dicha Universidad, mandó que los presbíteros de las diócesis de Huesca, Lérida, Zaragoza, Tarazona y Pamplona le intimasen públicamente a comparecer en juicio. Además de esto, la cédula citatoria le fué presentada «cara a cara» en su casa de Uncastillo el 6 de diciembre por un oficial de dicho subconservador. No parecen haber hecho mella en Simón Abril todas estas amonestaciones, ya que «mala malis acumulando» siguió con su enseñanza de dichas artes. Es más, afirma el proceso, que no tenía reparo en confesarlo y hasta se jactó de ello delante de personas muy dignas de fe. Tal era la voz común, la opinión de las gentes, la fama pública: el maestro de Uncastillo enseñaba filosofía. Y esto aun después de que, en vista del fracaso de las medidas anteriores, el procurador de la Universidad, José Apeztegui, presentó contra él una petición criminal en plena regla. La imputación se agravó: se le condenaba a pagar, por una parte, mil florines, multa que señalaba el privilegio del Rey Pedro, y por otra, 22.000 sueldos jaqueses por el agravio y perjuicio hecho a la Universidad.

Declarado Simón Abril contumaz, el día 12 de febrero del año siguiente, Fr. Bartolomé Goys pronunció contra él la sentencia de excomunión, mandando que fuese leída todos los domingos en la diócesis de Huesca, Lérida, Zaragoza, Tarazona y Pamplona. Y efectivamente, así lo hizo el día 19 de febrero el vicario de la iglesia de San Martín de Uncastillo, prohibiendo al excomulgado el acceso a los oficios divinos hasta que obtuviese la absolución.

El día 23 de mayo vemos que Simón Abril comparece ante Fr. Juan Moreno, el sucesor de Fr. Bartolomé Goys, pidiéndole encarecidamente le libre de la excomunión que había sido pronunciada contra él a instancia del procurador de la Universidad. Y efectivamente fué absuelto. Entonces, «sobre la cruz de Nuestro Señor Jesucristo, poniendo las manos sobre los santos Evangelios, mirándolos y adorándolos con reverencia, juró que no leería en el reino de Aragón ninguna otra facultad, sino simplemente la gramática... y que procuraría, por lo que estuviera en su poder, defender y preservar los privilegios de la Universidad de Huesca...»

¿Serían los «enuidiosos murmuradores», de los que habla tantas veces Simón Abril en sus obras, aquellas personas «dignas de toda confianza» que aparecen en el proceso? Merece la pena de detenernos un poco en este punto, tanto por la importancia que pudo tener en la vida de nuestro autor, como también por la luz que arroja sobre la atmósfera de su época. Ya en la dedicatoria de 1566, Simón Abril deja entrever cierto escarmiento, que más que preludio de lo que iba a acaecer en 1570, parece fruto de una lucha cotidiana con el ambiente que le rodeaba. Se queja el autor a D. Diego Ramírez, entonces obispo de Pamplona, de que los «bárbaros», como él solía llamarlos con designación tradicional, habían llegado a la impudencia de querer identificar con los mismos herejes a los que se desvelaban por devolver los textos clásicos a su prístina pureza. Con este pretexto alejaban a la juventud de lo que denominaban «un semillero de herejes» [1].

Acusaciones de herejía.

---

[1] "Videbam enim eos qui iuuandae iuuentutis causa & valetudinis & propriorum commodorum rationem neglexissent, scriptisque hominum vt doctissimorum ita et antiquissimorum ab inferis & orco Herculeo (quod aiunt) labore reuocatis honestas disciplinas ad pristinum illum nitorem

En una obrita del Palmireno, que entre otros méritos tiene el de reflejar con extraordinaria viveza el ambiente escolar de su época, hallamos el siguiente diálogo, que sirve para ilustrar con claridad las palabras de nuestro autor:

Le ruega el hijo al padre: «Enseñe me como tengo que hablar en Latin de repente, que hoy se tiene en tanto, que si uno no es docto y no habla de repente, no le quieren uer. Pero ha de ser de modo, que no me haga Ciceroniano. PA. Como assi? AR. (Arsenio, el hijo): Por que hoy à los Ciceronianos llaman Lutheranos, ò locos.

PA: ha, ha, he. Donosa objection: como reyran de esto el Cardenal Sadoleto, Perionio, y Longolio, que siendo principes de Ciceronianos, han escrito tan doctamente contra el **Luthero,** y Protestantes.

Hijo: Dizen que los Ciceronianos no son gente de deuoción: y son poco amigos de Yglesias...»

A esto, el padre (que representa al Palmireno) le contesta citándole varios libros piadosos para que vea «quan juntos uan Deuocion, y buen latin» [1].

¡Curiosa paradoja ésta de que en la España oficial-

---

quem barbarae gentis stultitia & immanitas fœdauerat, reducere curassent, à sordibusque cunctis expurgassent, à barbaris hominibus parvaeque ac pravae lectionis, nulliusque antiquitatis naris grauissime vexari, magnasque apud imperitum vulgus perpeti calumnias in summumque odium inuidiamque adduci: eorumque sic crescere impudentiam vt honestissimarum disciplinarum causam honestissimam cum impudentissimae haeresis causa perditissima conati sint coniungere; adolescentesque bono suo genio ad illarum cognitionem aspirantes ab ea quasi ab haeresium quodam seminario (ita enim illi loquuntur) conati sint auertere, neque solum id impune ferre, sed eos in summo quoque honore esse, hos vero contra contemptos spretosque iacere..." *(Methodus,* 1569, Dedicatoria).

[1] El Palmireno en *De imitatione Ciceronis,* en la *Segunda parte del Latino de repente.* Valencia, Huete, 1573, pgs. 104-5. Más o menos las mismas ideas las expresa Vives en *De causis corruptarum artium,* II (Io. Lo- / DOVICI VI- / VIS VALENTINI OPE- / RA / Basileae ANNO MDLV, vol. I, pgs. 362-3).

mente antierasmista del último tercio del siglo XVI se emplease un término que justamente Erasmo había puesto en los labios de todos con su célebre diálogo *Ciceronianus,* en el que ridiculizaba el falso ciceronianismo servil, entonces tan en regla en ciertos círculos romanos!

Pero Simón Abril parece recelar algo más que una simple contienda verbal. Aquellos «bárbaros» ocupan posiciones sólidas y honrosas; los verdaderos amantes de las letras, en cambio, yacen en el desprecio. Y tal es la fuerza de la barbarie, que el que intenta enderezar a los jóvenes hacia el estudio genuino de las letras antiguas, se ve en peligro de que le quiten de en medio o, por lo menos, lo dejen sin fuerza [1].

Desde luego, aquéllos habían sido unos años agitados para España y no menos para Aragón, donde, especialmente desde las Cortes de Monzón, en 1564, se intensifica el movimiento religioso: promulgación de los Decretos del Concilio de Trento; erección de las nuevas sillas episcopales de Jaca, Barbastro y Albarrazín [2]; reforma de varios conventos, haciéndose observantes los claustrales, sobre todo los Franciscanos y los Agustinos [3]; fundación de monasterios como el de Aula Dei en 1569, en reparación de las persecuciones de las que eran objeto los religiosos en los países septentrionales, son todas medidas que demuestran cómo la Contrarreforma no quedaba letra muerta. Constituída en un movimiento nacional, y además regional y local, alista en sus filas los elementos más heterogéneos,

---

[1] Cfr. pg. 29, n. 1 al final e *ibid:* "Intelligebam praeterea tantam barbariem per reliquas grassari disciplinas, vt inanis huiusmodi labor mihi fore videretur, vt qui, ad alias disciplinas adulescentibus traductis, vel extinguendus omnino, vel certe labefactandus esset vehementer."

[2] Cfr. Blasco de Lanuza, HISTORIAS / ECCLESIASTICAS / Y SECVLARES DE ARAGON. / Zaragoza, Juan de Lanaia y Qvartanet, 1622, vol. II, pgs. 15 y sigs.

[3] *Ibid.,* pgs. 18 y sigs. "fueron aquellos nuestros siglos dorados, dice el autor, respecto delos que de hierro pocos años después nos sucedieron", pgs. 19-20.

que contribuyen a ella o creen contribuir según su mentalidad y cultura.

El término de hereje debía de ser moneda corriente en aquellos años. La intransigencia del protestantismo, como hizo notar M. Bataillon [1], provocaba una reacción parecida en el campo opuesto. Imposible todo compromiso después del fracaso definitivo de los «irenistas» y del establecimiento de las iglesias nacionales; no quedó otro recurso sino el de demarcar definitivamente las fronteras entre la ortodoxia y la herejía, contrarrestando pronta y enérgicamente todo germen de error dentro de la Iglesia católica. Pero además de esta tendencia que podríamos llamar oficial, encarnada en la Inquisición, tenemos esa otra tan propia de aquellos tiempos de mezclar lo religioso en todas las fases de la vida y confundir lo desconocido con el error y la herejía. «I todo se nos antoja tal —dirá Ambrosio de Morales—, lo que no vemos qual es, como quien anda de noche sin lumbre, que todo lo que topa le parece negro» [2].

Añádase a esto la profesión de los «bárbaros», sinónima casi de la envidia y calumnias; *grammaticus ipsa arrogantia est,* cantaba el refrán. Añádase además que el defenderse de tales acusaciones era propio de las dedicatorias, tanto, que Huarte de San Juan advirtió que «no es

---

[1]   Bataillon, M., *Erasme et l'Espagne,* Paris, Droz, 1937, pgs. 744-5.

[2]   "Discurso en defensa de la lengua castellana", reproducido por Pastor, J. F., *Las apologías de la lengua castellana en el siglo de oro,* Madrid, 1929, t. VIII de los *Clásicos Olvidados,* pg. 85. Hay cierto curioso paralelo entre las acusaciones lanzadas contra los estudios humanísticos y las que se levantaron luego (aunque no exactamente en el mismo terreno) contra los neologismos en la lengua: "de la forma que Dios Nuestro Señor, escribe Juan de Robles en la *Primera parte del culto sevillano,* le dió a nuestro padre Adán sciencia para poner nombres a todas las cosas, así el demonio da también ingenio para inventar obras y galas, con que servir a la vanidad y a la lascivia, ruina del mundo y destierro de las virtudes; y consecuentemente les da a los inventores sciencia con que ponerles nombre a sus invenciones, que sean recibidos de todos". Reproducido *ibid.,* pg. 164.

odio ni pasión, ni ser los hombres detractores y amigos de contradecir *(como piensan los que escriben cartas nuncupatorias a sus Mecenas,* pidiéndoles contra ellos ayuda y favor)» lo que los inclina a diversos pareceres, sino su diferente destemplanza [1].

Todo esto hay que tenerlo en cuenta para justipreciar las palabras de Simón Abril, tan aptas de por sí para añadir una página al oscurantismo de la Iglesia en este período, no sea que, como nos previene Ortega y Gasset [2], confundamos el *catolicismo* español con el catolicismo *español,* o mejor dicho, ciertos aspectos accidentales y étnicos, y particularmente la actitud de aquellos tiempos con el espíritu de la Iglesia.

Indudablemente, Simón Abril tuvo que sufrir sus dificultades. Ya hemos visto que un instrumento espiritual, la excomunión, en las manos de un poderoso organismo como la Universidad de Huesca, sirve de medida que podríamos llamar burocrática, lo mismo que tantas otras sanciones que se emplean hoy para los mismos fines. Por otra parte, las investigaciones sobre la vida de nuestro autor no han llegado aún bastante lejos para poder decidir si formó o no parte de ciertos círculos marcadamente heréticos, que tenían sus reuniones en Zaragoza en aquella época. Lo cierto es que, si bien en casi todas sus dedicatorias expresa la intención de retirarse a los *templa serena,* cansado por la atmósfera irrespirable que le oprime, siguió publicando sus obras, y si algunas no llegaron a imprimirse, no fué porque lo prohibiese la Inquisición. Quizá la única huella ma-

---

[1] Proemio del *Examen de Ingenios (Bibl. de Autores Españoles,* 1922, t. LXV, pg. 405). Por otra parte, hay que pensar en los procesos de la Inquisición publicados hasta aquí y en muchos otros casos que sin llegar a procedimientos judiciales perjudicaron a los interesados por culpa de móviles afectivos y personales. Cfr. p. ej. Mauricio de Iriarte, S. I., *op. cit.,* pg. 87, sobre la prohibición del *Examen de Ingenios* por el Indice de 1583.

[2] *Obras,* Espasa Calpe, 1932, pg. 968.

nifiesta que la presencia del Santo Oficio dejó en sus escritos sea su extraordinaria prudencia al pisar terreno lindante con la teología y las reiteradas protestas de sumisión a la Iglesia [1].

Tudela. Al mes y medio o poco más de ser absuelto de la excomunión en la que había incurrido en Uncastillo, esto es, el 8 de julio de 1571, le vemos contratado por cuatro años por el Ayuntamiento de Tudela [2]. Empieza entonces un período apacible y activo, que añorará después en sus cartas: a los tudelanos les servía «de mejor gana que a pueblo de toda España» [3]; se sentía rodeado de aprecio y de comprensión.

Efectivamente, el Regimiento de la antigua ciudad navarra mostraba un vivo interés en su Estado de gramática [4], no tan sólo desde el punto de vista material por lo

---

[1] Esto, por otra parte, formaba como una segunda naturaleza en los escritores del siglo de oro, así que es difícil afirmar si tales declaraciones responden a un fin o si son del todo espontáneas. En varias ocasiones reprende nuestro autor a los herejes (p. ej. en cuanto a la distinción entre la dignidad y la persona en los cargos eclesiásticos, *Rep.*, fol. 54) y cuando sugiere alguna reforma en la disciplina de la Iglesia (poniendo generalmente como ejemplo el cristianismo primitivo) o en la enseñanza de materias teológicas, siempre cuida de poner los puntos sobre las íes, contrastando su actitud con la de ellos. No hay que olvidar que casi todo español de aquellos tiempos llevaba dentro de sí algo de inquisidor. No sin razón dice Pedro Simón Abril de los *gouernadores* de la Iglesia que "con aquel mismo heruor que prohiben los libros, que peruierten la fe Catholica, aurian tambien de prohibir las pinturas i poesias desonestas, que estragan la virtud... i sobre todo vnos libros que llaman de Cauallerias o partes de Amadis, en los quales se representan seraos, danças, platicas enamoradas...". *Rep.*, fol. 248. Cfr. también fol. 260.

[2] Se conserva el contrato en el Archivo de Protocolos de Tudela —Prot. de Jerónimo de Burgui—; lo reproduce el Sr. J. R. Castro en *Príncipe de Viana*, 1942, pgs. 331-2.

[3] Carta fechada en Rioseco en 1594; publ. *loc. cit.*, pg. 327.

[4] Cfr. J. R. Castro, "La enseñanza en Tudela en el siglo XVI", en *Universidad*, año XVI, n.º 1, 1939, pgs. 3-24, que extractamos aquí por el interés que tiene para nuestro estudio. Alguna noticia sobre el Estudio de

que se refiere a los gastos e instalación del mismo, sino también en cuanto a la elección del maestro —por oposición o por recomendación—, a su alojamiento —tenía que habitar en el Estudio o, por lo menos, pasar la noche allí, para la conservación de la casa y el recogimiento de los escolares— y hasta a los libros de texto, que generalmente habían de ser Terencio, las Epístolas familiares de **Cicerón**, Virgilio, «el quarto de Antonio» (la sintaxis de Nebrija) y las Epístolas de San Pablo para los sábados y los domingos.

Gracias a las disposiciones del Regimiento, el maestro gozaba de una posición honrosa y respetada, dándose ejemplos de privilegios y exenciones que le eran concedidos para que con mayor voluntad ejerciese su cargo. Además, el Ayuntamiento se comprometía a apoyarle en las medidas disciplinarias «en todo y por todo», para que los estudiantes «le tengan y acaten y veneren y honren por tal maestro».

Por su parte, éste se comprometía a explicar «lectiones de libros de gramatica y retorica y oratoria y poesia y griego y logica y metaphisica si obiere auditores para ello...» Las clases duraban todo el año, «ymbierno y verano», con alguna limitación de los ejercicios durante esta última estación. El maestro debía tener a su propia costa un repetidor que le ayudase a llevar el peso del estudio.

Quizá también, gracias a dicho auxiliar, pudo Simón Abril, que era «maestro maior», atender a la preparación de sus libros de texto, hallándose además bastante holgado para hacer frente a los gastos correspondientes [1].

Tudela da también Yanguas y Miranda, J., en su *Diccionario histórico-político de Tudela,* Zaragoza, Andrés Sebastián, 1823, en el artículo *Gramática,* pg. 139. Pero nada dice de Simón Abril.

[1] *Propriis auctoris expensis,* dice el colofón de la *Introductio ad logicam; impensis ipsiusmet auctoris,* el colofón de la *Gramática latina* (1573). Según el contrato, Pedro Simón Abril recibía 80 ducados más 12 reales que abonaban anualmente los estudiantes, y la aportación de diez nietros

En 1572 le vemos publicar su *Introductio ad logicam Aristotelis* [1]; sus *Tres Libros de Epístolas Selectas de Cicerón* [2], que ilustran lo que será su método práctico para la enseñanza de las lenguas clásicas durante el resto de su carrera docente; y, por fin, en 1573, la tercera edición refundida de su *Gramática latina*. Esta última obra atestiga la amplitud de miras de los tudelanos, porque si bien era tradición entre ellos que el maestro explicase las lecciones de gramática «segund el arte y doctrina del maestro Anthonio de Nebrissa» como se acostumbraba «en la dicha catreda y en los otros estudios y ginassios de Espanya» [3], y quizá entre ellos hubiese quien impugnara a Simón Abril diciendo «que esta a la mano el arte de Antonio de Nebrissa, y que aquella es harto bastante para aprender lengua Latina» [4], con todo salió de la imprenta de Tomás Porralis una tirada de la Gramática de Abril, la cual, por lo que se desprende del número de ejemplares que se conservan, debió ser considerable.

Zaragoza   Aunque el contrato de Simón Abril con el Ayuntamiento de Tudela fuese por cuatro años, en el otoño de 1574 nos lo encontramos en Zaragoza [5], y el 6 de octubre el Regi-

---

de vino tinto y dieciséis arrobas de trigo por parte del cabildo de la Catedral a condición de que cada canónigo pudiese enviar al estudio un comensal de balde.

[1] En la misma obra habla también de tres libros de *Comentarios a los Tópicos de Cicerón* que había publicado anteriormente; nada sabemos de su impresión.

[2] Esta obra la prepararía ya anteriormente, porque la dedicatoria está fechada en 1570; quizá también la *Introductio* la compusiera en Uncastillo, editándola luego en Tudela, donde le serviría de texto.

[3] Cfr. J. R. Castro, "La enseñanza en Tudela ...", *loc. cit.*, pg. 12.

[4] Cfr. la "Apología del autor" de la edición 1573 de su Gramática.

[5] Su estancia en Zaragoza por estas fechas está atestiguada en primer lugar por una carta a los regidores de Tudela publicada por J. R. Castro en *Príncipe de Viana*, 1942, pg. 325, a la que nos referimos a continuación, y además por un reconocimiento de deuda de 1574, en el que aparece como fiador Pedro Simón Abril "q. al tiempo Residia maestro del estudio

miento contrata por tres años a Juan Esclarino para ocupar su puesto [1]. Con toda probabilidad dejó la ciudad navarra quedando en términos muy amistosos con los regidores, que le encomendarían la búsqueda de otro maestro, empresa considerada muy ardua por nuestro autor, porque «ai tanta falta de gentes que sepan latin —escribía en su carta— y lo quieran enseñar..., que para muchas partes son buscados y no se hallan» [2]. Más tarde, en 1594, los Regidores volverán a solicitar sus servicios.

Por su parte, Simón Abril guardará siempre un buen recuerdo de la que consideraba como su «tierra natural» y a la que hubiese querido volver para decir, «haec requies mea in saeculum saeculi».

En la misma carta, Simón Abril se muestra pesaroso «de auer escuchado tanto alos que me importunaron tan encarecida mente la venida a Çaragoça. Porque aunque esta es ciudad muy rica, y ai aparejo para ganarse dineros, tambien lo ai de gastarse: y io no tenga tanta cuenta conla ganancia, quanta con el contentamiento». Quizá otras circunstancias más concretas hicieron que fuesen tan poco de su humor las cosas de por allá. ¿Sería una alusión velada a un posible peligro la que leemos en su dedicatoria al canónigo limosnero de la Catedral zaragozana, don Cipriano Martínez, en la primera edición de las *Fábulas*

---

de la dha Ciudad de Tudela q. al pnte. Reside maestro del estudio mayor de Çarag.ca" (Prot. de Pedro Agramont, lugar publicado por J. R. Castro en *Ensayo de una Biblioteca Tudelana*, pg. 230).

[1] Cfr. Marco e Hidalgo, *op. cit.*, pg. 388, es el único dato que encontró dicho investigador como resultado de su examen de los Libros de Acuerdos del Ayuntamiento de Tudela, ya que éstos empiezan en 1573.

[2] Esta no sería exageración por parte de Pedro Simón Abril. La escasez de maestros de latín está atestiguada por otras muchas fuentes, p. ej. cfr. Ricardo del Arco en las ya citadas *Memorias de la Universidad de Huesca*, donde en las "conductas de catedráticos de la Universidad y Estudio General de Huesca" leemos que el 25 de septiembre de 1569 "Otorgaron albaran al Maestro mayor, de 60 s. que dio a Martin Sanz para ir a Navarra a buscar maestros de Gramática", pgs. 199-200.

de Esopo? [1]. No tenemos datos suficientes para formular suposiciones.

Sin embargo, el puesto de catedrático de retórica se le había ofrecido con todos los honores, como se deduce de la dedicatoria de la traducción de uno de los discursos ciceronianos contra Verres, en la que agradece la intervención a su favor del que era entonces síndico y decano del Ayuntamiento, D. Vicente Agustín [2].

Su cátedra, desde luego, no se podía considerar entonces como universitaria. No obstante el privilegio otorgado para ello por Carlos V en 1542 [3], y confirmado luego por bula pontificia [4], por falta de renta el antiguo Estudio General de Zaragoza no se había transformado aún en Universidad [5]. Pero por aquellos años se tuvieron que avivar los deseos de poner en ejecución dichos privilegios, ya que

---

[1] "Tu enim is es, qui ex eo tempore, quo me in tuorum numerum referendum censuisti, non destitisti me & amore summo prosequi, & tuam voluntatem & re & verbis benigne polliceri, adeo ut si quid mihi quantumvis arduum ac difficile occurrisset, in quo tuam in me benevolentiam experiri possem, te omnia mea caussa facturum fuisse non certe dubitarem" (Dedicatoria, hacia el final).

[2] La cátedra de retórica le había sido destinada con el permiso de D. Fernando de Aragón, por deliberación del Ayuntamiento y a instancia de Vicente Agustín. Pedro Simón Abril considera este nombramiento como un honor: "... tantus Senatus tam honorifice de me te auctore decreuit...". Vicente Agustín había demostrado interés en que Simón Abril fuese maestro de sus propios hijos: "Tu enim me antequam cognosceres, ornasti, tu liberos tuos tibi suo merito charissimos vt mihi erudiendos traderes non modo a tuo conspectu, sed ab ipsis quoq. sedib. tuis, ab ipsis poenatib. a sua patria illos abduxisti. Tu in hanc vrbem honestissimis praemijs adducendum me curasti, adductum tuae domi hospitem, qui honos magnus fuit mihi recepisti."

[3] Jiménez Catalán, M., y Sinués y Urbiola, J., *Historia de la Real y Pontificia Universidad de Zaragoza*, Zaragoza, La Académica, 1923, vol. I, pgs. 32-33.

[4] *Ibid.*, pgs. 36-37.

[5] Un breve esbozo del desarrollo del Estudio zaragozano antes de la verdadera fundación de la Universidad en 1583 se halla en la obra citada, pgs. 22-44 (resumido en la pg. 43).

en 1574 empiezan las hostilidades de la Universidad rival, Huesca [1].

El Estudio, por tanto, constituía un centro de interés, tanto para los Jurados como para el Cabildo de la ciudad [2]. Con todo, bien poco sabemos de las actividades escolares de nuestro autor durante estos años [3], y debemos limitarnos una vez más a consignar la publicación de sus traducciones, la ya nombrada de la oración contra Verres en 1574, la de las *Fábulas de Esopo* en 1575, un conciso resumen latino de su gramática, los *Rudimenta,* en 1576, y el año siguiente la de Terencio. Las imprentas zaragozanas debían absorber fácilmente tales libros de texto, que los libreros pedían del extranjero por falta de impresiones locales [4]. Menos suerte, en cambio, tendría Simon Abril con sus versiones de la *República* y de la *Etica* que

---

[1] *Ibid.,* pg. 39.

[2] Cfr. *ibid.,* pgs. 40-42, unas cartas que demuestran los esfuerzos del Cabildo y Jurados para obtener que parte de las rentas del Arzobispado, entonces vacante, fueran aplicadas al estudio.

[3] Los Sres. Catalán y Sinués afirman (pg. 42, *op. cit.),* probablemente por haberlo leído en el artículo de Marco e Hidalgo, a quien se lo aseguraba D. Tomás Ximénez de Embún (cfr. *Rev. de Arch.,* 1908, pg. 391), que Pedro Simón Abril recibía un salario de 5.000 sueldos jaqueses, que le fué aumentado más tarde "por lo satisfecha que de su labor estaba la ciudad y para evitar que se ausentara". En la misma página, nota (1), dan cuenta de una *apoca* encontrada por ellos en los protocolos de Miguel Español, menor (Archivo Not. de Zaragoza), correspondientes al 13 de diciembre de 1576, fol. 347, por la cual Pedro Simón Abril declara haber recibido de Jerónimo Ferruz, mayordomo de la ciudad, 2.000 sueldos jaqueses.

[4] Instructiva para esta cuestión de la importación de libros es la "Memoria de libros de Bartolomé de Robles mercader de libros vecino de Alcalá de Henares que tomó de Guillermo Rouille en quarenta balas a veinte de Junio" (según el Catálogo de los papeles de Inquisición del Archivo Histórico Nacional, sería del año 1560). Entre otros muchos figuran 50 ejemplares de Epístolas de Tulio en 8.º, ed. de Lión; 50 ejemplares del De Officiis, 8.º, Lión; otras tantas Fábulas de Esopo (in 8.º, de Lión), más cincuenta "chicas" de la misma obra, 50 Virgilios, 50 Lucanos y muchos Horacios, Terencios, Quintilianos, Justino Mártir, Pausanias,

ya en 1577 tenía preparadas, según afirma en el prólogo de las *Comedias de Terencio*.

El Escorial.   Todas estas obras, publicadas en el espacio de pocos años con el evidente propósito de servir al bien del Estado, le franqueaban el acceso a Felipe II; en efecto, en una carta de Simón Abril al notario tudelano D. Pedro de Agramonte [1] se conserva una interesante referencia a un viaje que hizo a la Corte cuando ésta se encontraba en el Monasterio de El Escorial. El Monarca «mostro tener mucho contento dela traduction de Terencio» y le hizo «buena offerta de palabra si algo se *le* offreciesse en que *le* pudiesse hazer m*erced*». Por lo pronto le mandó dar mil reales para las expensas del viaje, suma que Simón Abril gastó durante el tiempo, casi dos meses, que estuvo «por allá». En El Escorial aprovechó la ocasión para presentar en el Consejo real sus libros de la *República* y de hacer además una breve escapada a Alcaraz, donde dejó asentado un contrato con el Ayuntamiento de la villa.

Alcaraz.   Los datos que tenemos de su segunda estancia en Alcaraz [2] demuestran, en mi opinión, lo que Simón Abril realmente fué en sus tiempos. Nada más anacrónico que creer que la ciudad manchega agasajó a este hijo suyo como nos lo sugieren los calificativos de insigne humanista y afamado pedagogo que tantas veces hallamos junto a su nombre. En realidad se le trató como a maestro, maestro

---

Quinto Curcio, Comentarios de César, Aristóteles, Platón, Luciano, Catulo y Tibulo, Dión, Lactancio, Josefo, Demóstenes, Homero, Crisóstomo, Jerónimo, Galeno, Elio, etc. Además, varios Calepinos, 50 Lorenzos Valla, varias gramáticas de Clenardo y 50 "Exergitatio linguae latinae", 8.º

[1] Publ. por J. R. Castro en el citado *Ensayo de una Bibl. Tudelana,* pg. 229.

[2] Todos ellos publicados por Marco e Hidalgo, *loc. cit.,* pgs. 388-390, de donde citamos en estas páginas indicando los documentos de los que los reproduce.

muy acreditado, si se quiere, pero no por esto menos sujeto a la carga de su profesión. No se le evitó siquiera la presentación y examen reglamentarios. En el cabildo celebrado el día 2 de julio de 1578 [1] le vemos comparecer ante el Sr. Corregidor y en presencia del vicario y de algunos beneficiados «para que se viese la suficiencia del dicho licenciado Pedro Simón Abril», y habiendo leído y dado razón (quizá daría una especie de conferencia escolar), «pareció bien a todos su suficiencia y habilidad» y le nombraron preceptor de la ciudad, para que enseñara todos los que acudiesen a él, y a los pobres de balde, y prohibiéndole salir de la ciudad sin licencia de la misma. El primer contrato corría desde el 1.º de julio de aquel año hasta el 1.º de febrero de 1581.

La misma frialdad y prudencia muestra el acta con la que podemos considerar concluída para Alcaraz la cuestión Simón Abril. En efecto, tras leer la carta que éste escribía desde Zaragoza el 25 de agosto de 1583 despidiéndose del Regimiento de su villa natal, se asentó en el Libro de Acuerdos lo siguiente: «y esta ciudad dice que lo avián por despedido y mandaron se le notifique al mayordomo de propios no le acuda á él ni á otro por él con algunos dineros questén librados aunque sea por tercios hasta estar hecha la cuenta con él ó con quien tuviere su poder del tiempo que verdaderamente ha servido quitando las ausencias que ha hecho sin licencia de la ciudad...» [2].

Los años intermedios dejan entrever por parte de Simón Abril la impaciencia con que soportaba un empleo tan pesado y tan poco retribuído, y por parte del Ayuntamiento cierto aprecio en vista de sus méritos como maestro, y bastante longanimidad para soportar sus ausencias,

---

[1] Libro de Acuerdos, leg. 2.º, fol. 373. Marco e Hidalgo, *ibid.*, pg. 388.
[2] Libro de Acuerdos de 1583, fol. 1048. Marco e Hidalgo, *ibid.*, pg. 390.

quizá también por la dificultad de hallar quien le substituyera.

Asi, en la sesión del 6 de mayo de 1579 se lee una instancia suya pidiendo se le acreciente el salario de 30.000 a 50.000 maravedís[1]; con lo que le daban «no se puede sustentar», ya que la mayoría de los estudiantes eran pobres y no le pagaban cosa alguna. En vista de que «les consta la suficiencia del dicho maestro», el Ayuntamiento acordó pedir licencia al Rey para subir su sueldo de 10.000 maravedís, con tal que enseñase a los pobres de balde y leyese una lección de retórica más. A los cinco meses y medio, el 26 de noviembre de 1579, llegó la contestación afirmativa[2].

En cuanto al Ayuntamiento, debía de estar dividido. Don Jesús Carrascosa refiere haber visto muchos acuerdos municipales en los que con motivo de dos o tres viajes de Simón Abril a Toledo, algún Regidor insinuaba que Simón Abril estaba gestionando algún otro puesto para marcharse de Alcaraz, y aconsejaba que se trajera allí a los Padres de la Compañía. Pero por aquella vez prevalecieron los que le defendían como el «más eminente maestro de latinidad que al presente hay». (¿Se habían dado cuenta de sus méritos?)[3].

Numerosas y largas tuvieron que ser, no obstante, las ausencias de Simón Abril. Traía éste entre manos asuntos que seguramente le interesaban más que el enseñar a leer y escribir, gramática y retórica a los hijos de Alcaraz. Uno de ellos es su *Arbitrio para el desempeño de la Corona*[4]. Respecto a este asunto escribe a Felipe II una carta, fechada el 22 de enero de 1583 en Madrid, en la que relata al rey que había aguardado de día en día la venida

---

[1] Libro de Acuerdos, leg. 2.º, fol. 80. *Ibid.,* pg. 389.

[2] Docs. antiguos, leg. 175, n.º 95. *Ibid.,* pg. 390.

[3] Cfr. en el periódico *Albacete,* 19 de julio de 1944, el artículo titulado "Hijos ilustres de la provincia".

[4] Cfr. el Apéndice.

de su Majestad (probablemente en el mismo Madrid), para
tratar del asunto en persona, hasta que, no pudiendo sufrir dilación tan larga, presentó su Discurso en el Consejo
Real [1].

Cuán poco le importase su puesto en Alcaraz, lo demuestra además el hecho de que, al salir por última vez, dejó
dicho al Regimiento que, si dentro de veinticinco días no
volviese, consideraran vacante su cátedra [2]. A nuestro autor
le atraían evidentemente más los centros que ofrecían mayores facilidades culturales y de imprenta. En efecto, desde que estuvo en Alcaraz no llegó a publicar más que las
Tablas de escribir bien y fácilmente (Madrid, Alonso Gómez, 1582) —arte que quizá había tenido que ejercer más
que en ningún otro lugar, por ser tantos los estudiantes
pobres que acudían a su escuela—, mientras que en 1583
sacó a luz una segunda edición de los libros de *Epístolas
Selectas,* una compilación en castellano de la *Gramática
latina* y una impresión muy refundida y corregida de las
Comedias de Terencio.

Sobre todo, esta última requería la presencia de su autor
en un centro de mayor cultura, ya que tan sólo así podía
realizar esa búsqueda de «originales antiguos mas verdaderos y enmendados», búsqueda que atestigua la licencia
real, como uno de los motivos por los que se permite la reimpresión de su obra. En efecto, Simón Abril amoldaba su
texto al del humanista cremonés Gabriel Faerno, que lo
había editado en 1565. Lo ayudó además Francisco Sánchez, entonces catedrático de retórica, «communicado
ciertos lugares con el interprete» [3]. ¡Lástima que hasta
ahora no haya podido hallar huella alguna de dicha cooperación, que tal vez se efectuara en forma epistolar!

Zaragoza por segunda vez.

---

[1] Publicada por Marco e Hidalgo, *loc. cit.,* pgs. 411-413.

[2] Según se refiere en la sesión del Ayuntamiento de Alcaraz, cfr. página 37, n. 1.

[3] Prólogo al lector de las *Comedias de Terencio,* 1583.

El asunto que le había traído a Zaragoza, según declara en la ya citada carta del 25 de agosto de 1583, era la impresión de un *Catecismo* (seguramente el de Pío V) [1], que tenía licencia para publicar en Aragón. Pero, además, el 15 de agosto de aquel mismo año fué nombrado por D. Pedro Cerbuna para ocupar una de las cátedras de Gramática en la que ya era *de derecho y hecho* la Universidad de Zaragoza [2], y su nombramiento lo vemos confirmado, quizá por estar ausente entonces, el 16 de octubre del mismo año.

---

[1] No sé si llegó a imprimir este Catecismo; en el Prólogo de la edición de 1583 de las *Comedias de Terencio* afirma que lo tenía ya hecho y que lo divulgaría. El catecismo de Pío V, según Camón, servía de texto de religión: "Y porque por los Estatutos de la Universidad se provehe que juntamente con las letras se enseñen buenas costumbres particularmente a los gramáticos, assi se leerá las fiestas a las 8 de la mañana el *Cathecismo latino del Papa Pio V,* para que en él aprendan latín y christiandad." Lo citan Sinués y Catalán, *op. cit.,* vol. II, pg. 12, quienes opinan que la cédula que contiene esta norma es de 1585. Es curioso que Pedro Simón Abril quisiera extender su espíritu de vulgarización en lengua vulgar también a lo religioso, haciendo eco a un movimiento que ya se había desarrollado entre protestantes y después del Concilio de Trento se propagaba cada vez más entre católicos, si bien en España ya había habido anteriormente catecismos en lengua vulgar.

[2] En el Archivo Notarial de Zaragoza, prot. de Miguel Español el menor, año 1583, fol. 291, se conserva (según Marco e Hidalgo, *loc. cit.,* pgs. 392-93) una escritura por D. Pedro Cerbuna, en la que se enumeran las Bulas concedidas para la fundación y reconstrucción de la Universidad y la autorización dada a él para nombrar catedráticos, entre los que figura Pedro Simón Abril, explicando con él Gramática en este curso los señores siguientes: Juan de Lobera, maestro mayor; Martín Sevil, Jusepe Salinas, Miguel Berenguer, Andrés Escoto, Juan Costa, Mendoza y Aracil y otros.

En el protocolo del mismo escribano, correspondiente al año 1584, folio 291, se halla otra escritura de elección de catedráticos de la Universidad de Zaragoza, correspondiente al 16 de octubre de 1583, que reproduce íntegra Marco e Hidalgo, pg. 392, y en la que se nombra para lectores en Gramática "al maestro pedro simon Abril al maestro Juan de Lobera y al maestro Jusepe Salinas vecinos y havitadores de la dicha ciudad que estaban absentes".

En Zaragoza, Pedro Simón Abril enseñaba latinidad, griego y retórica, de ocho a once de la mañana y de dos a cinco de la tarde, con cinco maestros más, «repartidos por sus clases con grande ejercicio y erudición porque en breve tiempo salgan muy aprovechados los oyentes», según refiere Camón [1], que copia «un papel» que se halló en el archivo de Zaragoza.

Fruto de estas clases es su edición de los *Apoftegmas de Aftonio,* que le servían indudablemente para sus alumnos de retórica, y particularmente la *Gramática griega* (1586). Ya en 1584 se había realizado la tan deseada edición de la *República de Aristóteles* [2].

¿Cuál sería la intención de nuestro autor al dedicar la *Gramática griega* al Rector y Claustro de la Universidad salmantina? En primer lugar, el de buscar para su reforma (esto es, su método simplificado y en lengua vulgar) en un centro tan acreditado e influyente [3]. ¿Soñó nuestro autor además en ser él mismo quien lo introdujera allí desde una de las cátedras? No tenemos datos sufi-

¿Salamanca?

---

[1] Es la misma cédula citada arriba, pg. 44, n. 2; a continuación de esta descripción de la enseñanza de las humanidades cita los nombres de quienes las daban: "El Maestro Andrés Escoto.—El Maestro Pedro Simon Abril.—El Maestro Berenguer.—El Maestro Mendoza.—El Maestro Lobera.—El Maestro Araciel." *Loc. cit.,* pg. 12.

[2] La dedica "al Ilustrissimo Señor el Reino de Aragon" en agradecimiento de los beneficios recibidos en sus dominios.

[3] "... e querido particularmente poner este mi trabajo debaxo de la protecion i amparo de V. S. por el bien i vtilidad mia i de mi mismo trabajo pareciendome que pues V. S. tiene en su seruicio tanto numero de personas de mui clara dotrina, i poder para induzillas con premios, que es lo que haze alos ombres sufrir la fatiga i peso del trabajo, si a V. S. le pareciere poner en vso lo que io aqui aduierto, lo podra hazer con mui gran facilidad, i dar orden como la gente moça atendiendo dende luego ala propiedad de las lenguas, venga en los tiernos años a aprender tanto vso del Latin i Griego, que perdamos el mal nombre, que tenemos los Españoles acerca de las otras naciones, de que no gustamos de letras antiguas por falta de conocimiento i vso de las lenguas."

cientes para afirmarlo. Lo cierto es que mientras en 1586 su nombre en la portada de dicha obra va acompañado del título, «maestro en la Filosòfia i Cathedratico de lengua Griega en la Vniuersidad de çaragoça», este último calificativo desaparece en la edición de 1587 de la misma obra, donde se le llama escuetamente «maestro en la Filosofia». Faltando ulteriores datos, debemos estar contentos con éstos y deducir de ahí que, probablemente por esa fecha, Simón Abril abandonaría Zaragoza, circunstancia nada extraña y que de ninguna manera indica falta de competencia para cumplir con su cargo, ya que se sabe lo poco que solían durar las cátedras durante el siglo de oro [1].

Madrid. Aunque no sepamos a punto fijo dónde vivió Simón Abril entre 1586 y 1594, su nombre se relaciona en estos años con la villa de Madrid. De la imprenta de Pedro Madrigal salió, como hemos visto, la *Gramática griega* de 1587; de la de Juan Gracián, en Alcalá, su *Filosofía racional,* el mismo año. En 1589 salen, también impresas por Pedro Madrigal, los *Apuntamientos* y las *Epístolas familiares de Cicerón.* Por esta época tuvo que escribir también su *Filosofía natural.* Su nombre aparece en la portada de dichas obras con el título de Doctor. Parecen ser éstos sus años mejores, en los que se reaviva la esperanza de que sus sueños se puedan realizar. Y quizá también lograría entonces algún renombre, puesto que el Maestro Lazcano dice de él, al darle licencia para las *Epístolas familiares,* que es «tan docto y erudito varon, y tan conocido ya en nuestra España por otras obras doctas suyas».

De algún interés, por la escasez de datos seguros, es el hecho de hallarse la firma de nuestro autor bajo la apro-

---

[1] Era muy contado el número de los que ocupaban una cátedra de artes más de una vez. Cfr. Urriza, J., *La Preclara Facultad de Arte y Filosofía de la Universidad de Alcalá de Henares en el Siglo de Oro, 1509-1621,* Madrid, 1942, pg. 145.

bación de dos obras que aparecieron entonces, la *Declaraçion de las bozes i pronunçiaçiones, que ai en nuestra lengua Castellana,* de Benito Ruiz (Aprob.: Madrid, 30 de abril de 1583) y la *Historia de lo svcedido en Escocia, e Inglaterra,* por Antonio de Herrera [1].

Una eventual estancia de Simón Abril en Madrid, me hizo pensar inmediatamente en los Estudios de la Villa. Hice investigaciones en el archivo del Ayuntamiento, pero sin ningún resultado positivo, llegando pronto a la conclusión de que cualquier búsqueda es inútil mientras no se mejore el estado actual de catalogación —o de no catalogación— de los papeles referentes a escuelas públicas.

Cuán errante y ajetreada fué la vida de nuestro autor, Rioseco. lo demuestra su último paradero. Se creyó hasta hace poco que Simón Abril terminaría su vida en Zaragoza, y Marco e Hidalgo sugiere estuviera enterrado en la Capilla de la Universidad, hipótesis que parece inverosímil desde que J. R. Castro publicó una carta fechada en Rioseco el 17 de septiembre de 1594 [2]. El Sr. Castro no determinó de cuál de las muchas localidades que llevan este nombre se trata aquí. Es, indudablemente, Medina de Rioseco, de la provincia de Valladolid. Nos lo prueba una interesante referencia en los Libros de Claustro de la Universidad de Salamanca, última huella del paso de Simón Abril por el mundo de las letras.

En 1594 se mandó por real provisión que, para evitar los inconvenientes que resultaban de la multitud de distintas artes latinas, se reuniese el Claustro y deliberase

---

[1] No he podido hallar estas dos obras en ninguna de las bibliotecas de Madrid. Da cuenta de ellas Pérez Pastor en su *Bibliografía madrileña,* t. I, respectivamente, en las pgs. 140-141 y 160-161, diciendo que la primera se hallaba en la biblioteca de D. José Sancho Rayón, y la segunda, en la Provincial de Toledo. En relación con esta última no dice más que "Aprob. del Dotor Abril", sin fecha.

[2] En *Princ. de Viana,* 1942, pg. 327.

sobre la conveniencia de adoptar un texto único. La cuestión suscitó agitadas discusiones, ventilándose varios pareceres, entre otros el del Rector, D. Luis de Bolea, que pensaba ser «cosa conveniente y necesaria no aver mas de un arte por donde ha de enseñarse y esta sea para todo el reyno y en lengua vulgar y romance en los preceptos de ella y que no sea ninguna de las que aora ay impresas, sino que de todas ellas se haga una y para ellos se junten hombres doctos en dicha lengua y siendo necesario y dando para ello licencia su magestad se llamase para con los de esta Universidad al Maestro Cespedes que reside en Valladolid y a Symon Abril que reside en Medina de Rioseco y juntos los unos y los otros se hiciese una arte qual conviniese y se imprimiese en nombre de la dicha universidad y este dijo ser su voto y parecer» [1].

Prevaleció, por lo pronto, la tendencia que Simón Abril había propugnado toda su vida [2]; en la contestación de la Universidad al Consejo se expresa la necesidad de que los preceptos gramaticales estén redactados en lengua vulgar. Pero el nombre de Simón Abril no vuelve a aparecer en los Libros de Claustros. En 1598, la Universidad nombra una comisión para examinar la gramática que sometía el Consejo, pero la integran tan sólo el Maestro Báñez, el Doctor Gabriel Enríquez, el Maestro Curiel y Céspedes.

¿Qué había sido de Simón Abril entretanto? Lo único que hasta ahora sabemos es que en 1594 escribe la men-

---

[1] Hasta las palabras "Symon Abril" inclusive la cita es de Rodríguez Aniceto, "Reforma del Arte de Antonio de Lebrija", en *Bol. de la Bibl. de Menéndez y Pelayo,* Número extraordinario en homenaje a D. Miguel Artigas, 1931, vol. I, pgs. 226 y sigs., del que tomamos los latos sobre la controversia; lo restante nos lo ha proporcionado muy amablemente el P. Fulgencio Riesco consultando los Libros de Claustro (1593-4, Claustro celebrado el 10 de febrero de 1594).

[2] Libro de Claustros de 1598, fols. 87 y sigs. Rodríguez Aniceto afirma que intervino Simón Abril; pero el P. Riesco me asegura que en dicho lugar no se le nombra para nada.

cionada carta a los Regidores de Tudela, que evidentemente le habían ofrecido volver entre ellos como maestro, mostrándose sinceramente acongojado de no poder acudir a su llamada. Una vez más es la cuestión económica la que determina sus resoluciones, porque, por lo que toca al contrato, no se siente bajo ninguna obligación: «Me an tratado de manera, que si yo pudiera, me uviera ido aunque con algunas perdidas.» Pero los Regidores de Rioseco estaban apoderados de tres mil reales suyos, y cuando se dieron cuenta de que Simón Abril había recibido otras ofertas de trabajo, hicieron presa de su hacienda de tal manera, que aunque quisiera perderlos, no tenía dinero ni para ponerse de viaje.

En efecto, si bien el Regimiento de Rioseco, al anunciar en una ocasión que estaba vacante el cargo de maestro en el Estudio de Gramática de la ciudad, no vaciló en llamarle «la mejor prebenda de estos Reinos» [1], en realidad a los Regidores les importaban más sus mutuos agasajos y espléndidas colaciones o, por otra parte, sus antagonismos y sus rencillas, que los asuntos del Estudio o el mantenimiento de su maestro, o a lo más, cuando alguno de ellos levantaba una justificada queja, por miedo de que se fuera, le otorgaban alguna ayuda o «limosna» [2].

---

[1] Benito Valencia Castañeda, *Crónicas de antaño,* Valladolid, Vda. de Montero, 1915, pgs. 28-29; en Rioseco, desde los postreros años del siglo xv, se estableció un Estudio de Gramática junto al Templo de Santiago. En él se leía, además de Gramática, poesía y Sagrada Escritura. Era muy concurrido, lo cual probablemente motivó el juicio halagüeño del Ayuntamiento.

[2] Cfr. *ibid.,* pgs. 41 y 87: "... De otras atenciones muy importantes cuidaba tibiamente el Regimiento. Así ocurría con la enseñanza... A veces sólo había dos maestros de lectura, y en tan angustiosa situación vivían, que les obligaba a pedir adelantada la paga de un año entero, reducida a *cien* reales. La caridad algo confusa del Regimiento no se los negaba, con tal que constituyeran fianza abonada de residir en la villa; y como ni esos anticipos refrenaban la necesidad, alguno de los maestros por no poderse sustentar, vendió o empeñó las prendas de su casa. El Regi-

Parecido debió de ser el caso de Simón Abril; en efecto, mientras por una parte le embargaron la hacienda, por otra le dijeron «que *se* sossegasse, que ellos darian orden como el salario se*le* librasse en parte segura detal manera que la causa de *su* sentimiento tuuiese buen remedio, i *le* librarian en parte tan segura, que no avria necessidad de que formasse quexa tan justa como tenia de que *le* hazian mala paga».

No debían convencerle mucho a nuestro autor tales promesas si tan resueltamente prometía a los Regidores de Tudela ir a servirles tan pronto como terminara su contrato, esto es, al año siguiente. «Si soi bivo», escribía Simón Abril en su carta. ¿Lo era aún en 1595? En Tudela, desde luego, no volvió a ocupar cátedra alguna [1]. Futuras investigaciones en Medina de Rioseco llegarán quizá a esclarecer este problema.

Actividad.   Los datos expuestos en las páginas anteriores, aunque someros, nos dan una idea de la existencia *real* de Simón Abril: vida ajetreada de maestro que tiene que luchar constantemente con mil dificultades. Al hablar de la excomunión en la que incurrió durante su estancia en Uncastillo y de las acusaciones a las que estuvo expuesto por su amor a las letras, intentamos compaginar la realidad de los hechos con esa otra visión que de sí mismo, de su obra y de sus tiempos nos da nuestro autor, apuntando un criterio para interpretar sus palabras.

Ahora, antes de pasar al análisis de sus publicaciones,

---

miento entonces, 'viendo que si se fuese no hallaría otro que acudiese a la educación, crianza y enseñanza', sintió enardecérsele la compasión y concedió al desdichado de '*limosna y ayuda, cien reales*'." Hemos copiado este pasaje, hecho como todo el libro sobre documentos de la época, por ser tan ilustrativo de la situación de nuestro autor.

[1] Lo afirma J. R. Castro en el citado artículo (pg. 328), diciendo haber comprobado la lista de los maestros contratados por Tudela hasta que del Estudio se encargó la Compañía de Jesús.

y como introducción a las mismas, consideraremos: *a)* su actitud frente a la cultura española, *b)* y de ahí las consideraciones que le inducen a constituirse en reformador de la enseñanza, y finalmente, *c)* la repercusión que puede haber tenido su plan.

Observaremos, ante todo, que las múltiples relaciones que le ocasionó su vida andariega no dejan rastro *individual* en sus obras, como no se reflejan allí —exceptuado el mayor o menor agrado que muestra en sus cartas— los distintos ambientes locales. Y tampoco se trata de una visión progresiva, a la que cada nueva experiencia aporta nuevos datos, sino de unas cuantas ideas claves que va repitiendo o ilustrando, la mayoría de las veces accidentalmente, en las varias obras. De ahí que habla de profesiones más que de individuos y que éstos quedan todos caracterizados con unas pocas notas: los maestros son ignorantes, llenos de sí, más interesados en la ostentación que en el aprovechamiento de los alumnos; parecen perseguir todos un objeto común: el de dificultar el acceso a las ciencias para asegurarse el monopolio sobre ellas [1]. Por su parte, los estudiantes aspiran a alcanzar el grado lo más pronto posible, y se interesan tan sólo por aquellas disciplinas que puedan darles entrada a los oficios más lucrativos [2]. De ahí que al ocupar luego los cargos públicos creen que «yr à gouernar los pueblos no es mas de yr à ganar

Su visión de la cultura española.

---

[1] Cfr. *Apuntamientos,* 1589, fol. 3 y v. (por error numerado 8) y la *Gramática griega,* 1586, fol. 7 v., donde se refiere específicamente a las lenguas pidiendo que "no las dexen enseñar a gentes, que tiene mas necessidad ellos de aprendellas, que partes ni poder para enseñallas..."; también la *Filosofía racional, passim,* y casi todos sus escritos, ya que la incapacidad de los maestros es uno de sus temas preferidos.

[2] *Apunt.,* fol. 3 v. (por error 8). El afán de lucro hacía florecer especialmente los estudios jurídicos y teológicos con menoscabo de las ciencias positivas y de las matemáticas, descuidadas "por ser doctrinas que no son para ganar dinero, sino para ennoblecer el entendimiento".

hazienda para si, y buscar sus propios interesses» [1]. De ahí también el egoísmo de los ricos que oprimen al pueblo con el «afán de lucro» y la usura [2]. De ahí la venalidad y parcialidad de los jueces [3] y la arrogancia de los jurisconsultos, que han hecho incomprensibles las leyes al vulgo «por que acudiessen á ellos, como a oraculos» [4].

Nada tiene de halagador el cuadro que pinta de España en general. A pesar de sus muchas escuelas y «tanta fertilidad de ingenios, en que la Española nacion no conoce ventaja a otra ninguna», hay muy pocos que sepan de veras lenguas antiguas [5] —¡no le pesaba tanto esto a Huarte de San Juan! [6]—, y hasta su propia lengua «está sin

---

[1] *Apunt.*, fol. 12.

[2] Increpa sin compasión y repetidamente estos dos abusos, particularmente en los comentarios a la *República*. Cfr. fol. 14 v.: "... aquellos que compran los frutos de la misma tierra para alçarlos y venderlos despues por maior precio, son publicos enemigos de la comunidad humana". La dificultad mayor que encuentra en la lucha contra el "estraperlo" (que Pedro Simón Abril llama monipolio, o "como vulgarmente dizen monipodios") es que los poderosos no sólo lo permiten, sino que procuran se conserve para que los arrendadores les suban sus rentas. Pedro Simón Abril aboga el intervento del Estado, la confiscación de los bienes y el destierro y, en cuanto al trato con las naciones extranjeras, de las cuales, según él, ha venido todo este mal a España, aconseja "que no traten en España con vsuras, sino traiendo o lleuando mercadurias", fol. 185 v. Cfr. también fol. 17 v., 185 v., 227 y *passim*.

[3] *Rep.*, fol. 51, 104 y *passim*.

[4] *Apunt.*, fol. 14 v.

[5] Cfr. *M. T. Ciceronis epistolarum selectarum libri tres...* Annotaciones, h. 7 v. Es de notar que si por una parte a Simón Abril le dolía ver las lenguas antiguas tan estragadas, por otra lamentaba que la ignorancia del griego y del latín cerrara a muchos el acceso a los dos libros mejores; cfr. *Etica,* Dedicatoria.

[6] Huarte de San Juan confirma la opinión de nuestro autor preguntándose "en qué va a ser la lengua latina tan repugnante al ingenio de los españoles, tan natural a los franceses, italianos, alemanes, ingleses, y a los demas que habitan el Septentrion; como parece por sus obras, que por el buen latin conocemos ya que es extranjero el autor, y por lo barbaro y mal rodado, sacamos que es español" (cap. XI, [IX en la primitiva edición], *loc. cit.,* pg. 450); pero éste para Huarte no es un indicio

entenderse» [1]; por no decir nada de las otras materias: la lógica, estragada por las disputas; una retórica artificiosa; las matemáticas, abandonadas (y por esto mismo la falta de ingenieros, pilotos y arquitectos, que para afrenta de España, «en materia de ingenios a de yr siempre à buscallos a las estrañas naciones»); la filosofía natural, en la que no se desciende a las nociones concretas, las verdaderamente útiles para la vida; la filosofía moral, estudiada en las escuelas y universidades sólo «por manera de cumplimento» [2]; el derecho civil, que él sólo tiene más que enmendar que todas las demás doctrinas juntas por estar sepultado bajo un acervo insoportable de comentarios y glosas; y hasta las ciencias sagradas, en las que la malicia de los tiempos ha mezclado «cosas traydas por manos de hombres, los quales a sus imaginaciones y curiosidades han dado atreuidamente el nombre Teologia [3]; todas ellas claman por una reforma.

En otras palabras, en pleno siglo de oro, escribe como desde lo más profundo de la decadencia hispánica y después de casi un siglo de la reforma de Nebrija como si fuera contemporáneo suyo. ¿Qué valor hay que darles a las palabras de Simón Abril?

En primer lugar, no deberíamos olvidar, como ya observamos, el elemento convencional: los tipos del pedagogo ignorante, del político egoísta e injusto, etc., son tan antiguos como la retórica clásica; en Cicerón y Quintiliano, p. ej., están ampliamente representados. Además, tienen un valor humano universal aplicable a todos los tiempos y a

---

desfavorable, ya que por la ley de compensación entre las facultades intelectuales, para saber latín se necesita "grande memoria y poco entendimiento".

[1] *Apunt.,* fol. 5.

[2] *Apunt.,* fol. 11. La Etica no entraba en el ciclo de estudios de la Facultad de Artes y Filosofía (aun cuando se requería cursarla unos meses) por pertenecer a la de Teología. Cfr. Urriza, *op. cit.,* pgs. 27 y 28.

[3] *Apunt.,* fol. 21.

todos los lugares, de tal manera, que de la pluma de un humanista, y particularmente de un humanista español, fluyen tan actuales como de las que primeramente los describieron.

Pero, por otra parte, tiene todo esto un fundamento real. En efecto, aunque, por filiación horaciana, Simón Abril a veces se muestra superior a la ignorancia del *pueblo* o del *vulgo,* no hay que olvidar que, viviendo en los varios rincones del reino, se dió cuenta de su miseria desoladora; es testigo diario de la vida ingrata de los labradores, que nunca logran librarse de sus deudas; de los prejuicios acarreados al país por el sistema de los latifundios; de la despoblación de la tierra [1]; del desnivel exagerado entre ricos y pobres [2]; de la venalidad de los cargos oficiales [3]; de la insuficiencia de los salarios públicos [4] y de mil otros abusos

---

[1] En los *Apuntamientos* (fol. 10 v.) compara los tiempos de los romanos con los suyos propios "en tiempo de los Romanos, quando esta (la agricultura) se exercitava bien, auia en España bastimentos para mantener quatrotanto pueblo que agora es, y muchos exercitos juntos, que tenian en ella los Romanos, y los Cartagineses: y agora estando tan despoblada de gente, y sin exercitos, vn año que falte, la pone en todo estrecho".

[2] Merece la pena de citar uno de los muchos párrafos en que trata de ello: "Notase tambien aqui el peligro, que tiene la Republica, en la qual los vnos son mui ricos, i los otros pobres en estremo. Que los mui ricos se hazen demasiadamente couardes, por no perder sus haziendas: i los mui pobres demasiadamente atreuidos, como gente que no tiene que perder. I assi es cosa mui conueniente poniendo tassa en las haziendas reduzirlas a vna conueniente mediana: para que todos desseen mas la conseruacion de aquel estado", *Rep.,* fol. 227. Nótese que Simón Abril en varias ocasiones insiste en que el Estado ponga tasas a las riquezas excesivas y que proteja eficazmente las haciendas de los pobres. Pero nada está tan lejos de su mente como proponer un régimen comunista, tanto es así que rehusa creer que en la *República* de Platón se quisiera establecer de veras: "nunca Socrates lo escriuio pretendiendo que jamas vuiesse de ser assi, sino que fue vna curiosa consideracion de una perfeta Republica", fol. 31 v.; la suya fué "vna manera hyperbolica de encarecer el amor i conformidad, que an de tener entre si los Ciudadanos", fol. 22 v.

[3] *Rep.,* fol. 131 v.

[4] *Ibid.,* 104. Sin embargo, los cargos de gobierno opina que no debían

que hacen que la gente pobre, de por sí «amiga de quietud i sossiego, cuando en aquella su pobreza no les hazen injurias ni agrauios en sus pobres hazenduelas» [1], se convierta en un peligro continuo de revoluciones y motines [2]. Además, viviendo como vive en estrecha relación con la enseñanza, le inquieta, sobre todo, la ineficacia del sistema de instrucción pública vigente, la falta de preparación de su cuerpo docente, la inutilidad de los «reformadores» oficiales, que se preocupan más del mantenimiento y vestido de los estudiantes que de los textos y de los métodos empleados para su instrucción [3].

Teniendo además en cuenta el estilo de nuestro autor, estilo que, sobre todo en estos pasajes, revela una experiencia vivida, concluiremos que el suyo es un *realismo colectivo,* una generalización a España entera de observaciones locales, en las que influye indudablemente el ejemplo de los clásicos y quizá también cierto pesimismo, aunque —hay que reconocerlo— en muchas de sus críticas puso el dedo en la llaga.

Es a una España así concebida a quien él se dirige. Lo que escribe, no le importa que no lo entiendan franceses e italianos, ya que «io solo para mis rudos Españoles y no para los doctos e querido tomar este trabajo» [4]. Deja un lado los que ya saben o los que se han criado en los sistemas antiguos (éstos, «quedense con la parte que les cupo») y se dedica a la generación joven. Su actitud es la del maestro, confiado en sus métodos, mirando hacia el futuro a través de los discípulos, los únicos que pueden dar vida y realidad a sus ideas. Aunque sea grande la distan-

Actitud de maestro y de letrado.

---

ser pagados para evitar la codicia. Los gobernantes debían servir al bien común *honoris causa.*

[1] *Ibid.,* 133 v.
[2] *Ibid.,* 35 v.
[3] *Apunt.,* fol. 2 v.
[4] *Epist. Sel.,* 1572. Annotaciones.

cia, nos hace pensar en otro maestro, a quien Simón Abril indudablemente tenía delante de los ojos como inspiración y modelo, Quintiliano, qüien desde su cátedra soñó con contrarrestar la decadencia de un mecanismo tan poderoso como el Imperio romano, quizá sin visión histórica de conjunto y sin la eficacia práctica del verdadero reformador, pero con una dosis enorme de buena intención.

Además, Simón Abril es el clásico tipo del *letrado* español del siglo de oro. Su campo de visión abarca, toda la vida nacional. De ahí que, particularmente en los comentarios de la *República* y en los *Apuntamientos,* ofrece una solución para tantos puntos distintos y problemas de carácter práctico, y muestra tanta solicitud en hacer al Rey «algun seruiçio con sus estudios» en el desempeño del estado real[1]. Con toda probabilidad no se equivocó Nicolás Antonio, cuando le atribuye un *Libro de la Tassa del Pan, i de la necessidad della, i del modo que se deve tener en hacella.*

Pero, para sanear los «errores», que tanto increpa en su propia raíz, propone un programa de estudios dirigido hacia la elevación del nivel cultural del pueblo y particularmente hacia la mejor preparación de sus gobernantes. Integran este programa, en primer lugar, la enseñanza de las lenguas antiguas de una manera fácil y rápida, para que sirvan de acceso a las «honestas disciplinas», y, por otra, la compilación de una enciclopedia escolar en lengua castellana que abarque las tres materias más necesarias para la vida: la lógica, la fiolosofía natural y la ética.

Por el interés que pueda tener en la historia de la instrucción pública (Simón Abril aspiraba a que se adoptase en todos los pueblos granados del reino), y por ser un cua-

Programa de Reforma. (nota al margen)

---

[1] Cfr. la carta que acompaña el *Arbitrio,* Marco e Hidalgo, *loc. cit.,* pg. 411.

dro de conjunto de sus obras y de su actividad, lo resumimos a continuación [1]:

I. **Desde los cinco a los doce años.**

A. Lectura y escritura . $\left\{ \begin{array}{l} \text{TABLAS DE LEER Y ESCRIUIR FA-} \\ \text{CILMENTE POR LETRA COLORADA.} \\ \text{GRAMATICA CASTELLANA (*).} \end{array} \right.$

B. Latín y griego. . . . . . $\left\{ \begin{array}{l} \text{GRAMATICA LATINA.} \\ \text{GRAMATICA GRIEGA.} \end{array} \right.$

Primer año.

a) Primer semestre:

Primera clase: 1. Tres meses de morfología («sin oir autor alguno»).
Segunda clase: 2. Tres meses de sintaxis.

Latín . . $\left\{ \begin{array}{l} \text{Lecturas. . . . .} \\ \text{(«no enseñando} \\ \text{aun latinidad»,} \\ \text{sino para po-} \\ \text{ner en prácti-} \\ \text{ca las reglas} \\ \text{aprendidas).} \end{array} \right\}$ $\begin{array}{l} \text{FABULAS DE ESOPO.} \\ \text{EPISTOLAS SELECTAS DE CICERON.} \\ \text{Alguna de las COMEDIAS DE TEREN-} \\ \text{CIO.} \end{array}$

Griego . $\left\{ \begin{array}{l} \text{Epístolas de Sinesio.} \\ \text{Fábulas de Esopo, Aristófanes o Eurípides.} \end{array} \right.$

b) Segundo semestre:

Tercera clase:

Latín. . . . $\left\{ \begin{array}{l} \text{1. Sigue la lectura de una COMEDIA DE TERENCIO y} \\ \quad \text{de las EPISTOLAS DE CICERON.} \\ \quad \text{(aplicando las reglas y analizando el contenido y} \\ \quad \text{estilo).} \\ \text{2. Traducción inversa de algunos de los APOPHTEGMAS} \\ \quad \text{DE PLUTARCO (*).} \end{array} \right.$

Griego . . $\left\{ \begin{array}{l} \text{1. Lecturas: PLUTO, de Aristófanes (*), o MEDEA, de} \\ \quad \text{Eurípides (*); algunos DIALOGOS, de Luciano (*);} \\ \quad \text{el GORGIAS y CRATYLO, de Platón.} \\ \quad \text{(«Decorar los mismos libros que se leieren.»)} \end{array} \right.$

---

[1] Fundimos para esto los datos que ofrece la "Instruction" contenida en las *Epistolas Selectas* (1572 y 1583), la "Comparación de la lengua lat. con la griega" y el Prólogo a la *Lógica,* aunque excluyendo algunos por brevedad. Los títulos escritos en letra mayúscula indican obras escritas o editadas por el mismo Simón Abril. La indicación (*) señala aquellas de las que no sabemos si fueron publicadas.

Segundo año:

    a) Primer semestre:

Cuarta clase:

Latín. . . .
1. Traducción inversa de las EPISTOLAS DE CICERON (una hora cada día).
2. Composición de cartas en respuesta a las de Tulio.
3. Lectura de LAS COMEDIAS DE TERENCIO, Los *Comentarios* de César o la historia de Salustio.
Las EPISTOLAS más graves de Cicerón o alguno de sus diálogos filosóficos como el *De senectute* o *De amicitia.*

Griego. . .
Las epístolas de Sinesio o de Demostenes, o algunas de las más fáciles de Platón o las de S. Basilio.
«La Pedia de Xenofonte, o la subida de Cyro, o las cosas de los griegos o las guerras Poloponnesiacas de Thucidides, o las Musas de Herodoto».
«aquella obra mas discreta que larga de Luciano de como sea de escribir una historia: i para quitalles a los oientes la melancolia leelles tras desto sus verdaderas narraciones». *(Quomodo historia sit conscribenda* y *Vera historia.)*

    b) Segundo semestre:

Quinta clase:

Latín. . . .
1. Siguen las mismas lecturas entremezclando selecciones de los poetas elegíacos como: Catulo, Tibulo, Propercio, Ovidio, Marcial y Sannazzaro; o algo de Horacio y de Virgilio.

Griego . .
2. Lecturas: Calímaco, Píndaro y Anacreonte «i los fragmentos de Poetas Lyricos que andan en un tomo» y Homero o Teócrito.

3. Métrica: DE ARTE POETICA
Horacio: *Ad Pisones.* Aristoteles: *La Poética* (con las declaraciones de Pedro Vitoria y de Francisco Robortelo).

4. Estilística: 1. Diferencia entre los géneros literarios.
2. Barbarismo, solecismo, tropos y figuras.
III LIBRO DE LA GRAMATICA.

Tercer año [1]:

Sexta clase:

1. Lecturas: TOPICOS, de Cicerón (*); PROGIMNASMAS, de Afto-
   nio (*); «Las ideas de Hermógenes con comentario de
   Núñez» [2]; Oraciones de Cicerón, p. ej.: IN VERREM,
   PRO LEGE MANILIA (*), PRO ARCHIA POETA (*),
   PRO M. MARCELLO (*), PRO T. ANNIO MILONE (*),
   PRO PUBLIO QUINTIO (*).

2. Versión y retroversión.

II.   Desde los doce a los catorce años [3].

A)   Lógica [4].   Texto: LA FILOSOFIA RACIONAL.

Lecturas: en general los «graues autores» seleccionados hábilmente por el maestro.
Los DIALOGOS DE PLATON (*).

B.   Matemáticas.

III.   A los catorce.

I.   Retórica [4].

ORACIONES DE CICERON.
ORACIONES DE DEMOSTENES (*).
Estilo epistolar.

---

[1] Pedro Simón Abril consideraba suficientes dos años para adquirir cierta soltura en latín y pasar adelante a otras disciplinas. Pero al que quiere "ser mas perfeto" le propone un tercer año, dedicado especialmente a la retórica.

[2] En la "Comparación de la Lengua Latina con la Griega", fol. 11 y v. indica muchas más obras, la retórica de Jorge Paquimerio, *Ad Herennium, De inventione* de Cicerón, la retórica de Jorge Trapezuncio, etc.

[3] Según la *Fil. natural,* desde los trece hasta los quince.

[4] En esta materia hay una divergencia entre lo que dice en la *Fil. rac.* (Prólogo) y en la *Gram. griega.* En la primera aconseja estudiar lógica y matemáticas "cuando en el vso de las lenguas estuviere exerci-tado" y la elocuencia después de los catorce años; en la *Fil. rac.,* en cambio, destina la retórica a la sexta clase, como acabamos de ver, sirviendo la dialéctica como introducción a la misma.

IV. Hasta los dieciocho.

Filosofía natural: 1. Texto: LA FILOSOFIA NATURAL [1].

2. Lecturas: Jorge Agrícola . Sobre los metales.

Teofrasto . . . . . . ⎫

Dioscorides. . . . . ⎬ Sobre las plan-

Galeno. . . . . ⎭ tas.

Aristóteles. . . . . . Sobre los animales.

V. Desde los dieciocho hasta los veinte.

1. La filosofía moral: ETICA de Aristóteles.
2. Metafísica.

VI. «Con tan buenos principios, y medios se podrán aplicar a la disciplina legal, o a la medicinal, o a la sagrada Theulugia», si persiguen algún fin particular en el estudio, «a los demás bastales quedarse con el conocimiento de las letras de humanidad y filosofia» (*Fil. rac.* Al Lector).

Antecedentes y características de este programa.

En la disposición general de su programa, Simón Abril sigue más o menos el plan tradicional [2]. Es de notar la importancia que concede durante los primeros años a la «lición» de autores seleccionados y la finalidad práctica de los estudios posteriores. Particularmente significativo es el

---

[1] Insistía que en el curso de filosofía natural se enseñase agricultura, cuya ignorancia, juntamente con la de la arquitectura y del arte militar, acarreaba, según nuestro autor, tantos perjuicios a España *(Fil. nat.,* fol. 205).

[2] Del *trivium* de la alta Edad Media se había destacado la gramática, dejándola como materia preparatoria para los niños. Asimismo la retórica fué cediendo lugar a la dialéctica. De las disciplinas filosóficas se enseñaban la lógica, la física (filosofía natural, cosmología y psicología) y posteriormente la metafísica. También se seguía cursando el *cuadrivium,* i. e. las ciencias, las matemáticas, la geografía, la astronomía y en algunos casos la música. Cfr. p. ej. Urriza, *op. cit.,* pgs. 26-27. Pedro Simón Abril incluye otra, la filosofía moral, que no entraba en el ciclo de estudios de la Facultad de Artes y Filosofía (aun cuando se requería cursarla algunos meses por pertenecer más bien a la Facultad de Teología).

puesto primario que ocupa la filosofía moral, coronamiento de estos estudios, que podríamos llamar de primera y segunda enseñanza, e introducción a los superiores y especializados.

La doctrina, i. e., sobre todo el conocimiento de la filosofía moral, es para Simón Abril la *conditio sine qua non* de la bienandanza de un pueblo. La falta de ella hace a los hombres «rebeldes, porfiados, amigos de contiendas, inobedientes alas leies» [1]. Funda su felicidad en las cosas materiales y contingentes, empleando todos los métodos, los lícitos y los ilícitos, para alcanzarlas [2].

Pero, sobre todo, es necesaria la *doctrina* a los hombres que han de ocupar cargos públicos y, por tanto, deben saber cuáles son los medios y cuáles los fines y la mejor manera de alcanzarlos, según los preceptos de los antiguos y la luz del Evangelio [3]. En este sentido, Simón Abril hace suyo el famoso dicho de Platón de que «entonces seran bien affortunadas las republicas, quando los que las gouernaren, fueren filosofos, o quando los que fueren filosofos, tuuieren en ellas el gouierno» [4].

Puesto que su plan va dirigido hacia el bien de la República, es natural que Simón Abril se apoye en la potestad real. Según otro concepto aristotélico, que nuestro autor hace suyo en repetidas ocasiones, al Estado le pertenece el deber y el derecho de intervenir en la enseñanza determinando sus materias y sus métodos [5]. Por tanto, es al

Relaciones con el Estado para la realización de su programa.

---

[1] *Rep.,* fol. 249 v.

[2] *Ibid.*

[3] Digna de un estudio aparte, que aquí no podemos emprender por falta de tiempo, es la figura del Príncipe cristiano y del buen gobernador, que Pedro Simón Abril traza basándose principalmente en Aristóteles (teoría del justo medio, subordinación de los medios a los fines, etc.) y confirmando su idea con los principios del Evangelio, particularmente los de caridad y de justicia.

[4] *Fil. rac.,* Dedicatoria.

[5] *Apunt.,* 1589, fol. 2.

Estado, en este caso a la persona de Felipe II, al que tienen que acudir los que desean ver renacer las letras. Sus mismos *Apuntamientos,* sus dos cartas a Felipe II y su dedicatoria de la *Etica,* son hermosos ejemplos de la libertad con que un «hombre ignorado» del siglo XVI se dirigiera al Jefe supremo del Estado fundándose solamente en su cultura y experiencia. En la *Etica,* es cierto, expresa el temor que le acontezca «lo del papagayo con Cesar, que lo tomó ya cansado de oir salutaciones» [1]. Pero el tono de todas sus misivas es familiar y enérgico: no tiene reparo en recordar al Rey su poder y proponerle urgentemente sus deberes.

En 1583, al acompañar con una carta su *Libro de acrescentamiento,* empieza sin más preámbulos: «Creo se acordara V.Md. de vn hombre que aura çinco años y medio...» ¿Recordaría Felipe II, con su prodigiosa memoria [2], al traductor de las *Comedias de Terencio,* que en 1577 le había besado la mano en San Lorenzo? Probablemente sí, porque en la carta, cuyo exordio acabamos de citar, cuenta nuestro autor cómo, tras estudiar la manera más justa y menos perjudicial de desempeñar el estado real, había presentado cédula en el Consejo y «V.Md. por su çedula particular dada en Badajoz avra dos años me mando, diese rrazon desto al Presidente y Consejo de hazienda de V.Md.». En la misma carta se complace, además, de que el Rey hubiese enseñado a escribir a su hijo, el Príncipe D. Diego, sirviéndose de sus *Tablas.*

En 1585 [3], escribiendo al Secretario de Felipe II, D. Mateo Vázquez de Leca, le manifiesta el deseo de que su car-

---

[1] Dedicatoria, ed. 1918, pg. 8.

[2] "los que tratan mas familiar mente con el, escribe el mismo Pedro Simón Abril en su *Fil. nat.* al hablar de la memoria (fol. 244), dizen que se acuerda de cosas de su estado tan particulares, como si no tuviesse mas cargo que de governar una sola casa".

[3] En la carta publicada por el P. A. Andrés, a la que ya aludimos. Cfr. Prólogo, pg. 11, n. 4.

tilla griega llegue a manos de su Majestad. Vázquez de Leca, por lo que se infiere de dicha carta, había mostrado deseo de ver trabajos de Simón Abril.

Todas las licencias reales y los privilegios, que siguen probablemente casi a la letra las palabras de las respectivas instancias del autor, atestiguan el reconocimiento real de la utilidad de sus publicaciones para el bien público.

Le constaba a Simón Abril, además, que un miembro del Consejo Real, D. Juan de Idiáquiz [1], había tratado muchas veces con el Rey para que se diese orden de traducir al castellano los antiguos filósofos y se enseñasen sus doctrinas en las escuelas públicas, como se enseñaban las matemáticas en la Academia fundada por el mismo Felipe II, y, por lo que se desprende de la misma dedicatoria, Juan de Idiáquiz lo había animado a trabajar en ello, «pues vistos los libros seria mas facil cosa ponello en platica». Y dedicando la *Filosofía natural* a D. Martín de Alagón, Comendador de Castellanos y de la Cámara del Príncipe, vuelve a referirse a la «autoridad del Rey nuestro Señor, y la de su Real Consejo, el cual a juzgado ser cosa conveniente el enriqueçer y ennobleçer la lengua Castellana con dotrinas semejantes» [2].

Finalmente, en la carta al Rey con que acompañaba probablemente la traducción de las *Epístolas Familiares* (y con toda sencillez le pide lea la dedicatoria a Vázquez de Leca para ulteriores esclarecimientos), dice de sí mismo que «*Yo, como V.M. me mandó,* tengo puesta en esta lengua (la castellana, naturalmente) toda la elegante dotrina de los Griegos y Latinos...».

Desgraciadamente, no he podido hallar documento alguno, exceptuadas estas afirmaciones del mismo Simón Abril, para poder decidir si tales palabras del Rey corresponden a una exhortación genérica y vaga o si tienen al-

---

[1] *Fil. rac.,* Dedicatoria.
[2] *Fil. nat.,* Dedicatoria.

gún fundamento en una promesa o encargo específico. Lo más probable es.que la ayuda pecuniaria del Rey se limitara a la dádiva de mil reales que le hizo entregar en El Escorial. Puede ser que Felipe II, a quien ninguna empresa cultural dejaba indiferente, considerara con interés las publicaciones de nuestro autor. Pero lo cierto es que la obra que Simón Abril tal vez con más esmero y seguramente con más empeño tradujo, la *Etica,* quedó inédita hasta nuestros días, a pesar de estar dedicada al Rey y ser la única traducción castellana hecha directamente del griego [1]. Lo mismo diremos de la *Filosofía natural,* obra hacia cuyo final, hablando de los libros de historia natural de Aristóteles, dice Simón Abril, *en forma condicional,* que «si los prínçipes o los pueblos pusiessen premios de onra i de provecho para los que en ellos trabajassen... creo que en poco tiempo los buenos entendimientos Españoles los traduzirian en nuestra lengua...» (fol. 257).

No le faltaron los períodos de desaliento; çomo declara en la dedicatoria de esta última obra, Simón Abril llegó a determinar «de poner perpetuo silençio enel tratar cosas de dotrina y particular mente de filosofia en lengua Castellana, viendo el poco calor que esta *nuest*ra naçion tiene enloque toca al desseo de saber».

---

[1] La del Príncipe de Viana, como es sabido, estaba hecha del latín.

LUGARES RELACIONADOS
CON LA VIDA Y LAS OBRAS DE SIMON ABRIL

- 1571 - Uncastillo.
1571 - 1574 - Tudela.
1574 - 1578 - Zaragoza.
1578 - 1583 - Alcaraz.
1583 -   - Zaragoza.
1594 -   - Rioseco.

LAS GRAMATICAS

El primer aspecto, bajo el que consideraremos a nuestro autor al emprender el estudio de sus obras, es el de gramático. Ya vimos cómo su primera publicación (1561) fué un «Método» para enseñar y aprender lengua latina, cuyo texto refundió y, según sus propias palabras, «perfeccionó» luego varias veces.

En 1586 dió a luz una gramática griega y prometió escribir otra de la lengua castellana [1].

Empezaremos por las gramáticas latinas. Se trata de cinco tomitos en octavo: el primero, todo en latín, muy sucinto, con un Epítome aun más breve, «para bien de aquellos que tienen la memoria endeble». El segundo y tercero están notablemente ampliados, en algunos casos

[1] En la *Fil. rac.* (Al lector) dice a propósito del arte de escribir y leer: "Pero desto trataremos en la gramatica de la lengua Castellana largamente." Cfr. tb. fol. 9 v.

Nicolás Antonio consigna sin más una "Grammatica castellana in 8". Siguiendo probablemente esta indicación la citan otros, p. ej. Menéndez y Pelayo, *La Ciencia española,* t. III, pg. 274. Viñaza, en su *Biblioteca histórica de la filología cast.,* Madrid, 1893, col. 516, dice que no ha logrado verla en parte alguna. En cambio Berlanga, M. R., en *Sor M.ª de Agreda y su correspondencia con Felipe IV,* Málaga, 1886, pg. 40, la cita como impresa en Zaragoza en 1586, lo cual podría muy bien ser una confusión con su *Gramática griega.*

Las gramáticas latinas.

con observaciones superfluas, ya que sustancialmente todo estaba dicho ya en las 117 páginas del texto primitivo. Los dos están en latín y castellano, siendo la diferencia principal entre ellos, aparte algunas adiciones, el que el estilo se hace bastante más áspero[1]. Del folletito de 1586 no nos ocuparemos por ser un resumen latino, escrito quizá para satisfacer las exigencias de los maestros de entonces, que hacían «decorar» las reglas gramaticales a sus discípulos. La quinta gramática, la de 1583, se la dedica al Infante D. Diego, para que en breve espacio aprenda «lo que es necesario para saber entender la lengua latina». El texto está todo en castellano, menos los ejemplos, y se omiten los dos últimos libros.

No hay que perder nunca de vista el título de la primera de estas gramáticas: *Latini idiomatis docendi ac discendi methodus*. En todas ellas, y especialmente en las de 1569 y 1573, trata nuestro autor de muchos puntos, que en nuestra terminología no designaríamos como estrictamente gramaticales, porque pertenecen más bien a la estilística, a la didáctica, a la historia literaria, aunque, desde luego, todos están relacionados con la lengua y su enseñanza (*grammatica* = el arte de hablar bien)[2].

De ahí que, bajo el encabezamiento de este capítulo, incluiremos consideraciones que, dada la especialización a la que estamos acostumbrados hoy, parecen heterogéneas. La dificultad consiste justamente en exponer qué y cómo quiso enseñar nuestro autor, y al mismo tiempo guardar, desde nuestro punto de vista, cierto orden de materias y subrayar aquellos aspectos que ofrecen mayor interés.

---

[1] Aunque el autor en el prólogo dice que ha querido "facilitar el estilo y allanar el modo de dezir".

[2] "El fin de la grammatica es el hablar proprio y elegante: al qual fin de principio por arte y preceptos, y despues por vso y por exercitacion llegamos" *(Gram. lat.,* 1573, pg. 2, y definiciones análogas en las otras ediciones).

De introducción nos pueden servir algunas premisas so- Idea de la lengua.
bre el concepto que Simón Abril tuvo del origen y naturaleza de la lengua. Aunque no intervino nunca en las discusiones que esta cuestión suscitó entre humanistas, here-
deros en esto, como en muchos otros puntos, de las controversias antiguas [1], ni expone sus ideas en forma seguida,
nos dejó algunas consideraciones, que vamos a resumir.

----

[1] La bibliografía sobre esta cuestión y las controversias retórico-
estilísticas y lógico-dialécticas que la precedieron y acompañaron es exten-
sísima. Cfr. para una primera orientación el artículo *Grammatik* en Pauly-
Wissowa (vol. VII, col. 1780 sigs.; Pagliaro, A., *Sommario di linguistica
arioeuropea,* Roma, L'Universale, 1930, vol. I, cap. 1, y otros muchos).
Sobre las discusiones que suscitó en España no me consta que haya
ningún trabajo extenso. Los escritores del siglo de oro parecen inclinarse
más hacia el parecer de Aristóteles, que acabamos de citar, que hacia el
de Platón (cfr. el *Cratilo)*, según el cual hay nombres propios que *naturalmente* significan las cosas; así, p. ej., Nebrija indicaba el *uso* de los
autores y no la *naturaleza* para saber las normas del lenguaje, y Francisco Vallés, en su *Philosophia Sacra* (Francisci / Vallesii / De iis quae
scri/pta sunt physice in / Libris Sacris, sive / de sacra Philosophia...
tertia editio / LUGDUNI / IN OFFICINA HUG. A PORTA... MDXCII, 678 pgs. +
11 hoj.), hermosa enciclopedia del saber humanístico, dedica un intere-
santísimo capítulo (pgs. 70-88) a este tema. En efecto, para comentar las
palabras del Génesis (cap. 2), "Omne enim quod vocauit Adam animae
viuentis, ipsum est nomen eius. appellauitque Adam nominibus suis cuncta
animantia", evoca aquella "magna illa et antiqua dubitatio, an sint rebus
sua nomina, eis naturaliter congruentia, an nulla sint talia, sed consensione
hominum, atque ad colloquentium libitum constent omnia" (pg. 70). Después de exponer la opinión y argumentos de los que creían que Adán
nombró a las cosas con *sus* nombres, esto es, con los nombres que ya
tenían por naturaleza, opta por la solución "sermo non constat natura,
sed consuetudine" (pg. 76). Relacionado con el problema de la lengua
está su descripción del origen de la superstición: lejos de atribuirla a
obra del demonio, como habían hecho Pedro Ciruelo en su *Refutacion de
supersticiones y hechicerias* (Sal., 1541, Sevilla, 1547, Barc., 1628) y otros
muchos, este espíritu esclarecido adscribe su origen a la fuerza mágica
que atribuían a las palabras los platónicos, cabalistas, etc., considerándolas imágenes naturales de las cosas y, por tanto, capaces de producir
ciertos efectos, creencia que se relacionaba hasta con las oraciones de
la Iglesia, exorcismos, etc., alegando como prueba pasajes de la misma
Sagrada Escritura. Por otra parte, como médico reconoce la utilidad de

La lengua les fué dada a los hombres por Dios para descubrir sus pensamientos, ya que, a diferencia de los espíritus angélicos, no se los pueden comunicar directamente [1].

Distingue luego dos maneras de considerar la lengua: *a*) Materialmente, «en quanto es vna boz formada del ayre, que alentamos, cortado con la lengua, dientes, y garganta» [2]. En este sentido es cosa natural, porque procede de instrumentos naturales. Por tanto, queda siempre la misma en todos los tiempos y lugares. *b*) Formalmente, «en quanto articulada desta manera significa esto, y de aquella lo otro» [3]. En este sentido no depende de la naturaleza, sino de la voluntad y libre aceptación de los hombres; por lo mismo es contingente y varía según los tiempos. Tan sólo de las palabras derivadas no se puede disponer libremente, sino que hay que atribuirlas a las cosas a las que cuadran [4].

Con ello Simón Abril no hace más que seguir una tendencia común entre los humanistas. Pero si el lenguaje queda así libre de una determinación formal por parte de la naturaleza, φύση, no se le quita otra tiranía más severa aún. El lenguaje, según ello, no es fruto de una elaboración

---

los ensalmos (que supone derivados de una falsa interpretación de las fábulas antiguas), no porque tengan una eficacia intrínseca, sino porque "ex sola mentis intentione corpus res illa iuuat, verbi gratia, si quis incantatione sibi prodesse confidat, qualiscunque sit, eum tamen iuuat" (pg. 87).

1 *Fil. rac.,* fol. 61.

2 *Ibid.* Cfr. Nebrija, *Gram. Cast.,* I, 3.

3 *Ibid.* Cfr. la definición escolástica: "terminus oralis est vox significativa ad placitum" y Aristóteles, *De interpretatione,* II, 16 a 28. Pedro Simón Abril ilustra su distinción según la teoría hilemórfica comparando la lengua con un madero al que el carpintero da libremente la forma que le gusta *(Fil. rac.,* fol. 61 v.).

4 *Ibid.,* fol. 42 v.

estética, como hoy diría Croce [1], sino se desarrolla bajo la égida de la lógica [2].

Advertimos con todo, que nuestro autor no se detiene ex profeso en este punto (a no ser por las pocas consideraciones acerca de la oración que hallamos en la *Filosofía racional* [3]), ni se propuso nunca construir una teoría propia, como hizo, p. ej., Sánchez en su *Minerva,* sino que se sirvió del sistema tradicional sin más reparos, porque le era útil para fines didácticos.

Añádese a todo esto el *sentido* de la lengua, fruto de sus lecturas y del hábito de escribir, por el cual percibe ese *algo* que se escapa a todas las especulaciones teóricas. Pero de esto más adelante.

Pasemos ahora a considerar el contenido de las gramáticas en sí. Poco habrá que decir de la primera parte, la morfológica o «etimológica», como se decía entonces. Esta entra plenamente en la tradición que desde el tratadito de Dionisio Tracio ha llegado hasta los manuales, a veces muy complejos, de nuestros días, consagrando con acatamiento

La morfología.

---

[1] Cfr. Croce, B., *Estética,* trad. José Sánchez Rojas, Madrid, Beltrán, 1912, y Vossler, K., *Positivismo e idealismo en la lingüística,* Buenos Aires, Poblet, 1929, etc.

[2] Sobre las relaciones del lenguaje y la lógica cfr., p. ej., Steinthal, H., *Einleitung in die Psychologie und Sprachwissenschaft,* Berlín, 1871, pg. 44 y sigs. El método de los humanistas, sin embargo, es, sobre todo, empírico, particularmente, como veremos, por lo que se refiere a la sintaxis. Cfr. p. ej. Sabbadini, R., *Il metodo degli umanisti.* Firenze, Le Monnier, 1922, pg. 7 y sigs.

[3] Donde afirma que la oración depende, para ser perfecta, de la gramática, de la lógica y de la retórica, pues la primera le da elegancia, la segunda, discreción, y la tercera, gravedad (fol. 9 v.). Dedica además un breve capítulo a las varias clases de oración (fols. 60 v.-61 v.). Huelga decir que esta indiferencia hacia el aspecto filosófico de la gramática le coloca mucho más cerca de Donato que de Prisciano.

milenario lo que Unamuno llamó la «superstición de los géneros y de las reglas» [1].

Una vez admitido el hecho de que el pensamiento humano y la oración que lo refleja se pueden repartir por categorías lógicas y gramaticales, poco importará si se cuentan estas partes como tres, cinco, ocho o diez, o si se les da uno u otro nombre; lo que quizá interese recordar como dato histórico es que por tales nimiedades se vertió en la época que estamos estudiando (¿y hoy?) muchísima tinta.

En cuanto a Simón Abril, baste decir que consideraba diez partes de la oración en el latín y ocho en el griego (nombre, incluso el «appuesto» o adjetivo, pronombre, verbo, participio, gerundio, supino, preposición, adverbio, interjección y conjunción), y estas partes, tratadas cada una por separado [2], marcan las sucesivas secciones de su morfología. De cada categoría gramatical —cuando es posible— indica, según el método tradicional ya desde Donato y Prisciano, las «consecuciones» y «accidentes», p. ej., del nombre: el género, el número y el caso, la especie (si son primitivos o derivados) y la figura (simples y compuestos); del verbo: el modo, tiempo, número, persona, género, especie y figura.

La sintaxis.   Esta división de la oración en diez partes sirve también de base para la sintaxis, ya que ésta, según su definición etimológica, se considera como la unión de un término de la frase con el sucesivo (o antecedente) [3]. En otras pala-

---

[1] Introducción a la traducción castellana de la *Estética* de Croce, ed. cit., cfr. sobre la gramática pgs. 16 y sigs.

[2] En la *Gramática latina* de 1583 hace preceder a esta explicación los esquemas de declinación y conjugación; lo mismo hace en la *Gramática griega* (1586).

[3] Después de dar una definición muy vaga de la sintaxis ("Syntaxis Grammaticae pars est, quae ex orationis partibus orationem integram constare docet"), indica una división que ilustra lo que acabamos de decir: es "simplex, cum vox uno casu post se contenta est, ut auidus laudis. Multiplex, cum plures uno casu postulat, ut tui rationem habet, cordi est

bras, Simón Abril quiebra el período en sus componentes morfológicos estableciendo entre ellos esa relación arbitraria que desde antiguo, y particularmente desde Alejandro de Villadei, se venía llamando «régimen», con la diferencia de que considera lo que «rigen» todas las partes de la oración y no tan sólo el verbo, como comúnmente se hacía. De ahí que su método en esta parte no es, ni siquiera desde el punto de vista empírico, el más adecuado, porque la analogía de las «construcciones» del nombre, del pronombre y del participio le expone a numerosas repeticiones.

Por otra parte, hay también un intento de lo que hoy llamaríamos «sintaxis de los casos». Ya en el primer *Método,* Simón Abril dedica unos «cánones generales» a la manera de expresar las determinaciones de lugar, de perjuicio o ventaja, de espacio de tiempo y lugar, el exceso, la interpelación, etc.[1]. En esta enumeración considera rápidamente los casos en relación con el sentido que se les atribuye, empezando por el genitivo de lugar en donde y acabando con el ablativo de instrumento o causa[2]. De sintaxis de subordinación o de los tiempos no hay, por supuesto, huella alguna en sus gramáticas. No se debe olvidar que aun en los tiempos de Simón Abril, la práctica valía más que la gramática.

Entre los conceptos que acabamos de exponer, no se halla ninguno que distinga sustancialmente las gramáticas de Simón Abril de las de su época, como se dará cuenta en seguida quien las haya manejado. La parte morfológica, más que una filiación determinada, acusa la asimilación del método corriente, y, por lo que se refiere a la sintaxis, si

Predecesores: «Erasmo» y Nebrija.

---

illi. Anceps vero, cum varijs casibus, sine discrimine iungi potest" *(Meth.,* 1561, pg. 62).

[1] *Ibid.* pgs. 62-64.

[2] Es significativo que entre los ablativos incluya el ablativo absoluto ("Ponitur quoque ablativus absolutus, quoties uulgo dicimus, Siendo, uel, stando", *ibid.* pg. 63).

no se contenta con lo que había hecho Desiderio Erasmo [1]
y se propone ampliar lo que su predecesor había recogido
«quasi per transennam», la buena intención llega, indudablemente, más allá que los hechos. En efecto, la comparación del *Methodus* con el tratadito *De constructione* [2], al
que indudablemente se refiere Simón Abril, nos demuestra
que, si bien no es idéntica la distribución y varían los ejemplos (aunque no todos), la materia viene a ser más o menos

---

[1] "... fortasse aliquantulum audacter facere visi sumus qui ijs, quae
a Desiderio Erasmo dicta erant, contenti non fuimus: nisi quaedam, quae
ipse quasi per transennam explicauerat, latius aperuissemus..." *(Meth.,*
1561, pg. 98).

[2] Se trata de un tratadito de sintaxis compuesto por el humanista
Guillermo Lilio, *moderator* de la escuela de San Pablo en Londres, y
refundido por Erasmo, bajo cuyo nombre circuló a pesar de que ambos
compiladores prefiriesen el anónimo. Este *libellus* que Erasmo en su prólogo, con esa agudeza tan suya, no quiso alabar para no parecer arrogante,
ni tampoco menospreciar "ne parum candidus videar", tuvo éxito en
las escuelas, si juzgamos por las ediciones y comentarios que salieron
de las prensas europeas en los años sucesivos. Nosotros hemos tenido a
la vista la edición lionense de 1542, que se conserva en la Biblioteca
Nacional, DE OCTO / PARTIVM ORA- / TIONIS CONSTRV- / CTIONE LIBELLVS /
D. ERASMI / ROT. / Cum Iunij RABIRII Com- / mentarijs. / (Escudo) /
LVGDVNI APVD SEB. / GRYPHIUM, / 1542, 8.º, 221 pgs. Se halla también
junto al *Ars minor* de Donato, p. ej., DONATI / DE OCTO PARTI / BVS
ORATIONIS / LIBELLVS ... AD HAEC, / D. ERASMI ROT. / de Constructione
opuscu / lum... LVGDVNI APVD SEB. GRYPHIVM. / 1543, 96 pgs., 8.º Formaban así una gramática que podía considerarse completa y era, por tanto,
apta para sustituir, p. ej., el *Arte* de Nebrija. A título de curiosidad y
por los nombres que aparecen en esta cuestión, diremos brevemente cómo
el tratadito *De constructione* vino a España. Fué Francisco Scobarius
quien lo trajo. En Barcelona, al tener que ausentarse de la ciudad, se lo
entregó a Juan de Mal Lara, que había sido discípulo suyo. Y éste, según
su propia declaración, fué "el primero entre los nuestros que empezo a
explicar la Sintaxis (de Erasmo) en lugar del cuarto libro de Antonio".
Pareciéndole poco oportunas para los españoles las aclaraciones fran-
cesas de Rabirio y las "semiespañolas" de Antonio Primeo se resolvió a
publicar unos escolios. De ahí la obra titulada IOANNIS / MALLARAE /
HISPALEN. IN / Syntaxin Scholia... HISPALI. / Apud Alonsum Escriua-
num. / ANNO M.D.LXVII. / Cum Priuilegio. 8.º, 8 h. + 88 fol.

igual [1], y en ambos encontramos el concepto de sintaxis apuntado arriba [2].

Con todo, Simón Abril, ya en la «Exhortacion al lector», en 1561, y en el «Prólogo apologético» y «Apologia», de las gramáticas de 1569 y 1573, para justificar la publicación de un nuevo texto de gramática latina, aboga el progreso ininterrumpido de las cosas humanas y su tendencia a perfeccionarse cada vez más, rogando al lector que «el nombre de *nueuo*» no quite autoridad a su trabajo.

El afán apologético de Simón Abril tiene un motivo determinado: el predominio de la gramática latina de Nebrija, defendida en sus tiempos con el mismo ahinco con que los opositores del método de este último habían querido conservar los antiguos mamotretos. En efecto, si bien nuestro autor fué casi siempre más moderado en sus términos [3] que otros contemporáneos suyos, de hecho hay que contarle en el número de aquellos muchos que se rebelaron contra el *Antonio* [4], sucumbiendo al fin cuando su *Arte*, reformada por el P. La Cerda, S. I., en virtud de una real cédula dada en Valladolid el 28 de julio de 1601, vino a ser el único texto que podía ser empleado legalmente en las Es-

---

[1] Erasmo trata de las preposiciones y de las concordancias, lo cual no hace Pedro Simón Abril. En cambio éste apunta algo de "sintaxis de los casos", como dijimos arriba, y Erasmo no.

[2] Baste pensar en reglas como ésta que aparecen en *De constructione:* "Gerundia in di, ante se habent haec nomina, gratia, causa, praetextu...", pg. 126, "Possessiua adiectiva sunt, & non recusant aliquando genitiuum. Mea ipsius causa...", pgs. 166-7; no sorprende, por tanto, que también los adverbios y las conjunciones *rijan* ciertos casos, y menos que el verbo "exija" un nominativo en ambos lados ("utrinque"). Cfr. p. ej. el "régimen" de las preposiciones en ciertos gramáticos modernos. Contra ellos véase Sabbadini, *op. cit.,* pgs. 10-12.

[3] Reconoce desde luego sus méritos "por lo mucho que leio, por lo mucho que vio, y porque abrio camino de buenas letras en España" *(Meth.,* 1569. Prólogo).

[4] P. ej., El Palmireno, Mal Lara, el mismo Brocense, en términos más respetuosos, y muchos otros.

cuelas y Universidades del reino [1]. (Y si bien, como motivación de este paso, se aducían los inconvenientes que resultaban de haber muchas artes distintas, en el fondo, la elección justamente de Nebrija, a pesar de sus evidentes deficiencias, denota el afirmarse una vez más del sentido de la *autoridad,* tan propio de la Edad Media.)

Innovaciones de Simón Abril.

Las faltas que nuestro autor echa en cara a Nebrija y sus propias innovaciones tienen un interés muy relativo; no obstante, por ser datos que algún día quizá se podrán aprovechar para una historia de la gramática en España, los resumimos a continuación.

En la gramática de Nebrija no halla ese orden metódico imprescindible para reducir a *arte* alguna cosa. El comentarista anónimo del *Compendio* de Juan de Pastrana [2], afirmaba en la introducción que la causa formal de la obra es aquella «quae dat esse rei... quae conservat eam in esse: modus operis ordenandi». Ahora bien: el orden o la falta del mismo puede servir de criterio de diferenciación entre los gramáticos medievales y los de la época humanística, porque, si bien todos reconocen teóricamente su importancia, el progreso, del que se ufanan los gramáticos de la época humanística, consiste, en parte, justamente en la sistematización de sus *artes.* Nebrija aventaja bastante a Pastrana en este respecto [3]. Simón Abril aspira a alcanzar

---

[1] Sobre la oposición de la Universidad de Salamanca y en general sobre toda esta cuestión, cfr. el ya citado artículo de Rodríguez Aniceto, "Reforma del Arte de Antonio de Nebrija", en *Boletín de la Biblioteca de Menéndez y Pelayo,* 1931, vol. I, pgs. 226 y sigs. Para Aragón la gramática de Nebrija fué declarada texto exclusivo en las Cortes de Barbastro en 1622.

[2] *Compendium grammaticae brevissimum...* Bibl. Nac., I-139.

[3] Adviértase, sin embargo, que en su *Arte* no es la preocupación ordenadora la que predomina. En efecto, vuelve varias veces sobre la misma materia ampliándola como en un plan cíclico: al principio de la obra hallamos unos esquemas de declinaciones y conjugaciones. Luego, después de las reglas para la identificación del género y la formación del

un reordenamiento definitivo, y esto por una preocupación didáctica, más que por interés en los problemas gramaticales en cuanto tales.

En segundo lugar, en el *Arte* de Nebrija, echa en falta aquella brevedad que tan encarecidamente recomendaba Horacio. Con esto llegamos al segundo punto, y punto muy importante, en que se diferencian los mamotretos medievales de las *nuevas* artes. En la suya, Nebrija no había sabido librarse del todo de la carga de términos poco comunes, que hacen tan abrumadoras y oscuras sus reglas y sus elencos de excepciones [1], aunque en las *Instituciones,* que escribió para monjas, llegue a una simplificación que le hacía exclamar que por su método «no seria maravilla saber la gramatica latina no digo io en pocos meses: mas aun en pocos dias» [2].

De su gramática, Simón Abril se gloría de haber eliminado una gran cantidad de preceptos inútiles y «vanas sofisterias». Y efectivamente, resulta mucho más sencilla que el *Antonio,* aunque no tan concisa como, p. ej., la del

---

genitivo y del perfecto y supino (en verso), vuelve, en el libro tercero, sobre el concepto general de la gramática y de sus varias partes (en forma erotemática) e incluye ya allí algunas preguntas relacionadas con la sintaxis, que tratará en el cuarto libro.

Pedro Simón Abril le echa en cara el no definir el arte al principio, el tratar de los diminutivos, patronímicos y comparativos en el cuarto libro y otras muchas cosas que hay "contra toda orden Methodica compuestas" *(ibid.).*

[1] El P. Olmedo atribuye estos resabios de medievalismo, sobre todo el empleo del verso al influjo del *Doctrinale* de Alejandro de Villadei que Nebrija explicó desde su cátedra de Salamanca. Cfr. *Nebrija,* Madrid, Ed. Nac., 1942, pg. 86.

[2] Nebrija, *Arte de la lengua castellana,* Salamanca, 1492, Dedicatoria, h a iij (Bibl. Nac., I-713).

Hay que advertir que este afán de brevedad es muy común en esta época, como decíamos arriba. El Brocense, en la introducción a su *Sphaera Mundi,* afirmaba que en ocho meses enseñaba latín a sus discípulos y "mi Gramatica griega, segun he experimentado, en *veinte dias* se comprende".

Brocense [1]; pero sí podía ufanarse, con legítima satisfacción, de que sus discípulos aprendían en seis meses bastante latín para imitar una epístola de Cicerón [2]; no hay que olvidar que su éxito no estriba tanto en la parte teórica de sus gramáticas, sino, como veremos pronto, en el «cotidiano exercicio».

Además de la mayor racionalidad que reivindica para su sintaxis, en parangón con la de Nebrija [3], aparecen en ella interpretaciones curiosas; p. ej.: el querer identificar el segundo futuro de indicativo con el subjuntivo perfecto, aduciendo como prueba el que también este último hace oraciones perfectas [4].

Y, finalmente, una objeción que nuestro autor levanta contra Nebrija, lo mismo que contra Erasmo, es «la escuridad del hombre, y la Barbaria del Latin» [5].

Pero la innovación de la que se gloría más Simón Abril no es tanto su texto latino, sino el haber puesto su gramática en ambas lenguas sirviéndose del castellano como me-

---

[1] Cfr. más abajo, pg. 80, n. 1.

[2] *Gram. lat.*, 1573, pg. 300.

[3] Nebrija divide los verbos en cinco géneros: activos, pasivos, neutros, comunes y deponentes, y luego en especies según los casos que rigen. Esto le parece del todo inútil a nuestro autor: "Dizete quel verbo, que tal, o tal caso tuuiere, sera de tal o tal especie... Puedes tu por ventura dezir de que especie es, sino que ia le veas compuesto con su caso? Quanto mayor luz se te abre para el componer diziendote que el verbo, nombre o participio, que tal o tal cosa signifique, tal o tal cosa querra puesta en este caso: pues desta manera la misma lengua vulgar te dize como has de concertarlo en la Latina", *Meth.*, 1569, Prólogo, fol. Bij v.

[4] "Enla coniugacion no he puesto segundo futuro de indicatiuo, por que vn mismo es con el subiunctiuo, ni impide lo que Antonio dize, que haze por si oracion perfecta como aquel statim perfecero, porque tambien son perfectas estas: istuc nemo praeter te fecisset: ego istuc nunquam facerem: y no son de indicatiuo: y esta es de indicatiuo: si id cupiebas: y es imperfecta: que la imperfection de la coniunction viene y no del verbo". *Meth.*, 1569, Prólogo, Biij v. Por la misma razón no pone por separado el subjuntivo y el optativo, como entonces comúnmente se hacía.

[5] *Ibid.*, Bij v.

dio para llegar de lo desconocido a lo conocido [1] y hasta para evitar que se corrompiera el latín, usándolo en la enseñanza [2]. No se trata, desde luego, de una novedad absoluta. Nebrija, p. ej., se mostraba complacido de haber provisto sus *Institutiones latinae* con una traducción (aunque luego la volviese a omitir) [3]. Y para citar otros dos ejemplos, el Mtro. Busto escribió en romance para los pajes de su Majestad [4], y Francisco Sánchez se mostró decidida-

---

[1] *Ibid.,* Biij.

[2] Esto no tan sólo en la enseñanza del latín, sino de todas las disciplinas: "enseñando en lengua extraña, decía Pedro Simón Abril, el (maestro) vsa de impropias y barbaras maneras de dezir, y los oyentes aprenden aquellas mismas, y vienen de vna buena lengua a hazerse mil barbaras è impropias" *(Fil. rac.,* Dedic.). Lo mismo opinaba Sánchez de las Brozas, que dedicó a ello una de sus Paradojas. Por lo mismo, según Pedro Simón Abril, se conservaba la lengua griega en toda su pureza. Es curiosa la explicación "filosófica" de este mismo hecho: "vna delas cosas que a hecho perder elegancia i propiedad ala Latinidad a sido el symbolizar y conformar tanto con las lenguas comunes en la sinificacion de los vocablos. Por que como dizen sabiamente los Filosofos de symbolo a symbolo es facil la mudança: como lo vemos en los elementos, que el agua se conuierte en aire facilmente, y el aire en agua i en fuego: pero el fuego en agua, ni el agua en fuego sin passar por el medio nunca". *Gram. griega,* fol. 2 v.-3.

[3] La Reina Isabel le pidió por mediación del Obispo de Avila que pusiera en castellano su gramática para beneficio de las religiosas que quisieran aprender latín sin preceptores. "Quiero agora confessar, escribe Nebrija, mi error: que luego enel comienço no me parecio materia en que yo pudiesse ganar mucha onra, por ser nuestra lengua tan pobre de palabras: que por ventura no podria representar todo lo que contiene el artifiçio del latin. Mas despues... contentome tanto aquel discurso: que ya me pessaua auer publicado por dos ueces una mesma obra en diuerso stilo: y no auer acertado desdel comienço en esta forma de enseñar... que... esta igual mente se offrece alos que saben: y alos que quieren saber alos que enseñan y deprenden... y a todos estos no con mucha conuersacion de maestros." Cfr. también la *Gram. cast.,* Prólogo.

[4] Introductiones gram / maticas: breues i compen / diosas: Compuestas por el doctor Busto Maestro de los pa / jes de su Magestad: ... Colofón: Fue impressa / la presente obra en Salaman / ca. Acabose postrero dia de / Enero del año del señor d'mill / i quinientos i treinta i tres. 8.º, 109 hojas.

mente favorable al empleo del vulgar [1]. Con todo, como señala Menéndez y Pelayo, Simón Abril fué uno de los pocos que siguieron con determinación esta dirección popular [2].

El III libro de la *Gramática latina*

Mientras el primero y segundo libro contienen, por decirlo así, los cimientos, en el tercero hallamos la parte que podríamos llamar crítica, y, en la cuarta, la constructiva.

La «crítica», desde luego, es morfológica y sintáctica [3] o, a lo más, identifica las figuras retóricas que se hallan en un texto, pero sin evaluación estética alguna, como, por otra parte, era de esperar si se considera la época en que se escribió [4].

Corresponde al *Ars Maior* **de Donato.**

Este tercer libro se basa directamente en la última parte del *Ars maior* de Donato [5]. Este apéndice estilístico, muchas veces glosado en la antigüedad y en la Edad Media [6], se publicaba juntamente con el *Arte* de Antonio [7]. Para juz-

---

[1] FRANCISCI / Sanctij Brocensis... Gram- / matices Latinae institutiones... / SALAMANTICAE / Excudebat Ioannes Ferdinandus. Anno MDXCV. Se refiere a un arte en romance del Maestro Busto (evidentemente la de arriba, porque escrita para los pajes del Príncipe en 1532) "en cuio proemio hay vn largo discurso del prouecho de las Artes en Romance".

[2] Cfr. la *Antología de Poetas Líricos Castellanos*. Santander, 1944, vol. III, pg. 29.

[3] "conuiene tambien quel Grammatico no ignore de que manera puede ser viciosa vna oracion, para que si alguna viciosamente esta compuesta, pueda abiertamente mostrar el vicio o falta que tuuiere". *Meth.*, 1569, fol. L[5] v.

[4] Menéndez y Pelayo en su *Historia de las Ideas Estéticas en España*. Santander, 1940, II, pgs. 145-6, hace notar este divorcio entre la metafísica de lo bello y la preceptiva de las artes liberales.

[5] Cfr. sobre el *Ars maior* Schanz, *Geschichte der römischen Literatur*. München, 1914, pgs. 161 y sigs.

[6] Cfr., p. ej., las *Explanationes* de Servio, los *Comentarios* de Celedonio y Pompeyo, y en España los de Julián de Toledo.

[7] P. ej., en la edición de la misma de 1554.

gar a Simón Abril es, por tanto, necesario tener ánte los ojos a su modelo.

Donato trata sucesivamente del barbarismo, del solecismo, del metaplasmo, de los esquemas de la oración y de los tropos. Su apéndice estilístico se reduce a una serie de definiciones y subdivisiones con ejemplos traídos de poetas y prosistas clásicos [1].

Resulta una verdadera selva de errores (si de tales se puede hablar) ortográficos, morfológicos, sintácticos y de pronunciación, de anomalías debidas a cambios fonéticos o necesidad métrica y de figuras del lenguaje o del pensamiento. En el mismo tono se condenan crasas equivocaciones, debidas a la ignorancia del que habla y escribe, como las irregularidades que brotan del libre fluir del idioma.

Los cambios exigidos por la elegancia o la necesidad («ornatus necessitatisque causa»), los metaplasmos, los *schemata lexeos,* figuras lentamente elaboradas al formarse la prosa artística, y muchas de las cuales suponen toda una historia, quedan consignadas en Donato, más por el «artificio» que por el arte que las inspiró.

Aún más violenta resulta para nosotros su lista de tropos, en los que la fantasía de los griegos se ha prodigado en formas siempre nuevas para expresar una exuberancia y, al mismo tiempo, un sentido de la forma que los romanos sienten por reflejo y por herencia, y que el mundo medieval y del Renacimiento, mientras empleen un idioma

---

[1] e. g. Virgilio, Terencio, Livio. He aquí un ejemplo de subdivisión: "Barbarismus fit duobus modis, scripto et pronuntiatione. His bipertitis quattuor species subponuntur, adiectio detractio inmutatio transmutatio litterae syllabae temporis toni adspirationis." El solecismo se da "per partes orationis, per accidentia partium orationis, per qualitates nominum, per genera, per numeros, per casus, per modos verborum", etc. Indica e ilustra diez vicios comunes al barbarismo y solecismo; quince especies de metaplasmo; de los *schemata lexeos* indica sólo "los más necesarios", i. e. veinte; de los tropos, trece, algunos de ellos con sus relativas subdivisiones.

muerto, no pueden imitar, la mayoría de las veces, sino de un modo frío y artificioso.

La atención de Donato se fija en los términos y los analiza mecánicamente. Al hablar de la metáfora, p. ej., examina los conceptos entre los que se hace la traslación. Y, por otra parte, aduce tropos que requieren un esfuerzo mental bastante sutil para reconocerlos como tales. He aquí un caso de catacresis: «piscinam dicimus quia pisces non habet» [1].

Los libros de texto de la Edad Media seguían sus huellas esmerándose en la abundancia de los términos, de las definiciones y ejemplos [2].

Adaptación de Simón Abril.

Simón Abrii, según su costumbre, abrevia. En el primer *Methodo,* la parte que trata del barbarismo no ocupa más que algunas páginas. En la segunda edición, las ilustra con ejemplos traídos de los clásicos, particularmente de Cicerón, Virgilio y Terencio, y trata más sistemáticamente en la tercera, pero limitándose a algunos de los muchos «vicios» y figuras considerados en el *Ars maior;* esto es, bajo el concepto de barbarismos describe brevemente los errores ortográficos, de pronunciación, de vocabulario (extranjerismos y neologismos), de impropiedad en los giros idiomáticos [3], de los tropos, que divide en los que afectan a cada voca-

---

[1] Trae el mismo ejemplo Pedro Simón Abril: "Abuso o Catachresis es cuando a falta de vocablo, vsamos de otro comarcano, como quando al animo pequeño menudo le dezimos, o pesquera, donde ningunos peces hai". *Meth.*, 1569, M[6] v. y M[7] ("piscinam vbi nulli pisces sunt").

[2] Cfr. el "Catholicon" *(Summa quae vocatur catholicon edita a fratre / Johanne de Ianua: ordinis fratrum praedicatorum.* Venetiis, 1483) en la parte que trata "De vitiis et figuris".

[3] "Acontece el barbarismo o en la orthographia, o en el accento, o en peregrinidad, o en antiguedad, o en nouedad, o en impropriedad." *Gram. lat.* de 1573 (de la cual citaremos en adelante cuando no se advierta lo contrario, pg. 206). En el texto se aducen los términos gramaticales con la grafía del mismo Pedro Simón Abril por el interés que pueda tener su adaptación del latín o griego al romance.

blo por sí, es decir, «Tralacion siquier Metaphora, Metony-
mia o Hypallage, Synecdocha, Antonomasia, Abuso o Catachresis, Metalepsis o si quieres dezir assi Trasposicion»
(pg. 222), y los que resultan de la oración entera, la «alle-
goria» y los tropos afines de ironía, sarcasmo, astysmo, an-
tiphrasis, adagio, micterismo; la hyperbole y la periphrasis
o rodeo. En cuanto al solecismo, tras de indicar cómo acaece por falta de concordancia («no conciertan como deuen»,
pg. 246) o por error en el régimen («a los vocablos no se
les da aquel caso que pide la elegante costumbre y vso de
Latinos», pg. 248), señala los que se permiten y toman el
nombre de figuras de la oración: «ecclipsis, aposiopesis,
zeugma, syllepsis, enallage» (pg. 248).

Además, por lo que se refiere a muchas de estas figuras,
podríamos repetir lo que hemos dicho acerca de Donato.
Nos deja una impresión como de lógica frialdad el que las
haga depender también del ejemplo de los «grauissimos
auctores», y tenemos que hacer un esfuerzo para adaptar-
nos, p. ej., a su enumeración mecanística de los términos
a quo y *ad quem* de la metáfora [1] o las razones por las cuales se emplea: «por causa de necessidad... por causa de
encarecimiento... o por razon de lustre o atauio» (pg. 224),
y de las tres faltas en que puede caer, esto es la deshonesti-
dad, la falta de semejanza y el vicio de inconstancia
(pg. 226). Tales son los criterios que guían a Simón Abril
en el análisis, retórico por supuesto, como era costumbre
entre los humanistas [2], de la poesía [3] y también de la

---

[1] "esto acaece o de cosas que tienen vida a las que no la tienen,
como de la codicia brotan las discordias: la fama buela: o de cosas sin
vida a las que viuen, como el hombre agrauiado arde en saña... o de
cosa sin vida a otra tambien sin vida..." (pg. 222).

[2] Cfr. Norden, *Die antike Kunstprosa*. Teubner, Leipzig-Berlin, 1923,
pg. 904.

[3] He aquí un ejemplo de aplicación de estos principios. Contra la

prosa, por cuanto se dan en ella las figuras del lenguaje [1].

Teorías sobre el vo-
cabulario y el es-
tilo.

Con todo, de estas páginas, que presentan, por lo menos
a primera vista, tan pocos elementos de interés para el lector moderno, podemos entresacar algunas consideraciones

---

verosimilitud "me parece auerse descuidado vn poco sendas vezes Virg.
y Hor. grauissimos poetas, el vno quando dixo

> Quid non mortalia pectora cogis
> Auri sacra fames

Y el otro cuando escriuio:

> Feruet auaritia miseraque cupidine pectus.

Porque el auaricia no parece tanto a la hambre, quanto ala sed: pues la
hambre puede hartarse facilmente y la sed y auaricia en algunos, con
difficultad, y en algunos en ninguna manera, como en los hydropicos y
viejos... Y pues el heruir, pues del fuego se deduze, mejor parece se auia
de accomodar ala ira, amor, o furor, que al auaricia, la qual parece mas
a la hydropesia". *Meth.*, 1569, Miij v.-Miiij. También hallamos dos versos
de Virgilio arreglados de manera que "el vocablo que sigue no discrepe
del que ouiere precedido". En lugar de

> At regina graui iam dudum *saucia* cura
> vulnus alit venis et caeco carpitur igni

sugiere que se lea, "por mas acommodada translation":

> At regina graui iam dudum *percita* cura
> vulnus alit venis et caeco carpitur igni.

Sin embargo, acaba diciendo: "Quiero lo dexar a los doctos para que lo
disputen y examinen". *Ibid.,* Miiij y v. (¡Pobre Virgilio!)
    Por lo demás, Pedro Simón Abril no se ocupó nunca expresamente de
la poesía, menos en el *De arte poetica,* que no es más que un compendio
de prosodia y métrica. Traduce ocasionalmente versos sueltos amplián-
dolos. La distinción tan marcada entre los géneros literarios, que el humanismo adopta de los antiguos, le hace dar lugar aparte a los poetas y
concederles mayores libertades. Pero sus consideraciones son todas de
carácter teórico. Por supuesto, no se nombra la fantasía para nada.
    [1] "Quales Metonymias pues sean poeticas y quales de oradores, desta
manera lo entenderas muy facilmente, si con diligencia y continua consideracion notaras, de quales vsan solamente los poetas y de quales tambien
los oradores" (pg. 230). Cfr. Quint., *Inst.,* X, 1.

que completan los datos indicados al principio sobre su teoría de la lengua y particularmente sobre el vocabulario y el estilo.

A) Cada lengua tiene un patrimonio de palabras y de giros fijado por el empleo de los buenos autores; si a cada cual se le permitiera introducir sus propias innovaciones, esta libertad significaría la ruina del idioma [1] (como sucedió con el latín, por la contaminación de los bárbaros). Por tanto, hay que evitar los arcaísmos y neologismos —le parece osadía la de Quintiliano, cuando exhorta al orador a crear términos nuevos—, como también la analogía «que es vna engañosa regla de las lenguas», y hace caer en barbarismos «a los que mas por razon que por vso y auctoridad... quieren juzgar de las lenguas y el dezir» (pg. 212) [2].

B) Pero, sobre todo, hay que respetar el estilo, los modos de hablar, lo que Simón Abril llama el «genio» propio de cada lengua, ese «algo» que él intuye sin intentar ninguna explicación fehaciente y que no se cansa de subrayar en sus traducciones [3] y en sus comentarios, señalando la riqueza de giros propios a cada idioma. Para él, como para otros muchos humanistas de su tiempo, la gramática y la lengua no son, ni mucho menos, dos conceptos sinónimos [4].

---

[1] "en cada lengua se a de estar a aquellos vocablos y modos de dezir, que por testimonio y auctoridad de auctores approuados fueren recebidos. Pues cada lengua sera presto perdida, si a cada vno se le permitte introduzir en ella su proprio barbarismo" (pg. 210).

[2] Cuando faltan términos, en latín por haber muchas cosas nuevas que no tienen vocablo propio y en castellano para hablar de instituciones antiguas, aconseja la perífrasis; p. ej., que el arcabuz se llame "igneum tormentum, quod manibus portatur" (pg. 245). Sin embargo, la multitud de términos formados por analogía es una de las faltas que echa en cara a Erasmo. *(Meth.,* 1561, pgs. 100-101).

[3] "pierde se cierto la gracia y elegancia de la lengua, quando por las mismas palabras traduzimos algo de vna lengua en otra" (pg. 216).

[4] "De aqui conoceras, escribe, p. ej., en las Anotaciones a las *Epis-*

La Elegancia.　　*C)* Otro concepto que tiene un antecedente directo en la teoría estilística clásica, es el que los adjetivos y adverbios sean «conformes y conuenientes» (pg. 218). En lugar de decir, p. ej., «ingens auctoritas, splendidum consilium, fortiter seruire, facete laborare» se dirá, *elegantemente,* «summa auctoritas, prudens consilium, fideliter seruire, assidue laborare» (pgs. 219 y 221). Para alcanzar esta elegancia, que Simón Abril propone constantemente como ideal a sus discípulos de gramática, aconseja manejar «los appositos de Basilio Zanchio o del maestro Nuñez» [1]; esto es, esas listas de palabras entresacadas al uso clásico que para el humanismo internacional de entonces constituían

---

tolas Selectas, 1572 (pg. 6), quan poco vtiles son los preceptos, y quan inciertos se le pueden dar en las cosas de las lenguas, que estas dos maneras de hablar, Facere alicui iniuriam: Afficere aliquem iniuria significan vna misma cosa: y ya veés quan differentes constructiones tienen. Digan te agora los grammaticos preceptistas en que viene esto". Cfr. p. ej. la Dedicatoria de Pedro Juan Núñez en la obra que citamos en la próxima nota "Sed illud mihi in hac professione fructuosissima meae voluntatis laboriosum molestumque esse videbatur, euellendam primum ex animis hominum nóstrorum esse opinionem penitus insitam ac vetustam, quae Hispaniam totam penè oppleuerat, eos benè Latinè vel Graece loqui posse, qui vel solam verborum. consecutionem, quod Grammaticae est proprium, in orationis vtriusque partium coniunctione seruarent. contra quam opinionem, non tam argumentis, quae plerunque verbis subtilius quàm satis disputari videntur, quàm exemplorum copia nitens, ad eum vsque finem acerrimè pugnaui, dum inter omnes incredibilem quandam linguae cum Grammatica arte dissimilitudinem esse constaret" (fol. 2 v.).

[1] Cfr. los APPOSITA / M. T. CICERONIS, COLLE- / CTA A PETRO IOANNE / NVNNESIO VALENTINO, AD RE- / uerendissimum & Illustrissimum D. Franciscum / à Nauarra Archiepiscopum / Valentinum... / VALENTIAE. / Excudebat vidua Ioanni Mey / 1596, 8.°, 296 fols. + 44 fols. + 3 h. En la dedicatoria subraya la diferencia entre la gramática y la lengua. Se trata de una lista de palabras latinas seguidas por una columna de adjetivos varios que se encuentran en Cicerón, y la indicación de las obras en las que aparecen, p. ej., "ABACI / Complures 2. Tus. / Abauus. / Omnium sapientissimus de Cla. / Abdomen. / Insaturabile pro Ses. / Aberratio. / Maxime liberalissima doctoque homine dignissima, 12. ad. Att." o p. ej. "Accusatores. / Acres atque acerbi. Brut. / Complurimi pro Sex. Ro. / Frigidissimi 3 ep. ad O. F.", etc.

un *vademecum* tan corriente como entre nosotros los diccionarios. En este orden de ideas, los *ad-jetivos* o *ap-puestos* desempeñan una función no tanto cualificativa como retórica; acompañan las partes de la oración no para precisar su sentido, sino para adornarlas y, a veces, hasta para completarlas rítmicamente. El mismo principio le hace incluir el adagio entre las figuras de oración, «cuyo uso moderado y escasso es alabado», porque, «como las perlas al collar assi ellos adornan la oracion» [1].

Cabe preguntar si en el caso de Simón Abril la subordinación del contenido a la forma responde verdaderamente a una aspiración estética o si es el resultado de cierta mecanización verbalista o dialéctica, y tanto más en cuanto nos encontraremos en la *Filosofía racional* con una interpretación de las categorías (para hallar a cada cosa su atributo conveniente), que muestra elementos semejantes a los que vemos aquí.

Indudablemente, conocía los cánones de la retórica clásica, particularmente por lo que concierne el estilo «medio» [2], intermedio entre el «ínfimo» y el «sublime», que consideraba propio de los tratados científicos (preferiríamos emplear el término latino de *bonae disciplinae,* por el divorcio actual entre lo «científico» y lo retórico). Más de una

---

[1] Es digno de nota que en las tres ediciones de la *Gram. lat.* (1561, 1569 y 1573) cita los *Adagios* de Erasmo. La fama de éste como humanista no sufre menoscabo entre los escritores eruditos que hemos consultado. Cfr. en cambio Bataillon, M. *Erasme et l'Espagne,* sobre el oscurecimiento del nombre de Erasmo en la literatura.

[2] *De arte poetica,* pg. 342 (ed. 1573, a continuación de la *Gram. lat.).* Cfr. más adelante en la misma página "Numerus igitur concinnitasq. suauis orationis, quae certa quadam verborum collocatione dispositioneque contingit, magis certe decet genus illud intermedium plane philosophicum & graue sedati, et placidi amnis more fluens, ad docendos & delectandos auditores aptum, ad permouendos autem & incitandos animos non satis vehemens satisue robustum, ideoque tractandis honestis disciplinis valde accomodatum", oración que, además de ser significativa por el contenido, con su movimiento ciceroniano, sirve de ilustración de lo que expone.

vez hace referencia al *numerus* y a la *concinnitas*, o, para emplear los términos españoles, a esos artificios que hacen la oración suave y elegante, la afeitan «de vna dulce grauedad» y la apartan «del modo de hablar plebeio y popular».

Hasta aquí la teoría. ¿La puso en práctica Simón Abril? En el *Método,* de 1569 [1], al tratar de la «oración numerosa», añade: «segun que vees en muchos lugares de Ciceron, y en algunos de *nuestros* escritos». En efecto, en las dedicatorias [2], en los pasajes que se elevan sobre una mera enumeración o explicación doctrinal a consideraciones más generales, como el período que acabamos de citar en la nota, Simón Abril echó manos del *artificium* clásico.

¿Reacción estético-subjetiva?

Nuestro objeto, sin embargo, no es el de analizar su estilo latino, que podría ser fruto de una habilidad trabajosamente adquirida, sino de contestar a la pregunta inicial, ¿produce en él una reacción estética el contacto con los clásicos?

Lamentamos que las declaraciones subjetivas no abunden en este sentido. Frecuentes son sus invectivas contra los escritos de los «barbaros», y el que dijera de ellos, p. ej., que «rebuznan» y «ladran» podría ser uno más de los muchos lugares comunes de su lenguaje o, por otra parte — esto es verosímil—, la expresión de una sensibilidad realmente herida. Más revelador, en cambio, es un pasaje como éste, positivo y profundamente enraizado en su experiencia: «por la misma falta (de impropiedad) acaece que en muchos auctores Griegos traduzidos en Latin no *sentimos* aquella suauidad y claridad de dezir, que qualquier media-

---

[1] h. N⁶ v.

[2] Es fácil entresacar cláusulas finales de las muy usadas por Cicerón, p. ej.: el dicoreo (ēxĭērŭnt, merĭ/tō nĕgātŭm), el peón 1.º + espondeo (ēssĕ rătĭ/ōnĕm), el crético + espondeo (nōn rĕtār/dārŭnt), etc., al lado de otras que rehuyen los clásicos, como la dáctilo-trocaica (spre/tōsquĕ iă/cērĕ).

namente docto en Griego en los mismos Griegos auctores muy facilmente *siente*» (pgs. 216-8).

Este «sentir», que a Simón Abril, naturalmente, no se le ocurrirá nunca analizar, es un factor medio subconsciente, con el que tendremos que contar en el estudio de su estilo castellano.

Al finalizar el tercer libro ha llegado al término de la parte preceptiva de su *Gramática latina*. Ahora se trata de enseñar a ponerla por obra, ya que saber las reglas y no practicarlas es como conocer el camino, pero no llegar a Roma [1]. Libro IV.

Tratándose de una lengua muerta, el uso se identifica «la continua licion de auctores approuados, con fiel imitacion de los mismos, con diuersas y muchas annotaciones, y con exercicio continuo de hablar y de escriuir» (pg. 264).

Entre estos autores reconoce una disparidad de valor que descansa en la acostumbrada división de la lengua y literatura latinas en tres etapas: Las tres épocas de la literatura romana.

I. La edad antigua (desde Livio Andrónico hasta los tiempos de L. Craso y de M. Antonio).

II. La «perfeta» (hasta el fin del Imperio de Augusto).

III. La más moderna (hasta el fin del Imperio Romano).

Aunque se da cuenta de la evolución natural del idioma [2], distingue entre períodos de «perfección» y otros de

---

[1] "El aprender no es negocio de questiones y argumentos, sino un aprender la manera de hablar"; "El vso continuo... como dize Ciceron, es el mejor y mas principal maestro del dezir" *(Gram. lat.,* pg. 260).

[2] Reconoce la analogía con la evolución del idioma moderno: "Si enim nostro sermone liquido constat, quantum inter huius superiorisque temporis loquendi formam intersit, nonne Enuij, Galbae, Crassi, ac Ciceronis, Quintiliani, aliorumque tempora pari saltem forma diuersa erunt?" *(Meth.,* 1561, pg. 109), y relaciona el fenómeno lingüístico con el ambiente social y la situación psicológica del autor, "assi como sus costumbres perdida aquella libertad eran abatidas, assi tambien baxo su estilo de oracion. Por que por la maior parte el estilo de la oracion es conforme

«decadencia» lingüística. Por tanto, hay que leer las obras de Plauto y de Terencio, «pero con este auiso, que si algun vocablo o manera de dezir hallaremos que no fuere vsada en la edad perfeta, la notemos, y como se a de dezir mas elegantemente declaremos» (pg. 264). Y, en cuanto a los autores más recientes, hay que tener por sospechosos sus escritos, «por que ai en ellos muchos modos de dezir nueuos y en su dezir no mucha auctoridad ni grauedad» (pg. 268).

En la edad «perfeta», en cambio, muchos son los autores dignos de ser leídos e imitados: Cicerón, Varrón, César, Salustio (que, desde luego, no se libra de arcaísmos [1]) y Tito Livio, por su contenido histórico [2]. El más importante de todos ellos, desde luego, es Cicerón: «Tullio nos a de seruir por vna libreria general: en cuios libros el que se exercitare mucho y largo tiempo, todo lo que se le offreciere dezir, no podra dexarlo de dezir Latinamente» (pg. 264).

Método para la lectura de los clásicos. Una vez señalados los autores que se deben leer con preferencia, indica el método que se debe seguir en su lectura:

1. Primeramente, en lenguaje fácil y llano, se declarará el argumento.

2. Luego se harán dos traducciones: una literal y otra libre.

3. Si los períodos son largos, se resolverán en sus miembros.

4. Despues, si los alumnos son principiantes, se les hará

---

a la fortuna del auctor" (pg. 268). Cfr. también la "Comparación de la lengua latina con la griega" en la *Gram. griega.*, 1586.

[1] Nótese su juicio: "La historia de Sallustio es graue y sentenciosa y de veras huele a hombre Romano" (pg. 266).

[2] Pero "quanto a lo que toca a la elegancia y propiedad del hablar, huele a noseque estrangero, y veese en ella aquel noseque de Patauinidad", *ibid.* (Cfr. Quint., *Inst.*, VIII, 1, 3). ¡Cómo ha cundido en todos los tiempos este juicio de Asinio Polión!

declinar y conjugar las palabras hasta encontrar su forma primitiva.

5. Y, si fuere necesario, se reducirán las palabras a su orden natural (pgs. 270-278).

Tan pronto como el discípulo haya superado las prime- Imitación. ras dificultades, se aplicará a la imitación, clave de todo estudio de lenguas, tanto de las antiguas como de las modernas. La imitación, según nuestro autor, abarca en su totalidad los elementos *formales* [1] de cualquier exposición: la elección de los vocablos, la manera de «ajuntarlos», las figuras retóricas, la misma estructura y orden del pensamiento. Por tanto, para que dé el resultado debido, hay que escoger como modelo obras que tratan del mismo argumento. Simón Abril, dentro de la tradición clásica, insiste varias veces en la distinción formal [2] entre los varios géneros literarios, muy de distinta manera que nosotros, quienes casi en el mismo estilo escribimos nuestras cartas, nuestros libros de texto y nuestros artículos periodísticos.

Tras la imitación, indica como medio para aprender el Anotación y ejer- latín el de la anotación, otro instrumento típicamente hu- cicio. manístico. En el caso de Simón Abril, sus comentarios, aun-

---

[1] "como toda oración conste de palabras y sentencias, que es de aquello que significa, y de aquello que es significado, en las sentencias cierto quien quiera puede prouar la fuerça y vigor de su habilidad: pero en los vocablos y modos de hablar, si alguno de la imitación del vso y comun manera de hablar se aparta, no puede dexar de hablar barbaro y escuro" (pg. 280). De lo cual parece desprenderse que Pedro Simón Abril permite cierta originalidad en cuanto al contenido, mientras que hace depender la forma de la imitación.

[2] Sobre todo por lo que se refiere a los varios géneros de cartas, que tienen "su inuencion y traça diferente" según sean narratorias, consolatorias, comendaticias, etc... "Deuese tambien aduertir, escribe en la Carta al Lector de las *Ep. Fam.*, que muchas vezes en vna misma carta se ofrece tratar diferentes argumentos... lo qual quando acaeciere, cada argumento por si se ha de considerar, como si fuesse carta diferente".

que disparatados en las etimologías y tremendamente sim-
plistas en las elucidaciones históricas, merecerían, por la
familiaridad con la lengua latina que evidencian y por su
acierto didáctico, un capítulo aparte [1]. Sin embargo, más
que a los grandes comentarios humanísticos, notables por la
vastísima cultura que muestran y por su espíritu crítico, se
parecen a las aclaraciones hechas en clase por el maestro
—un Guarino, p. ej.—, y que luego formaban las *recollectae*.

La gramática termina con algunas consideraciones
agrupadas bajo el título de «exercicio». De ésta hablaremos más adelante, al tratar de los métodos didácticos de
nuestro autor. Aquí baste señalar su oposición a que los
alumnos hablen latín desde un principio y el peso que da
(y volverá a hablar de ello en el *De arte poetica)* a la
recta pronunciación. Deben cuidar los que aprenden latín
que la oración parezca «natural romana y no estrangera
ciudadana» (pg. 300).

La Gramática Griega. Para completar el estudio de Simón Abril bajo el aspecto que estamos examinando en estas notas, habrá que
dedicar algunas páginas a *Gramática griega*. Su interés
por esta lengua debe datar de una época bastante temprana, porque ya en la edición de 1572 de las *Epístolas
Selectas* nos habla de sus traducciones de Esquines y
Demóstenes. No obstante, la *Gramática griega* fué es-

---

[1] Aquí nos limitaremos a citar el trozo de la gramática referente a
este punto: "Tambien es muy conueniente... declarar largamente el proposito del libro o licion conforme a la capacidad de los oientes; si de
alguna antigüedad, si de alguna historia, si de alguna fabula se hiziere
mencion, mas largamente estenderla, y con palabras declararla: las origenes
de los vocablos mostrar a los oientes; dar les a entender quales y de
donde son mudados; pedirnos a nosotros mismos cuenta de que es lo que
nos parece bien o no en aquellos auctores, y porque: mostrar los varios
vsos de los vocablos... Item si ai algunos vocablos irregulares, nueuos,
antiguos o asperos, notarlos, y mouer de tal manera, como dizen, toda
piedra y passar por todo de tal suerte, que los auctores que declararemos,
los hagamos muy faciles y claros de entender" (pgs. 294 y 296).

crita en 1586, cuando era «Cathedratico de lengua Griega en la Vniuersidad de çaragoça», como lo indica la misma portada del libro. Esto, y el estar dedicada al Rector y Claustro de la Universidad Salamantina, le dan cierto lustre académico. Por otra parte, si Simón Abril se atreve a romper con la tradición y escribe hasta la dedicatoria en lengua vulgar, lo hace en conformidad con su programa de vulgarización; su afán de difundir el conocimiento de las lenguas clásicas y de devolverles su pureza, desengañado quizá por lo que se refiere al latín, busca una compensación en la enseñanza del griego.

Efectivamente, pues las ciencias escritas en latín han degenerado tanto, para «tornallas en pie solo queda vno de dos remedios: o enseñallas en lenguas comunes como se enseñaron dende el principio del mundo hasta la caida del inperio Romano, o alomenos reduzillas a la Griega, donde antes estauan, i donde estan libres de todo barbarismo».

Además, la lengua griega es más fácil que la latina[1], y Simón Abril se propone demostrarlo.

Huelga decir que, antes que Simón Abril publicara la suya, ya circulaban en España gramáticas griegas escritas por españoles[2]. Muy usadas debían ser, p. ej., la de

---

[1] He aqui sus argumentos en favor del griego:

a) porque en cualquier materia hay buenos escritores de quienes se puede aprender;

b) su gramática es mucho más fácil de aprender, sobre todo porque de los dos grandes escollos de la lengua latina, "los preteritos se reduzen a tres terminaciones", y "vso de supinos ni de gerundios no tiene: como tampoco nuestra lengua Castellana; sino que el verbo infinitiuo sirue por ellos"; más fáciles además son la conjugación y la declinación.

c) Y, finalmente, "aunque los vocablos de la lengua Griega son mui diferentes delos dela nuestra, pero enlos modos del dezir conforman mucho entre si, como... cada dia esperimentarà el que por las traduciones confiriere estas dos lenguas entre si" (*Gram. griega,* fol. 2 v.).

[2] Que yo sepa, no hay ningún estudio sobre las gramáticas griegas compuestas por españoles. Apráiz, *op. cit.,* nombra algunas, pero sus

Francisco Vergara [1] o la del Brocense [2]; extensa la una,. muy concisa la otra (ya vimos que Sánchez enseñaba gramática griega en ¡veinte días!).

Simón Abril, aquí también, sigue la vía del medio; resume lo esencial, pero dejando más espacio para la explicación que el Brocense. En su tratadito hallamos lo equivalente al primer libro de la gramática de Vergara (con casi la misma división y denominación de declinaciones y conjugaciones) y al segundo; la sintaxis, en cambio, se reduce a once páginas y media; el autor no quiere repetir lo ya dicho en la *Gramática latina,* sino poner «solo aquello, en que no conciertan las dos lenguas entre si» (fol. 72),. y un solo párrafo final está dedicado al acento.

Pero más aún que la simplificación, lo que diferencia la. *Gramática griega* de Simón Abril es el estar escrita, como ya dijimos, en castellano [3]. Esto la pone al alcance de los.

ligeros comentarios vierten sobre los autores más que sobre las obras mismas, que ha hallado en su mayoría en Nicolás Antonio.

[1] Cfr. p. ej. Francisci / Vergarae de om- / nibvs graecae lin- / guae Grammaticae partibus, libri quinque, in suum & verum / ordinem restituti. / ... Parisiis / Apud Ioannem Roigny via Iacobaea, sub / quatuor Elementis. An. 1550. 8.°, 2 h. + 4-463 pgs. Colofón: Parisiis / Excudebat Guil. Morelius... An. 1550.

La gramática de Vergara es suficiente para dar una idea de cómo se distribuía y trataba la gramática griega; está dividida en cuatro libros que contienen, respectivamente: esquemas de flexión —explicación de los mismos ("de accidentibus")—, las reglas para construir las ocho partes de la oración (i. e. la sintaxis en el sentido expuesto arriba), las letras, las sílabas y sus accidentes y la prosodia. Hay además un quinto libro dedicado a los dialectos griegos y a las propiedades de los poetas.

[2] Grammatica / Graeca / Francisci / Sanctii / Brocensis... Antverpiae (Ex officina Christophori Plantini) m.d.c.lxxxi. 8.°, 31 pgs. Desarrolla en sentido inverso esta definición puesta al principio y que reproducimos aquí porque sintetiza admirablemente el concepto contemporáneo de la gramática: "Grammatica est ars loquendi, cuius finis est congrvens oratio. Oratio constat ex vocibus: Voces ex syllabis: Syllaba ex litteris", pg. 3.

[3] Apráiz, *op. cit.,* pg. 189, afirma que fué la primera. La falta de bibliografías completas no me permite comprobarlo, pero parece probable.

niños, en cuya edad y no más tarde, como se hacía generalmente, aconsejaba nuestro autor que se estudiase esta lengua.

Por lo que se refiere al contenido mismo, bastarán unas cuantas observaciones. Aquí también, siguiendo a los gramáticos «mas cercanos» que Aristóteles, Simón Abril divide la oración en ocho partes (ya que el griego no conoce ni el gerundio ni el supino, fol. 34 y v.), y trata sucesivamente del artículo (haciendo notar la ventaja que da al griego y al castellano sobre la lengua latina, fol. 35), del pronombre relativo (que se obtiene «quitandoles la letra τ, i poniendo en su lugar aspiración fuerte», *ibid.*) y del nombre, haciendo notar la diferencia respecto al latín (determinación del género por el artículo, falta del ablativo, como en castellano, fols. 35-36) [1].

La división de los nombres griegos en la gramática de Simón Abril, como en las de otros muchos de su época,

---

[1] Es curioso notar estos intentos de "gramática comparada": "En esto se parecen mucho la lengua Griega i la Castellana, que tambien esta no conoce ablativo: sino que los ablativos i los genitiuos los declara de vna misma manera, como si dixessemos en Latin: ego inueni librum fratris: Dize el Griego: ἐγώ εὕρικα τὸν βίβλον τοῦ ἀδελφοῦ i el Castellano: io halle el libro de mi ermano. Por el contrario dize el Latino: ego accepi librum a fratre: i el Griego: ἐγώ ἔλαβον παρά τοῦ ἀδελφοῦ τὸν βίβλον: i el Castellano: io recebi el libro de mi ermano: interpretando ambas a dos lenguas de vna misma manera el genitiuo de los Latinos, que el ablatiuo" (fol. 36). En otros puntos en cambio se diferencian: p. ej. en el uso de los participios y conjunciones. Simón Abril lo hace notar, más adelante, en vista sobre todo de la traducción: "Tiene la lengua Griega para cada tiempo su participio: i assi dize facilmente muchas cosas por vn vocablo, que en Latin, o Castellano, se an de dezir por vn rodeo de palabras, como se esperimenta cada dia, interpretando los libros de los graues escritores" (fol. 70). "... La conjuncion sirue de ir como enlazando i continuando la oracion... unas son copulatiuas... otras continuatiuas, que en Castellano no tienen vso, como quidem, μὲν, vero, δὲ" (fols. 71 v. y 72). Considerada en su conjunto, prefiere la lengua griega a cualquier otra. Ya hemos visto cuánto apreciaba su "dulzura"; y aquí hace notar que "en lo del componer nombres i vsar dellos gana el precio de la gala... entre todas las del mundo" (fol. 41 v.).

es algo distinta de la que comúnmente se sigue en nuestros días: «Los nombres Griegos se declinan de dos maneras, o por sylabas iguales, o por desiguales...

»Los declinados por sylabas iguales, i acabados en ας, o en ης, hazen primera declinación, los en α, o en η, segunda, los en ος, o en ον, tercera, los en ως, o en ων, quarta.» Todos los declinados por sílabas desiguales pertenecen a la quinta (fol. 36 y v.). Distingue, además, cinco declinaciones contractas, pero sin tratar de los anómalos, que se han de aprender «por particular obseruacion, o por los dicionarios» (fol. 41) [1].

En cuanto al verbo, distingue ya en los esquemas de inflexión una conjugación «barytona» (λέγω) y otra contracta («circumflexa»). Los de la tercera, en μι, «son deriuativos de barytonos en, αω, εω. οω, υω». En los esquemas agrupa todos los modos bajo cada tiempo (el tiempo presente abarca también el imperfecto, «el imperfeto va siempre anexo al presente, i el mas perfeto al perfeto, como a sus raizes i principio», fol. 44). Cuán empírico es, no tan sólo en cuanto a la formación de las varias formas, sino, además, en la interpretación de su valor, lo demuestra su identificación del aoristo con el imperfecto [2]. Por lo demás, hace derivar los tiempos unos de otros de la manera más simplista y despreocupada [3], ya que, en el fondo,

---

[1] No pierde ocasión de subrayar que "el arte no a de comprehender cosas menudas, i particulares: sino enseñar lo general: i lo particular remitillo a particular obseruacion, i al vso de los graues escritores, en que se a de exercitar el que quiere saber lenguas" (fol. 41). Lo mismo había dicho anteriormente (en la parte de los esquemas de inflexión) explicando por qué no trata de los verbos irregulares. Los diccionarios que indica allí son el de Roberto Constantino y Clenardo (fol. 33 v.).

[2] "Tienen assi mismo los Griegos vna manera de tiempo perfeto, que llaman aoriston, que quiere dezir indeterminado, porque no determina, si a mucho o poco que passo lo que sinifica: pero en el vso i valor es lo mismo que el perfeto" (fol. 44).

[3] "del presente nace el imperfeto, i del imperfeto el segundo aoristo actiuo, i del segundo aoristo actiuo, el segundo futuro actiuo: i los se-

su objeto es que sus alumnos aprendan pronto a leer en griego, no a analizar sus formas. Por esto, en el tomito de la *Gramática griega* ocupan un mayor número de páginas las «Sentencias de los poetas» y la «Tabla de Cebes», con sus respectivas traducciones en castellano y en latín [1], que la parte teórica.

Con esto terminamos nuestros apuntes sobre Simón Abril como gramático. Huelga decir que el desmenuzamiento sistemático del idioma, el análisis científico de los fenómenos lingüísticos, las inferencias permitidas por la gramática histórica, en breve, los métodos que hoy se siguen, han quitado todo su valor a las especulaciones lógico-empíricas de los gramáticos anteriores al nacimiento de la filología moderna. Los aciertos ocasionales conservan un interés más histórico que intrínseco, como sucede con los libros «científicos» de aquellos tiempos.

El interés de estas gramáticas.

Más actualidad tiene en nuestros días, en que las interpretaciones psicológicas, histórico-genéticas e idealistas van sustituyéndose y alternándose en el calor de la controversia, la reacción de estos gramáticos frente a la lengua en su conjunto y la mayor o menor sensibilidad que muestran para percibir —aunque, desde luego, no para describir— el valor de la *forma*. En efecto, si además de torturar generaciones enteras *decorando* preceptos, las introdujeron a la lectura de los clásicos, acostumbrándolos a las figuras estilísticas y, sobre todo, a la *concinnitas* de los textos antiguos, y les inculcaron la importancia de la

gundos aoristos passiuo i medio, i el segundo futuro passiuo, i el perfeto medio i del segundo futuro actiuo el segundo futuro medio" (fol. 68 v.).

[1] En esto coincide Pedro Simón Abril con la mayoría de los humanistas, que generalmente aprendían el griego por su cuenta ayudándose con traducciones y textos bilingües. Cfr. Sabbadini, *op. cit.*, pgs. 20-22. De las "Sentencias" usadas por nuestro autor encontramos un antecedente clarísimo en las que empleaba Guarino: "Manum cadenti da / Chira pesondi didu / Χεῖρα πεσόντι δίδου".

imitación, huelga decir que estos trataditos gramaticales, incluyendo, naturalmente, los de Simón Abril, tuvieron en el desarrollo consciente y subconsciente del sentido estético una importancia mucho mayor que la que generalmente se les concede.

LAS OBRAS DE CARACTER FILOSOFICO

A. Recopilaciones . . . . $\left\{\begin{array}{l}\text{LA FILOSOFIA RACIONAL (*)} \\ \text{LA FILOSOFIA NATURAL.}\end{array}\right.$

B. Comentarios . . . . $\left\{\begin{array}{l}\text{de Porfirio.} \\ \text{de los Tópicos de Cicerón.}\end{array}\right.$

C. Traducciones. . . . . $\left\{\begin{array}{l}\text{ETICA.} \\ \text{POLITICA.} \\ \text{Diálogos de Platón.}\end{array}\right.$

Antes de hablar de estas obras de Simón Abril, será oportuno dedicar algunas líneas a su concepto de la filosofía [1]. En sentido lato, la identifica, por una parte, con todo lo que abarca la *razón* con su luz natural, y, por otra, con una determinada actitud frente a la *vida* [2]. De ahí

---

* Nota: Sólo las obras consignadas aquí en letra mayúscula han llegado hasta nosotros.

[1] Hay varias referencias a este tema, hallándose las más largas en el primer libro de la *Filosofía racional* y en el Prólogo de la *Etica*.

[2] Cfr. *Fil. rac.*, fols. 5-7 v. Interpreta la célebre frase que en el *Fedón* se atribuye a Sócrates, "la filosofía es meditación de la muerte", en el sentido de desprecio del mundo y despego de las criaturas. El concepto de que la filosofía debe servir como norma de vida pervade todos sus comentarios y dedicatorias.

la importancia que nuestro autor concede a la filosofía en la adquisición de los dos fines del hombre, la verdad y el bien; objetos tan íntimamente entrelazados entre sí, que vienen a constituir uno solo: «la dotrina y virtud», dirá frecuentemente en sus escritos, formando con las dos palabras una de esas combinaciones en que los términos suelen ser sinónimos [1].

En segundo lugar, hay que tener en cuenta que para Simón Abril nada es más *objetivo* o, para emplear sus mismos términos, más identificable con la *verdad,* que la filosofía. Regalada a los hombres por Dios al principio de los tiempos, no puede sino ser la verdad misma; como imagen y obra suya, «tiene sus verdades duraderas con eternidad». Los errores que cometieron los filósofos paganos son debidos a la flaqueza del entendimiento; pero para nada empañan la perfección y firmeza de la filosofía en sí.

Una y otra vez tendremos que volver sobre estos principios. Al tratar de filosofía, Simón Abril trabaja sobre un terreno firme, no ya con la actitud del pensador que, construyendo un sistema propio, llega a considerarlo como el definitivo, *sub specie aeternitatis,* sino con la seguridad de quien tiene a su disposición todos los datos, quedándole tan sólo la tarea de ordenarlos y exponerlos a sus lectores. Por lo mismo, su mirada está habitualmente vuelta hacia atrás; cuanto más allá en la lejanía de los tiempos, tanto más cercana está la filosofía a su primer origen. Transmitida luego de padre a hijo, sólo entonces llega a recobrar su pureza, cuando, por comparación entre las herencias filosóficas de uno y otro pueblo, se llega a reconstruir sus elementos primitivos [2]. De sistemas o teorías nuevos, o de la posibilidad de que pueda haberlos, no nos habla nunca

---

[1] Cfr. el capítulo "Pedro Simón Abril y la lengua castellana", pg. 207.

[2] Cfr. el cap. 2 del I Libro de la *Fil. rac.,* en que Simón Abril relata la historia de la filosofía (¡Felices los tiempos en que no había reparo en dar el nombre de *historia* a una serie de raciocinios lógico-aprioristicos!)

nuestro autor; o quizá los llamaría despectivamente «invenciones traidas por manos de ombres». Para él, la afirmación de que nada pone suyo [1], no es debida a lo que hoy llamaríamos honradez de escritor, y mucho menos a falsa humildad, sino sirve para garantizar sus palabras ante sus propios ojos y los de sus contemporáneos.

Huelga decir que una actitud hacia la filosofía como la que acabamos de describir y, en general, las ideas de Simón Abril en este campo, son comunísimas en sus tiempos. Por lo mismo, he juzgado oportuno reordenar y exponer los principios fundamentales de su filosofía racional y natural, aislando, sobre todo en la parte lógica, aquellos que considero más fundamentales para ilustrar la mentalidad de los que tales tratados escribían y de los que aprendían en ellos. En efecto, aunque en los trabajos de investigación predomina generalmente el afán de subrayar lo característico y lo original, no es inútil volver de cuando en cuando a esas ideas de propiedad común, que generaciones enteras aprendieron en los bancos y que consciente o inconscientemente llevaban consigo como substrato y molde de su actividad intelectual.

Y, finalmente, antes de entrar en la exposición, advertiremos que Simón Abril adopta para la filosofía no ya la división aristotélica [2], sino la platónico-agustiniana: lógica, filosofía natural y ética. Este es, por tanto, el orden que seguiremos nosotros; pero sin tratar de la ética, porque nuestro autor, en esta parte, no hizo más que traducir la de Aristóteles, intercalando resúmenes y algún breve comentario.

---

[1] *Fil. rac.,* fol. 7 v.

[2] *Meth.,* 1026 a 18; como es sabido, el Estagirita dividía la filosofía en filosofía primera o teología, filosofía segunda o filosofía de la naturaleza y filosofía matemática.

LA LOGICA

Como ya vimos, Simón Abril, además de gramática, enseñó lógica. Fruto de sus propias clases serían aquellos tres libros de *Comentarios a los Tópicos de Cicerón*, a los que se refiere posteriormente [1], y el tomito latino publicado en Tudela, en 1572, bajo el título *Introductionis ad Logicam Aristotelis libri duo*. Más tarde, esto es, en 1587, cuando se reaviva la esperanza de ver realizada su reforma y enseñadas las doctrinas en lengua vulgar, refunde [2] la materia de su primera obra y edita en castellano la *Primera parte*

---

[1] *Introductio,* pg. 1; cfr. más adelante, pg. 107, n. 2.

[2] La *Filosofía racional* no es, como han creído algunos, una simple traducción de la *Introductio*. Desde luego se trata fundamentalmente de la misma materia distribuida de manera análoga, si bien a veces se trueca el orden de las distintas secciones. Algunos párrafos son casi idénticos, otros más o menos ampliados con ejemplos y observaciones. Con todo, hay en la *Filosofía racional* partes nuevas; así, p. ej., el primer libro que sirve de introducción y trata de la filosofía en general, de su enseñanza entre los antiguos, su definición y sus partes. En el segundo libro inserta un capítulo, que seguramente consideraría muy importante, acerca del método científico, y, al tratar de los predicables, añade "la larga disputa de las diez categorías", solamente enumeradas en la *Introductio*.

Ha omitido en cambio algunos términos técnicos y varias consideraciones cuya ausencia tiende a hacer más *ligero* el texto castellano. Este, además, ostenta más visiblemente el método tan ensalzado por Pedro Simón Abril, esto es, el de proceder por definiciones y divisiones.

de la Filosofía llamada la Logica, o parte racional, que nosotros tendremos a la vista para nuestras observaciones —sirviéndonos la *Introductio* tan sólo ocasionalmente—, por ser el texto en lengua vulgar el que sin duda satisfacía más a su autor y que tuvo mayor difusión.

El tratarse de un texto que formaba parte del programa de Simón Abril, nos sugiere naturalmente la pregunta: ¿En qué sentido pretende nuestro autor reformar la lógica? Notaremos, en primer lugar, que estas obras, las cuales, según él, de puro olvidadas les parecían nuevas a muchos contemporáneos suyos, y particularmente las de Aristóteles, hacía ya siglos que circulaban por las manos de maestros y discípulos [1].

La lógica hasta su época.

En efecto, hasta el siglo XII, los textos fundamentales para esta facultad habían sido las *Categorías* y un fragmento del *Peri hermeneias,* a los que servían de introducción algunos tratraditos de Boecio y la *Isagoge* de Porfirio. Todo ello formaba el cuerpo de la *logica vetus.* En el siglo XII, ya se manejaba el *Organon* entero, y el ciclo de estudios, que los textos recién descubiertos permitían, se llamó la *logica nova.*

Pero tanto a la lógica *vetus* como a la *nova,* les quedó el nombre de *antiqua,* en oposición a la *logica modernorum,* conjunto de textos complementarios que fueron surgiendo en las escuelas para facilitar la retención de la doctrina del Filósofo, fijar la significación de los términos y examinar el valor de las demostraciones, para que pudieran emplearse en las disputas. Y así como se creaban grandes cuerpos de doctrina teológica, así también el contenido de la lógica fué codificado en tratados sistemáticos, llamados también *Sumas* o *Sumulas* [2], entre las que sobresalieron las de Pedro Hispano.

---

[1] Cfr. p. ej. Prantl, C., *Geschichte der Logik im Abendlande,* Leipzig, 1927, vol. IV, pg. 152.

[2] La palabra "Sumulas" llegó a emplearse para designar el curso de

Refiriéndonos en particular a España, vemos, p. ej., que en la Universidad de Alcalá se leían la *Sumulas* [1] durante el primer año; en el segundo, con glosas, anotaciones, cuestiones y argumentos, el libro de los predicables de Porfirio, el de los predicamentos de Aristóteles, como también los dos de *Peri hermeneias,* los dos de «Priores» y los dos de «Posteriores», los dos de *Topicos* y los dos de *Elencos* [2].

También en España, como en otros países, ya había habido quien se rebelara contra el acervo de comentarios y glosas que los siglos habían ido acumulando sobre el original aristotélico. Para no citar más que un ejemplo, Cardillo de Villalpando, al editar, en 1557, su *Summula Summularum* [3], declara expresamente que, de habérselo permitido la Universidad (la complutense, de la que era catedrático), hubiese eliminado las *Sumulas* de la enseñanza, encauzando sus esfuerzos directamente hacia los textos aristotélicos. De hecho, constringido por la fuerza de la tradición, se contentó con compendiarlas lo más posible, para evitar a los maestros y oyentes gran parte de un trabajo que consideraba prolijo e inútil [4]. Reacción.

Simón Abril se propone desterrarlas por completo, sustituyendo a súmulas y comentarios un texto conciso, donde Objeto de Simón Abril.

---

dialéctica; cfr. La Fuente, Vicente de, *Historia de las Universidades...* Madrid, 1884-1889, vol. I, pg. 148: "este nombre plural se dió ya a la enseñanza de la dialéctica en las escuelas desde fines del siglo XIII en adelante".

[1] Las Constituciones mandaban: "El regente lea el primer año las Sumulas logicales de Pedro Hispano o de otro doctor...", Urriza, *op. cit.,* pg. 27. Las cátedras se llamaban de Artes o de Sumulas y los estudiantes sumulistas. Sobre las *Sumulas* de Pedro Hispano cfr. p. ej. Carreras Artau, T. J., *Historia de la filosofía española, Filosofía cristiana de los siglos XIII al XV.* Madrid, 1939, t. I, pg. 131.

[2] Urriza, *op. cit.,* pg. 116.

[3] Cfr. *ibid.,* pgs. 298-305.

[4] *Ibid.,* pg. 304; otros exponentes de esta reacción los cita Carreras Artau, *op. cit.,* pg. 136.

se exponga lo que él considera como la materia fundamental de la lógica, sin mezcla de vanas cuestiones y disputas. Como en todos sus escritos, quiere que el estilo sea «llano y popular». A través de sus colegas quiere alcanzar el mayor número posible de alumnos, para acostumbrar a la generación joven a pensar lógicamente.

Su *Filosofía racional* y la lógica renacentista. Este intento didáctico y su deseo de simplificación le colocan al lado de muchos otros humanistas de otros países. Pero en cuanto a las fuentes, al contenido y al espíritu de su tratadito, ¿le hemos de colocar dentro de esa corriente heterogénea que se resume con el término de lógica renacentista? Para contestar a esta pregunta, nos puede servir de punto de partida una frase de Prantl con la que éste describía el problema crucial de esta disciplina en el período humanístico: «La lucha contra la lógica escolástica podía acometerse desde dos lados: o reconstituyendo a Aristóteles o echando la lógica por la ventana, poniendo en su lugar las enseñanzas de la retórica» [1].

Actitud hacia la Escolástica. Para Simón Abril no había tal lucha contra la escolástica en sí. Sincera es su alabanza del angélico doctor Santo Tomás por haber enseñado lógica lógicamente (*Fil. rac.*, folio 35 v.), y, aunque no siguiera el orden tradicional, la materia que trata viene a ser la misma. El también recorre el camino que conduce desde el estudio de los términos —y, por consiguiente, de las categorías y los predicables— a las preposiciones, y éstas al silogismo, y de éste, a su vez, al silogismo que engendra la ciencia, la demostración [2]. Si nombra despectivamente a una escuela determinada, ésta será la de los lulistas [3] y no la escolástica.

---

[1] *Op. cit.*, pg. 152.

[2] Cfr. el opúsculo de Sto. Tomás, *De totius logicae Aristotelis summa*, en el que se expone este orden.

[3] Cfr. *Fil. rac.*, fols. 19 v.-20 y 41 v. Son curiosas estas objeciones que Pedro Simón Abril hace contra el sistema de Ramón Lull, porque, si

Tampoco se trata, por otra parte, de una vuelta a los textos mismos de Aristóteles, como hizo en el caso de la *Etica* y de la *República.* La *Introductio,* como lo anuncia el propio título y el prólogo, debía servir de introducción al *Organon* del Estagirita. Pero luego, en la *Filosofía racional,* no oculta su intención de sustituirlo, por la «oscuridad» que a él, como a Luis Vives y a otros humanistas, le hacía tan poco agradable esta parte de la obra aristotélica. Aristóteles, además, había distribuído la materia en libros distintos, «como si vn pintor no pintasse vn hombre entero, sino que enseñasse a pintar por si la cabeza, por si el braço, por si la pierna, y por si el vientre» [1]. ¿Seria Simón Abril, que ya no se hallaba al principio de la ciencia lógica, sino en la su plenitud, el que pintara al «hombre entero»?

Para ello le servirán, en la primera parte de su obra, los *Topicos,* de Cicerón, eliminando muchos, pero no todos, los ejemplos sacados de la práctica forense y del derecho civil [2], y ampliando el tratadito ciceroniano con sus lecturas

bien dejan traslucir que nuestro autor conocia muy superficialmente al filósofo mallorquín, demuestran, por otra parte, que en la época de Simón Abril el sistema lulista tenía aún vida, como sabemos también por otras fuentes. Uno de los que quisieron resucitar el lulismo en el siglo XVI fué Pedro de Guevara, preceptor de las Infantas Isabel Clara Eugenia y Catalina. Recopiló del *Ars magna* y del *Arbor scientiae* su *Arte general y breue, en dos instrumentos, para todas las sciencias,* publicada en Madrid en 1584. Felipe II, que era muy aficionado a los escritos del filósofo mallorquín, dió en 1597 un nuevo permiso para que se enseñaran sus obras, como antes lo había hecho Fernando el Católico; cfr. Picatoste, *Biblioteca científica española del siglo XVI,* pg. 137. Urriza, *op. cit.,* pg. 66, describiendo las adquisiciones de libros filosóficos para la biblioteca de la Universidad de Alcalá, según el catálogo de 1565, hace notar que en este último están consignadas varias obras de Raymundo, *Ars generalis, Arbor scientiae, Tabula generalis magistri Raymundi, Compendium artis Magistri Raymundi,* en contraste con una sola obra en el de 1523, *Compendium artis demonstrativae,* "lo cual vendría a indicar la corriente lulista introducida en la Facultad".

[1] *Fil. rac.,* fol. 10.

[2] "Qvoniam quidem permulti sunt, quibus molesta est illa iuris exemplorum in Topicis Ciceronis explicatio, eorumque difficultas ab eorum

de Aristóteles, Quintiliano, Porfirio y otros lógicos y retores de la antigüedad [1]. De Quintiliano adopta, p. ej., el elenco de las categorías, que, como es sabido, el célebre retor encajó en el cuadro general de los lugares comunes [2]; de Porfirio, aunque sin nombrarle [3], el análisis de los predicables, que reproduce en su Tabla de la Categoría de sustancia.

El elemento retórico.   La heterogeneidad de sus fuentes y, sobre todo, el puesto conspicuo que ocupan los retores, lo aproximan con mucho a esa otra alternativa que señala Prantl en el pasaje que citamos arriba, la de echar la lógica por la ventana, poniendo en su lugar la retórica, como efectivamente hicieron la mayoría de los lógicos renacentistas.

En efecto, Simón Abril no ocultaba su predilección por la parte tópica o inventiva, la que, según él, sirve «para tratar con el pueblo», mientras la parte analítica, que le olía «a puntos de escuela», le merece bien poca simpatía. Es la primera parte, esto es, la de los lugares comunes y categorías, la que él quiere poner en evidencia, como ya en siglos anteriores había hecho Cicerón [4] y que en sus tiempos se enseñaba poco en las públicas escuelas [5]. Asimismo, en la *República* relaciona varias veces la lógica con las

---

deterret ipsos lectione, placuit certe mihi totius artis Topicae, eorumque omnium quae a nobis tribus libris commentariorum in eadem Topica Ciceronis pertractantur, quasi quandam summam facere et epitomen", *Introductio*, pg. 1, para que se vea cómo nuestro autor siguió a Cicerón en la primera parte de su obra, pondremos al final de este capítulo y antes del resumen esquemático de la *Filosofía racional* un cuadro sinóptico de los lugares comunes en los *Tópicos* de Cicerón, q. v.

[1] Otros que nombra además de los citados son Platón, Alejandro Afrodisiense, Crisipo, Temistio, Boecio, San Agustín, Hermógenes, pero todos de pasada. De entre los modernos tan sólo cita a Rodolfo Agrícola, "varon muy doto en esta facultad" *(Fil. rac.,* fols. 70 v. y 71).

[2] Cfr. *Inst.,* V, 10.

[3] En la *Fil. rac.,* fol. 20 v. le llama "parlero".

[4] *Fil. rac.,* fol. 56.

[5] *Ibid.,* fol. 21 v.

cuestiones penales, mostrando prácticamente su filiación ciceroniana.

Pero, por otra parte, advierte que de retórica no se quiere ocupar[1], y la trata luego muy ligeramente en los *Apuntamientos,* por ser una disciplina que en sus tiempos ya no servía más que para los sermones de iglesia.

Entre estos dos extremos, la intención explícita de no tratar de retórica y, por otra parte, su fidelidad a las pautas que se había propuesto, vemos que nuestro autor vacila a menudo.

En la *Introductio* se halla un pequeño esbozo semántico de los términos de gramática, retórica, dialéctica y lógica. La gramática, la retórica y la lógica son artes ἀντιστρέφοντες esto es, «acqualem facultatem habentes», o como dirá en la *Filosofia racional* (fol. 9 v.), están todas relacionadas con la oración, dándole respectivamente «elegancia, discreción y grauedad». La retórica se distingue de la dialéctica en cuanto aquélla disputa acerca de las cosas en general y se usa en los estudios, ésta, en cambio, trata de las cosas en particular, en las causas civiles y políticas[2]. Y la diferencia entre la retórica y la lógica consiste en que la primera se vale de las figuras del lenguaje para persuadir; la lógica, en cambio, aspira a demostrar una sola verdad en la cuestión (veritatem quaestionis unam) y es menos verbosa (pg. 12)[3]. Con todo, siguiendo el ejemplo de la *Retórica* de Aristóteles, emplea indiferentemente los términos lógica y dialéctica. Huelga señalar cuán escurridizo es el terreno y qué mal demarcadas son las fronteras entre una y otra.

Sin embargo, no faltan pasajes por los que se ve que Simón Abril, al tratar de los lugares comunes, se percata

---

[1] *Ibid.,* fol. 9 v.

[2] *Intr.,* pgs. 11-12.

[3] Cfr. Lorenzo Valla, "Erat enim dialectica (logica) res brevis prorsus et facilis, id quod ex comparatione rhetoricae diiudicari potest", *Dialecticarum disputationum libri tres.* Coloniae, 1571, 8.º, II Praef., pg. 134.

de la diferencia: «Locus logicus siue dialecticus, vt Cicero definit, [1] est sedes argumenti: quae quidem definitio, cum per tralationem *(sic)* assignetur, magis certe rhetorica quam logica videtur. Commodius autem hoc pacto definitur: locus dialecticus est communis quaedam omnium rerum ac secunda notio, ex qua aliquid argumenti desumitur ad quaestionem disputandam» (pgs. 16-17).

Nos llevaría demasiado lejos el analizar cuáles elementos en su tratado son lógicos y cuáles son retóricos [2]. Bastará lo de arriba para dejar planteado el problema, señalando cómo, por una parte, no hubiese fácilmente podido sustraerse a la influencia de los elementos retóricos, mezclados ya por los romanos en la lógica griega, y, por otra, se muestra contrario a la tendencia de fundir en una estas dos disciplinas, como quiso hacer, p. ej., Francisco Sánchez en su *Organum Dialecticum et Rhetoricum*.

Nuestro punto de vista al analizar la *Filosofía racional*. — Con lo que hemos dicho hasta aquí, quedan suficientemente aclaradas las fuentes de Simón Abril. Sería superfluo entrar más detalladamente en el estudio de las mismas. Tampoco es nuestra intención resumir este tratadito, como ya hizo, con una buena dosis de paciencia, Marcial Solana [3]. Para el presente estudio bastará la sinopsis esquemática que incluímos al final del capítulo. Y finalmente, no nos parece que la *Filosofía racional* de Simón Abril merezca una valoración desde el punto de vista filosófico. En cambio, iremos aislando de entre las definiciones y las observaciones doctrinales aquellos principios que, a nuestro modo de ver, forman las líneas directrices de lo que fué la base teórica del pensamiento y de la mentalidad de Simón Abril y, con él, de otros muchísimos con-

---

[1] Cic., *Top.*, II.

[2] En su lugar veremos, p. ej., cómo excluye de la lógica los discursos dialécticos.

[3] *Historia de la filosofía española en el Renacimiento*, Madrid. 1941, t. I, pgs. 385-394.

temporáneos suyos, y que indudablemente los guió en la concepción y redacción por lo menos de la literatura erudita, por no hablar de otros eventuales influjos en las obras más libres, predeterminando en cierto sentido su actitud hacia el mundo físico y sus fenómenos.

En primer lugar, la definición misma que formula Simón Abril para introducir su materia, nos indica su posición aristotélico-tomista: «Es pues, la logica vna sciencia, o arte, o facultad, que enseña, como se ha de demostrar la verdad, en las cosas dudosas, quanto al entendimiento humano le es possible» (fol. 13). *Principios en que se funda la Filosofía racional.*

Bien la considere como ciencia, como arte o como facultad, siempre insiste en lo que para él es fundamental, la *verdad:* «multa certissime et clarissime demonstrat», había dicho ya en la *Introductio* [1]; «muy claras verdades y muy ciertas»..., «la verdad cierta en cada cosa», no se cansa de repetir en la *Filosofía racional.* De ahí el primer principio que subrayaremos:

I. *La razón humana puede alcanzar la verdad.*

El entendimiento juzga de su propio objeto «perfetamente con verdad» (fol. 89), siendo las únicas dos condiciones para que sus juicios sean verdaderos el estar bien dispuesto y el ser la verdad de suyo tan clara, «que por si misma sin otro medio alguno sea inteligible» (fol. 89 v.).

Pero, por otra parte, el entendimiento está sepultado en el cuerpo y sólo juzga por medio de los sentidos (fol. 13 vuelto), que no perciben lo sustancial de las cosas, sino lo accidental. Por tanto, las cosas particulares no le son inteligibles si no se reducen a especies y géneros.

Fuerza y flaqueza que engendran la ciencia [2].

---

[1] Pg. 13.

[2] Me refiero naturalmente al concepto aristotélico de la ciencia ("Solo hay ciencia de lo universal").

Salta a la vista que un sistema criteriológico tan poderoso como el escogitado por Aristóteles, cuando se confunden los valores formales y materiales, puede abrir el paso a muchísimas equivocaciones. Lo veremos en la *Filosofía natural,* donde, si bien el autor reconoce «los cien mil errores» que van mezclados a las verdades comunes, nos pasmará por la certeza y aplomo con que acepta explicaciones evidentemente falsas, fundándose en «el buen uso de razon». Huelga especificar que el *buen* uso de la razón no es ya el del vulgo, que «va a tiento y sin saber, en que estriba la fuerza de su razon, y sin saber llegalla a cabo», sino el de aquel que sabe lógica y la aplica. Esto nos lleva a considerar un segundo principio:

II. *La lógica sirve de instrumento a todas las demás ciencias y tiene voto dondequiera.*

Hay que reconocer desde luego que Simón Abril, como buen escolástico, se da cuenta de que el orden lógico no es ni el metafísico ni el científico (entre estos dos últimos, en cambio, no hace una distinción clara), y los contrapone en varias ocasiones con bastante insistencia[1].

Con todo, las ciencias y hasta la literatura[2] y la histo-

---

[1] P. ej. en los fols. 23 v., 26 v. y 28 v. En el primero de estos lugares explica claramente cómo el considerar las cosas *absolutamente,* en su naturaleza, propiedades y efectos "no le pertenece al logico sino a la sciencia". La logica en cambio considera las cosas *respetiuamente,* esto es, en la correspondencia que tienen entre si (= lo que llama Pedro Simón Abril "segundas consideraciones"). Por tanto, Simón Abril, rebelándose contra la arrogancia de ciertos preceptores de lógica de sus tiempos, requiere del que juzga el conocimiento de los principios propios a cada materia, "de los de la filosofia juzgara bien el logico filosofo, de los de la medicina el logico medico", etc. (fol. 104). Es más, "donde mas facil y perfetamente se puede y deue enseñar el vso de la logica es en el enseñar las demas ciencias" *(ibid.).* Nótese esta actitud moderada de nuestro autor.

[2] P. ej., al tratar de las definiciones, no deja de mencionar las descripciones de los poetas, historiadores y de los oradores (fol. 41) y para ilustrar el lugar dialéctico de los conjugados cita el célebre dicho de

riografía se hallan bajo su jurisdicción. Además, siendo uno mismo el objeto material, y distinguiéndose la lógica de las ciencias sólo desde el punto de vista formal, se comprende que el peligro de contaminación sea muy grande. La lógica, «que tan fiel guia es para salir de laberintos», ¿le servirá de veras como instrumento y nada más? No es éste el lugar de juzgarlo. Señalaremos, en cambio, el puesto principalísimo que Simón Abril concede al *método* [1], concepto que explica etimológicamente: μέτοδος = con camino, «porque assi como el que sabe el camino no puede errar de llegar al puesto, do pretende yr, assi tambien el que sabe methodo en las sciencias, *no puede errar en llegar al fin dellas*» (fol. 10 v.).

Ahora bien:

III. *Los caminos de las ciencias son cuatro, y la lógica es la que enseña a recorrerlos.*

Con esto, Simón Abril traza de antemano la senda que se ha de seguir en cualquier rama del saber, con todas las ventajas, pero también con todas las cortapisas que supone el asentar *a priori* unos principios a los que se ha de amoldar la investigación.

Para ilustrar su pensamiento, ponemos a continuación, resumidos por nosotros en forma esquemática, unos ejemplos concretos de los dos primeros métodos, el de resolución o análisis y el de composición o génesis (síntesis), aplicados a varias ramas del saber:

Cremes en el *Eautontimorumenos* de Terencio: "Soy *hombre:* y assi ninguna cosa *humana* tengo por agena de mi" (fol. 43 v.). Así la lógica, como ya señalamos en el capítulo sobre sus gramáticas, sustituía la crítica literaria.

[1] Ya vimos que éste era el título que dió a sus primeras gramáticas latinas, como subrayando su principal característica. En la *Filosofía racional* dedica a la explicación del método uno de los capítulos más largos (II, 2).

	GRAMÁTICA	FILOSOFÍA NATURAL	POLÍTICA	LÓGICA
. *Análisis* .	oración	alma racional	la ciudad	la demostración de la verdad
	períodos	facultad imaginativa	barrios	discurso o silogismos
	miembros	facultad sensitiva	familias	pronunciados
	vocablos	facultad vital	maridos a mujeres - padres e hijos - señores siervos, posesiones	
	sílabas	facultad elemental		
	elementos o letras	*primeros principios*	*hombre*	*términos*
II. *Génesis.*	sílabas	facultad elemental		
	vocablos	facultad vital		
	miembros	facultad sensitiva	familias	pronunciados
	períodos	facultad imaginativa	barrios	discurso o silogismos
	oración	el alma racional	la ciudad	la demostración de la verdad

Estos dos métodos son «la total llave de las sciencias». El primero considera el fin de la cosa y, luego, el medio más cercano «que se requiere para auella de alcançar», hasta llegar a los primeros principios; el segundo sigue el camino inverso, valiéndose de los mismos medios que se han hallado por el análisis.

Como dos métodos separados, aunque en realidad tengan elementos comunes con los otros dos, considera Simón Abril los que proceden por definición y división y por definición y partición.

El primero define la cosa por su género y diferencia, y

la divide luego en sus especies, llegando por este procedimiento a las especies últimas. El segundo, tras definir la cosa de la misma manera, la divide en sus partes principales e inmediatas, repitiendo esta partición hasta llegar a partes que no son dignas de consideración [1].

A veces, estos métodos se combinan, siguiéndose uno de ellos en la parte general de una ciencia, y otros en sus ramas. Lo que importa es que se convenza el hombre de estudios que estos cuatro métodos le servirán para no extraviarse, como a Teseo lo guió a través del laberinto el hilo de Ariadna (fol. 12).

Veamos, pues, los dos fundamentos en que se apoyan:

IV. *La lógica enseña a dividir.*

Puede parecer extraño que aislemos un principio tan fundamental en la lógica y, en general, en el pensamiento de todos los tiempos, como éste; pero de todas las reglas lógicas, la que quizá más visiblemente influye en la redacción de los tratados de la época es justamente ésta. Basta pensar, p. ej., en los manuales de ascética y mística, con sus prolijas enumeraciones y distinciones de virtudes y vicios.

Por otra parte, la visión de las cosas que obtiene el lógico después de dividirlas y ordenarlas todas [2] es parango-

---

[1] Nótese que al tratar de las partes hace notar que "en las partes mínimas no es cosa de momento ponellas todas, como hazen los gramaticos en las excepciones de sus reglas" (fol. 17 v.). Cfr. lo que dijimos respecto a las gramáticas, pg. 96, n. 1.

De las dos maneras de división (división y partición) a las que se refiere Abril, la primera por supuesto es la división esencial (que produce conceptos claros y distintos. Cfr. Arist., *Anal. post.*, II 13, 96 *b* 15), la segunda es la división del todo actual, no en sus partes esenciales (alma y cuerpo en el hombre), ni en sus partes entitativas (esencia y existencia), sino en las partes integrales que lo constituyen. Cfr. Gredt, J., *Elementa Philosophiae Aristotelico-Thomistae,* Friburgi Brisgoviae, 1937, I, pg. 35. Cfr. esta misma distinción en Cicerón, *Top.,* V.

[2] He aquí, p. ej., cómo por medio de las categorías quedan divididas

nable con la del astrónomo que reparte la esfera celeste en varias fajas. Una vez deslindadas claramente las regiones desconocidas, le parece más fácil su tarea..., a no ser que ya la dé por terminada. Es justamente en esta última posibilidad, la de quedarse satisfecho con un *método* o un *sistema*, es decir, con el *instrumento*, y no llegar al objeto y fin para el que se emplea éste, donde reside el peligro. Para citar tan sólo un ejemplo, nos limitaremos a decir que Simón Abril, al tratar de las causas, las dividía en manifiestas y ocultas [1] («de las que hay muchas en las cosas naturales») (fol. 49). ¿Creería haber hecho bastante con deslindar las causas *ocultas* y con saber que existen en la naturaleza?

V. *La lógica enseña a definir.*

No es nuestra intención discurrir sobre el concepto completamente aristotélico que Simón Abril tiene de la definición [2] —por el género y la diferencia específica—, sino simplemente de subrayar la importancia metodológica, que, siguiendo las huellas de Cicerón [3], nuestro autor, y con él otros muchos [4], dan al hecho de empezar siempre por la de-

---

todas las cosas creadas, ya que "o son dela categoria de sustancia, como el cauallo, el cipres, el oro, el agua: o de la cantidad, como la linea, la estremidad, el numero: o de la calidad, como la dotrina, la virtud, el calor, la enfermedad: o de cosas correspondientes, como sieruo y señor, etc." (fol. 26).

1 Cfr. Cicerón, *Top.,* XVII.

2 Cfr. Arist., *Top.,* I 5, 101 *b* 39.

3 *Off.,* I, 2, 7.

4 Cfr. p. ej. Huarte de San Juan, en su *Examen de ingenios,* "Precepto es de Platón, el cual obliga a todos los que escriben y enseñan, comenzar la doctrina por la definición del sujeto cuya diferencia y propiedades queremos saber y entender. Dase por esta vía gusto al que ha de aprender, y el que escribe no se derrama a cuestiones impertinentes, ni deja de tocar aquellas que son necesarias para que la obra salga con toda la perfección que ha de tener" (cap. I, *Bibl. Aut. Esp.,* t. LXV, pg. 409). Cualquier tratado del siglo de oro demuestra hasta qué punto

finición de la materia; lo cual, desde un principio, encauza la discusión por una senda más bien deductiva que inductiva.

En segundo lugar, notaremos la variedad de definiciones que enumera Simón Abril como sustitutivas de la definición esencial cuando ésta no es posible: la definición por partición, por división, la etimológica y, particularmente, la descriptiva. Todas ellas las hallamos ampliamente representadas en las obras de Simón Abril y de los demás tratadistas. Así, p. ej., «los filosofos escriuiendo de metales, plantas, animales» [1] se sirven de la definición descriptiva. El ejemplo que nuestro autor propone, nos demuestra que no se debía exigir mucho si, desde el punto de vista lógico, estos escritores podían quedarse satisfechos con una descripción como la siguiente: «El elefante es vn animal grande, que tiene el cuerpo redondo, los huessos muy maciços, dos colmillos grandes, que le suben házia arriba y una trompa que le sirue de mano para tomar las cosas. Todas estas cosas juntas no se hallaran en otro animal sino en el elefante, y assi pueden seruir en lugar de diferencia» (fol. 41).

---

se seguía esta regla; cfr. p. ej. el TRATADO DE CO- / sas de Astronomia, y Cosmogra- / phia, y Philosophia Natural / Ordenado por el Bachiller Juan Perez de / Moya.../EN Alcala / POR IVAN GRACIAN. / Año de M.D.LXXIII: Capitulo primero. *En que se ponen diffiniciones...* Tb. Alejo Venegas al principio de su *Diferencias de Libros:* Sentencia comun es de Logicos, philosophos y oradores que la difinicion o declaracion de la cosa es el fundamento dela escriptura: o del razonamiento (Ed. 1545, fol. 5).

[1] Algunos de estos tratados serían fruto de una curiosidad natural por parte del autor. Otros, en cambio, debían su existencia al prurito de erudición que se estaba extendiendo por entonces. El Palmireno, p. ej., en su *El Estudioso Cortesano* aconseja al lector que, antes de tratar con la gente, ensanche su cultura leyendo libros de toda clase y particularmente los relacionados con el oficio de su interlocutor. Así, si ve luego algún herrero o platero, tratará con él lo que leyó "en el *re Metalica* de Bernardo Pérez de Vargas, 1569. "... Si con lapidario, o tratante en aljofar, y perlas, o pescador, y herbolario, leeras mi escalera philosophica, o uocabulario del humanista..." (pg. 49). Bibl. Nac. R/12437 (falta la portada).

Simón Abril, desde luego, refuta a los que creen que
«saberse vna cosa en general, y ignorarse en especial» equivale ya a tener ciencia perfecta. Pero no por esto se muestra menos convencido de que «todas las cosas criadas se
pueden bien difinir» (fol. 40). De ahí que llegamos otra
vez a esa vista de conjunto de todas las cosas, clasificadas
y ordenadas metódicamente, de la que hablamos arriba:
«Assi como los pueblos diuiden sus terminos y juridiciones
por mojones y aun los vezinos de vn pueblo sus possessio-
nes, assi con estas difiniciones se diuide y discierne el ser
y naturaleza de las especies de las cosas» (fol. 39 v.).

De manera análoga, al leer en los capítulos anteriores
la «larga disputa de las categorias», es difícil sustraerse
a la impresión de que esa poderosa concepción de Aristóteles, amplio y claro espacio en el que ha de moverse el
pensamiento humano, se reduce a jugar un papel que casi
podríamos llamar de comodín. Enseñan las categorías «como podra quienquiera a qualquier cosa, que le venga delante de los ojos, o se le represente en su pensamiento,
hallalle atributos, que poder aplicalle con verdad, los quales juntados con élla hagan pronunciados necessariamente
verdaderos» (fol. 22) [1].

---

[1] He aqui un ejemplo que muestra "el principal fruto en materia de
categorias": "Quiero yo saber agora, que atributos puedo al cauallo,
que le sean naturales. Primeramente veo, que lo he de reduzir ala categoria
de sustancia, pues es cosa, que tiene en si su existencia. Despues voyle
buscando, y hallole debaxo de la corporal, y en esta debaxo dela compuesta, y en esta debaxo de la perfeta, y en esta debaxo de la que tiene
vida, y en esta debaxo de la que siente, y en esta debaxo de la que tiene
fuerça imaginatiua y en esta hallo su particular naturaleza, la qual no se
especificar mejor que diziendo que es animal apto para lleuar al hombre
sobre si con grande ligereza en los menesteres de la guerra. Boluiendo
pues a subir por los mismos escalones hallo todos estos atributos, que
dezir del cauallo. El cauallo es animal / apto para lleuar al hombre con
ligereza en los menesteres de la guerra: el cauallo tiene fuerça imaginatiua..." (fols. 29 y 29 v.) y así seguido hasta llegar a decir que el caballo
es sustancia, siendo todos ellos naturalmente pronunciados verdaderos.

Desde luego no son otra cosa las categorías, como lo indica su nombre latino de *praedicamenta;* sin embargo, cabe preguntar si en la práctica no desempeñan una función parecida a la de los *elegantes* y *convenientes appositos,* que Simón Abril aconseja se busquen en los elencos de Núñez y Basilio Zanchio. Lo que nos da en rostro es, sobre todo, la seguridad de sí mismos que les daba a estos hombres el empleo, la mayoría de las veces rutinario, de tales atributos «necessariamente verdaderos». Y al mismo tiempo comprendemos cómo, gracias a tales hábitos mentales, una serie de ideas admitidas desde antiguo se transmitía sin alteración sensible a través de los siglos.

Los principios que hasta aquí hemos asentado se entresacan de la parte tópica o inventiva de la lógica, la que sirve, según nuestro autor, para conversaciones, para negocios, para exhortaciones, para oraciones (¡nótese el elemento retórico!), mientras que la parte analítica no se utiliza más que «para solas las disputas de las escuelas» (folio 14 v.).

Una afirmación como ésta parece suficiente para que se deje de analizar toda esta sección, a la que Simón Abril se acerca más «por estar assi puesto en uso», que porque le interese. Sin embargo, por la importancia teórica y práctica que, a pesar de tales observaciones preliminares, le concede, dedicaremos alguna atención a lo «vltimo y mas perfeto que la logica busca», la demostración.

VI. *La lógica enseña a demostrar.*

Tres son los fines que se puede proponer el hombre al usar algún discurso de razón: enseñar, persuadir o engañar. Enseñar es hacer que otro sepa lo que se pretende «con tanta euidencia y certidumbre, que le sea cosa tan cierta y tan infalible, que no pueda auer en ella ningun genero de error» (fol. 87). Persuadir es hacer creer por principios probables. Engañar es inducir a error por razones engañosas. Estas son las tres únicas modalidades que caben en el entendimiento humano, sin contar el hábito de la fe, que por fundarse en autoridad exterior no es discursivo (fol. 87).

Los discursos engañosos merecen un puesto en la lógica para que el estudiante aprenda a reconocerlos y evitarlos. En cuanto a los dialécticos, su empleo lo justifica tan sólo la flaqueza de la razón humana [1]. Engendran «opiniones» que no tienen derecho de ciudadanía en las ciencias, y por tanto no tienen valor alguno «mas que para tener en que mal gastar el tiempo» (fol. 95 v.) [2].

Los únicos que tienen valor científico son, por tanto, los demostrativos, que estriban directa e indirectamente en proposiciones inmediatas e indemostrables (esto es, las que son fruto de la experiencia y de los sentidos, fol. 88 v.).

La conclusión de la demostración está incluída en las dos proposiciones («el dado» y «el inquirido»), porque éstas son primeras en cuanto a causas, pero simultáneas en el tiempo [3]. Así, pues, si se puede «por algun tiempo saber y entender cada vna de las dos proposiciones, sin saber distintamente la conclusión: pero las dos juntas por ningun espacio de tiempo por pequeño que sea, se pueden saber, sin que la conclusión se sepa junta y distintamente con ellas» (fol. 90 v.).

Divídense, por otra parte, las demostraciones en demostración *del qué*, que se dan cuando lo primero se demuestra por lo postrero, y la demostración *del por qué*, en que se llega a lo postrero por lo primero. Pero como el entendimiento humano depende de la percepción de los senti-

---

[1] "assi como el medico quando no puede curar la gota, entorpece el miembro, que la padece, porque sienta menos pena... assi tambien el entendimiento no pudiendo por su flaqueza hallar en las cosas la verdad cierta e infalible, contentase con lo que le es possible" (fol. 95).

[2] Se refiere aquí a las por él tan aborrecidas *cuestiones* en las que se trata probablemente de ambas partes del problema.

[3] Cfr. Arist., *Anal. Pr.*, I 1, 24 *b* 18.

de sustancia ($=$ Arbol de Porfirio)

iene en sí misma la ⎧ la línea
  razón de cantidad.. ⎨ extremidad o cara
                 ⎩ cuerpo

dos, que no conocen más que las cosas accidentales, es decir, las postreras en la naturaleza, las demostraciones más comunes son las menos perfectas, las *del qué* (fols. 91-92 v.).

Hemos seguido con algún detenimiento la exposición del mismo Simón Abril sobre este punto, aunque en nada se aparte de la doctrina escolástica y nada, por supuesto, contribuya nuevo, por ser tan fundamentales estos principios para comprender su concepto de la ciencia. Toda ella descansa en la demostración; al argumento inductivo, que justamente entonces abría anchos horizontes a los espíritus europeos, no dedica más que dos columnas, aduciendo unos ejemplos del todo pueriles [1]. En su afán de alcanzar la certeza absoluta, no sospechó siquiera el significado de ese importantísimo instrumento de la ciencia moderna, al que está subordinado y entrelazado el método inductivo, la hipótesis científica. No hay que olvidar, además, que en el sistema filosófico abrazado por él, se excluye de la ciencia la aportación de la fantasía o imaginativa —facultad inferior que el hombre tiene en común con los animales msá perfectos [2]—. Por otra parte, la experiencia de los sentidos, en la que últimamente descansa la demostración, consiste, para Simón Abril como para Aristóteles [3]. en un conjunto de observaciones repetidas, sin que se pueda ha-

---

[1] Citamos uno de ellos: "si ni tiene enfermos los pies, ni las manos, ni la cabeça, ni el vientre, ni el pecho, ni las espaldas, ni otra parte ninguna de su persona, sano esta realmente" (fol. 73 v.). Evidentemente se refiere aquí a la inducción completa, a la que los lógicos no conceden valor de razonamiento científico por tratarse más bien de una noción colectiva no universal. Cfr. Mercier, *Lógica,* Madrid, 1935, pgs. 114 y sigs.

[2] "Difiere también la imajinaçion, dirá en la *Filosofía natural,* de lo que llamamos çiençia, i entendimien- / to en que la ciençia i el entendimiento son de cosas çiertas i neçessarias de tal manera, que no pueden ser de otra manera, como el saber, que toda cosa que consta de contrarios, es pereçedera, o el entender, que toda cosa entera es mayor que cualquiera de sus partes: pero la imajinaçion no va fundada en verdades neçessarias: antes muchas vezes representa mui grandes disparates" (fols. 242 y v.).

[3] Cfr. *Anal. post.,* II, 19, 100 a 3.

blar de método experimental, esto es, de un intento de mul-
tiplicar las posibilidades de observación sometiendo la naturaleza a una serie de situaciones artificiales. Como veremos en la *Filosofía natural,* para él —y para nosotros—
la realidad es portadora de innumerables consecuencias,
pero el camino que lleva a establecer las premisas de nuestras demostraciones se ha hecho muchísimo más largo y
complejo. El punto en que se quedó él y la generalidad de
sus contemporáneos con estas premisas, lo veremos en el
capítulo siguiente.

LA FILOSOFIA NATURAL

«Unicamente podemos hablar de las doctrinas lógicas El texto. o de la Filosofía racional propias de nuestro autor, pues de la Filosofía Física o Cosmología no ha llegado a nosotros el tratado de Simón Abril.» Con estas palabras acotaba la materia de sus notas Marcial Solana[1]. Sin embargo, hace años se debió conocer un manuscrito en octavo, de 80 hojas, en letra del siglo XVII, sobre esta materia. A él se refieren Menéndez y Pelayo[2], Bonilla y San Martín[3], Marco e Hidalgo[4] y otros. La búsqueda de éste y de otros eventuales manuscritos de Simón Abril me hizo dar, en la Biblioteca de Palacio, con una *Filosofía natural* que, ade-

---

[1] *Op. cit.*, pg. 384.

[2] Cfr. *Estudios de crítica filosófica*, Madrid, 1918, pg. 88, y Gallardo, Suplemento de la *Biblioteca Española de libros raros y curiosos*, Madrid, 1889, t. IV., pg. 1122. No me explico con qué fundamento dice éste de la *Filosofía natural:* "Desde el folio 57 empieza a tratar de los sentidos y del alma, punto que trata el autor con mayor extensión que los otros. Sobre este punto imprimió libro aparte que poseo, su título: *Filosofía racional.*" Como ya vimos, la *Filosofía racional* nada tiene que ver con la psicología, a la que dedica Simón Abril su cuarto libro de la *Filosofía natural.*

[3] Introducción a la *Etica* de Aristóteles, XXXVIII, donde dice que este manuscrito perteneció a D. Aureliano Fernández Guerra.

[4] *Rev. de Arch.*, 1908, pg. 390, "... y hoy lo debe tener su hijo político, D. Luis Valdés", anade Marco e Hidalgo.

más de ser la verdadera y original (el otro tomito sería quizá un resumen), es autógrafa, como lo demuestra la caligrafía, pequeña, clarísima, sumamente sencilla, característica de la mentalidad de su autor. Se trata de un tomo en cuarto, de 278 hojas, en perfecto estado de conservación, evidentemente preparado para la imprenta. Es probable que hasta empezara a pasar por las tramitaciones previas, ya que está rubricado en cada página y lleva la misma rúbrica y firma al final [1].

La fecha. El manuscrito, desgraciadamente, no lleva fecha. En la dedicatoria declara Simón Abril haberse determinado a divulgar por fin aquella perífrasis sobre la filosofía de Aristóteles que de «*muchos años atras* tenia recopilada y puesta a punto». Es verosímil que en Uncastillo o en Tudela enseñara la filosofía natural juntamente con la lógica. No obstante, por una indicación del texto mismo podemos inferir que la obra fué redactada algunos años después de 1577 [2], y por otra parte, la firma *Dotor* Pedro Simón Abril

---

[1] Cfr. la Bibliografía.

[2] En toda la *Filosofía natural* hay dos indicaciones cronológicas. En el fol. 126 explicando cómo las partes del cielo pueden "espessarse" y "assutilarse", dice: "en nuestros tiempos avemos visto tan claras esperiençias dello... la una fue el año de 1573, en que la media sfera Setentrional çerca de la Cassiopea estando el sol cerca de'l Capricornio se apareçio una estrella de mayor grandeza al sentido de la vista, que Venus ni Mercurio... La otra esperiencia es la dela cometa, que *algunos años despues* pareçio junto con el planeta Venus çerca de'l sino de Capricornio, la cual si estuviera en el aire o rejion elemental segun se mostrava en España avia de ser mui Setentrional, i pues la vieron en Chile Austral es cierta señal que estava en la misma esfera de'l planeta" (fol. 127). Ahora bien, podemos suponer que alude a la cometa de 1577 que describía, p. ej., el tratado titulado: *Summa del Pronostico del Cometa: y de la Eclipse de la Luna, que fue a los 26 de Setiembre del año 1577, à las 12 horas 11 minutos: el cual Cometa ha sido causado por la dicha Eclipse. Compuesto por el Maestro Hieronimo Muños, Valenciano, Cathedratico de Mathematicas y de Hebreo d'la Universidad d' Valencia.* Va-

coloca su texto, o por lo menos la dedicatoria, en los alrededores del '89. Si consideramos además que el estilo revela una soltura y madurez muy superiores al de las primeras obras y hasta a la *Filosofía racional,* no hay inconveniente en suponer que se trata de una de las últimas escritas por nuestro autor.

Y quizá sea también la que con más agrado compuso. La variedad de la materia, el noble fin que se proponía, la actividad tan propia del hombre que la filosofía natural pone en función (la de «inquirir las causas de las cosas»), todo ello lo eleva a menudo sobre la aridez y rutina de las reglas gramaticales y lógicas. Y, efectivamente, de vez en cuando se trasluce entre las líneas el hombre que ve y siente y sabe admirar [1].

Con todo, aislar tales pasajes y expresiones y considerarlos como representativos de toda la *Filosofía natural,* equivaldría a sacar de quicio la posición de nuestro autor. Lo aparentemente subjetivo, la reacción personal, y hasta lo *ingenuo,* o, en otras palabras, esos elementos que con preferencia buscamos en estos tratados, a veces no son lo que a primera vista parecen, de manera que corremos constante peligro de hacer afirmaciones gratuitas, si no nos percatamos de que la misma admiración se expresa en for-

---

lencia, 1578, en casa de Juan Navarro, hecho imprimir por Gabriel Rivas. En 4.º (cfr. Picatoste y Rodríguez, F., *Apuntes para una bibliografía científica española del siglo XVI.* Madrid, 1891, pg. 207).

El tono en que habla da la impresión de que dicho fenómeno no había ocurrido el año anterior, ni hacía dos o tres, sino que probablemente un poco más de tiempo había transcurrido entre su aparición y el comentario de Pedro Simón Abril.

[1] Cfr. la selección que ofrecemos en el Apéndice. Los trozos han sido elegidos en parte por su estilo (por ej., por las comparaciones, y, por otro lado, para dar una idea de la exposición corriente), en parte por el contenido, mostrando claramente su filiación aristotélica (v. el capítulo sobre la fortuna) o por contener ideas muy típicas de Pedro Simón Abril (p. ej. la utilidad de la lengua castellana, consideraciones moralizantes, etc.).

mas no siempre libres de cierto dejo tradicional, las obser--
vaciones y ejemplos tienen a menudo antecedentes en textos más antiguos, y lo que a nosotros nos parece ingenuidad, la mayoría de las veces descansa en ingeniosas teorías
de *graues autores.*

Por tanto, antes de emitir un juicio o hacer una selección, hay que seguir paso a paso las palabras del autor,
localizándolo dentro de la corriente filosófica de sus tiempos y exponiendo sistemáticamente sus teorías. Tarea pe-
nosa, deslucida e ingrata que nos hace resumir una cantidad de cuestiones filosóficas de por sí interesantísimas,
cuando las vemos planteadas por primera vez o las des-
arrollan espíritus poderosos y originales, tremendamente
áridas si nos las repite un erudito.

No obstante, hemos querido acometer esta tarea por
tratarse de una obra única y de difícil acceso, y además
nunca estudiada antes, a pesar de que constituya una parte importante de la actividad de nuestro autor. Es más,
aunque intrínsecamente sea limitado su valor (en cuanto
al contenido, no en cuanto al estilo), no deja de tener
interés para la historia de la cultura en el siglo XVI. Si hi-
ciéramos una proporción, por una parte, entre las obras
filosóficas y las de literatura amena que se escribieron en
esa época, y por otra entre los estudios críticos que se hacen en la nuestra sobre unas y otras, obtendríamos una
relación inversa. Con esto no queremos, ni mucho menos,
afirmar que la historia de una época equivale a una re- .
producción proporcional de todos sus elementos culturales.
Lo que queremos decir es que, si bien tantos centenares
de tomos latinos como yacen sepultados en nuestras bibliotecas, pueden seguir durmiendo en el olvido, quizá no merezca del todo la misma suerte una obra escrita con el
expreso intento de ofrecer, simplificada y resumida en lengua vulgar, lo que un maestro del siglo de oro consideraba ser la quintaesencia de esos mismos tratados lati-

nos [1], y esto no para un círculo selecto, sino para todos los pueblos de España.

Tras estas breves observaciones preliminares, consideramos sin más el contenido de la *Filosofía natural,* indicando en primer lugar que las dos fuentes de conocimiento que, según Simón Abril, nos han de guiar son: *a)* el sentido que percibe los accidentes y a través de ellos conduce al hombre hacia el conocimiento de la sustancia de las cosas (fol. 15), y *b)* la experiencia. Esta última, por la conformidad o no conformidad de las «acciones» o «efetos» de los seres, deduce ser éstos iguales o distintos entre sí (folio 15 v.).

Si bien ambos tienen que ser regidos por la recta razón para ser criterios válidos de certidumbre, huelga decir que no se trata de experiencia científica, sino de la vulgar, y cuando Simón Abril insiste [2] en la importancia del sentido y de la experiencia, no se le debe considerar, ni mucho menos, como precursor de la actitud de épocas posteriores, sino que hay que interpretar sus palabras en sentido aristotélico, como ya señalamos al tratar de la Lógica [3]. A los principios allí expuestos habrá que referir también todos los discursos de la razón, que, según acabamos de ver, interpreta y ordena los datos que le ofrecen. Añádese a esto otro principio de carácter apriorístico, el de la conveniencia o congruencia. A menudo nos encontramos con frases como éstas: «...porque convenia que Dios diese a los planetas el movimiento particular de los epiciclos» (folio 116), «...porque convenia que el hombre tuviese sentidos y estos fuesen cinco y no mas» (fol. 222) [4]. En otras

---

[1] Simón Abril, desde luego, no cita ninguno de ellos como fuente de su *Filosofía natural,* sino directamente a Aristóteles, pero es indudable que influirían sobre él.

[2] P. ej. en los fols. 90, 126, 181 y *passim.*

[3] También en la *Filosofía natural,* al hablar de estas dos fuentes de conocimiento, se apoya en la autoridad de Aristóteles.

[4] Otros ejemplos: "Porque convino que la esfera del agua no fuesse

palabras, el autor toma como punto de partida el ordenamiento providencial del mundo (= conveniencia), *como él lo interpreta* —y allí está el peligro—, para explicar sobre esa base los fenómenos naturales [1].

Objeto y división. Para fijar desde un principio la posición aristotélico-escolástica de nuestro autor, nos servirá la descripción de la materia que ha de tratar y su división.

El objeto de la Filosofía natural es «el cuerpo natural o la cosa natural, que es lo que esta sujeto a alteraciones i mudanzas naturales (= *objectum materiale*), pues a esto se le atribuye propiamente todo lo que ella trata (= *objectum formale*) assi en general (= *philosophia naturalis generalis*) como en particular (= *philosophia naturalis specialis*) acerca de las cosas naturales» (fols. 17 v. y 18).

Entre estas cosas naturales hay una graduación natural: principios, elementos, minerales, plantas y animales, hombres; graduación que sigue de cerca la filosofía natural, y que Simón Abril, pisando las huellas de Aristóteles [2], se propone para su tratado.

En efecto, en el primer libro trata del ser móvil en general, haciendo «como un compendio» de los ocho libros de la *Física* del Estagirita *(Physicae Auscultationes)*.

Luego considera el ser según sus tres maneras de movimiento: el local, el de alteración y el de aumento; esto es, trata en el segundo libro la cosmología (correspondien-

---

entera y perfeta como lo fue en el tiempo del diluvio universal"; asimismo cómo explica la necesidad de que hubiese montes y valles "para dar corrientes a las aguas" (fol. 141 v.).

[1] Es un tipo de razonamiento que encontramos ya en Aristóteles (p. ej. su intento de demonstrar por qué el mundo debe ser tal como es, en *De caelo*, II 3). En la escolástica se añade el elemento sobrenatural. Compárese este criterio de la *conveniencia* (o congruencia) con uno de los tres criterios de la teología: "quia sic divinitus est traditum, *vel quia hoc in gloriam Dei cedit*, vel quia Dei potestas est infinita", *Cont. gent.*, II, 4. Cfr. Gilson, E., *Le Thomisme*, Paris, Vrin, 1942, pgs. 35-36.

[2] Cfr. Arist., *Phys.*, I 1, 184 a 23, y III 1, 200 b 24.

do éste a los aristotélicos *De caelo* et *De mundo*); en el tercero, de la generación y corrupción, tanto sustancial como accidental, como lo hizo también Aristóteles en su tratado *De generatione et corruptione;* y en el cuarto se ocupa del alma (Aristóteles, *De anima*) [1].

Seguiremos nosotros también la misma senda, deteniéndonos en primer lugar en la cuestión de la materia y de la forma, punto al que Simón Abril, naturalmente, daba una importancia capital y en el que se aparta de Aristóteles.

> La materia y la forma.

Los principios [2] de la cosa natural [3] son tres: *a)* la privación del ser; *b)* la forma que adquiere, y *c)* la materia que la recibe. Dejando a un lado la privación del ser [4], por

---

[1] Acerca de la división de la filosofía natural según las tres especies del movimiento cfr. Sto. Tomás, *De generatione et corruptione,* Proemium. Huelga decir que en el tratado de Pedro Simón Abril, como en los de sus contemporáneos, no hay demarcación entre la doctrina estrictamente filosófica y el material propio de las ciencias experimentales.

[2] Los principios los define como "aquellos de que la tal cosa primeramente se compone, i en que ultimada mente se resuelve" (fol. 21 v.), o "aquellos, que ni se hazen de otros, ni unos de otros, sino que la cosa entera se haze de'llos" (fol. 22 v.). Cfr. Arist., *Phys.,* I 5, 188 *a* 28. Sin embargo, Pedro Simón Abril, al ilustrar su definición, no entra en consideraciones metafísicas o físicas de los principios, sino que los explica como partes integrales de la cosa, en conformidad con su espíritu de vulgarizador, que todo lo quiere ilustrar con ejemplos concretos: "como en la oraçion vocal son prinçipios las bozes elementales, pues dellas primeramente se componen las silabas, i de las silabas los vocablos enteros, etc." *(ibid.).*

[3] Aquí no considera los principios de la cosa artificial que la hacen entera por accidente. Como Aristóteles (p. ej. *Phys.,* II 1, 192 *b* 7), observa constantemente esta distinción entre las cosas naturales y artificiales y a explicarla dedica un capítulo entero (fols. 31 v.-34 v.).

[4] Pedro Simón Abril define y explica, pero no se detiene en este principio, al que Aristóteles da tanto peso en el primer libro de la *Física,* siendo él quizá el primero que lo distinguió claramente de la materia. (Cfr. Ross, *Aristotele's Physics.* Oxford, Clarendon Press, 1936; Introduction, pg. 24). Este es un punto que solía ser muy discutido entre los comentaristas, cfr. Villalpando, *Commentarius in libros de Physica Au-*

tratarse de un principio extrínseco al ser, considera los dos que efectivamente lo componen [1] la materia y la forma.

Al querer nuestro autor fijar su posición en este punto fundamental en la fisolofía escolástica, el hilemorfismo, entra en un terreno erizado de controversias. En tales casos, Simón Abril suele dividir desde un principio el campo en dos partes, sin distinción de matices y de escuelas dentro de cada uno, para luego refutar la opinión de uno de los bandos y quedarse con la otra. Para ilustrar lo que acabamos de decir, contrapondremos en dos columnas opuestas las versiones que se le presentan, y luego haremos un esquema de la teoría que suscribe, para que de esta forma quede más visible y clara:

La materia.

Aristóteles.

«La materia ni es algo, ni cuanto, ni tal, que es dezir, que ni tiene ser de sustançia, ni de cantidad, ni de calidad, sino que es aquello, de que la cosa se haze por si, i no por açidente» (fol. 25) [2]

S. Justino [3], Alejandro Afrodiseo, Avicena, Ramón Lulio y Juan Duns Escoto.

«pusieron por materia comun de todas las jeneraçiones la sustançia corporal con sus dimensiones: la cual dispuesta con tales i tales calidades i cantidades, i figuras se haze materia apta para reçibir ser de tal planta, o de tal animal, o de tal elemento...» (fol. 25 v.)

---

scultatione Aristotelis. Colofón: Compluti. Ex officina Joannis Brocarii, 1560, fols. 31 sigs.

[1] Estos son los "principia physica compositionis" en oposición a los "principia physica generationis". (Cfr. Arist., *Phys.*, I 7, 190 *b* 19).

[2] Λέγω γὰρ ὕλην τὸ πρῶτον ὑποκείμενον ἑκάστῳ, ἐξ οὗ γίνεταί τι ἐνυπάρχοντος μὴ κατὰ συμβεβηκός. *(Phys.,* I 9, 192 *a* 31.)' Λέγω δ'ὕλην ἣ καθ'αὑτὴν μήτε τὶ μήτε ποσὸν μήτε ἄλλο μηδὲν λέγεται οἷς ὥρισται τὸ ὄν. *(Met.,* VII 3, 1029 *a* 20).

[3] Pedro Simón Abril varias veces se refiere a San Justino Mártir; en la *Gramática griega*, 1586 (fol. 3 v.) hasta indica el título de una de sus

La forma.

Aristóteles.

«Aquel acto sustançial ultimo i espeçial, que constituye la cosa enjendrada en tal espeçie ultima, i le da tales propiedades, que con ellas pueda propiamente hazer tales o tales efetos» (fol. 25 v.) [1]

Galeno.

«Aquellas templanças o temperamentos, que resultan de la varia mezcla, que hazen las calidades de los cuatro elementos, que concurren en la jeneracion de las cosas... el calor, el frio, la sequedad i la umedad» (fol. 25 v. y 26) [2]

En el capítulo dedicado a las αἰτίαι, término que Simón Abril, como todos, traduce con la palabra algo impropia de «causas», vuelven a aparecer (v. Aristóteles) los dos elementos constitutivos del ser, ya descubiertos en el análisis de los principios. Es allí donde define su posición respecto a la materia y a la forma:

Materia.
Primera: sin disposición («anda como vagando de espeçie en espeçie»; es «aquella sustancia corporal con dimensiones, la cual jamas puede ni corromperse, ni enjendrarse» (fol. 36 v. y 37) y «que el ajente con sus disposiçiones va abilitando y disponiendo hasta traella a punto de produzir con ella la forma, que pretende», fol. 178 v.)
Segunda: dispuesta y organizada para recibir la forma («se muda, se enjendra, se corrompe», fol. 37).

obras, de la que probablemente se trata aquí, "las cuestiones de S. Yustino Martyr sobre los fysicos de Aristoteles"; ¿sería el tratado *Quorundam Dogmatum Aristotelis Confutatio* falsamente atribuído a Justino?; allí se trata efectivamente de la materia; q. v. en S. P. JUSTINI / PHILOSOPHI ET MARTYRIS / OPERA / QUAE EXTANT OMNIA... PARISIIS, M.D.CCXLII (pg. 552).

[1] Así resume Pedro Simón Abril el concepto aristotélico de la forma. Es una definición que le suministra probablemente la escolástica, ya que en los textos aristotélicos las palabras μορφή y εἶδος tienen una gran cantidad de significados y matices: la forma sensible, la naturaleza de las cosas expresadas por su definición, la causa eficiente o final, etc. Cfr. Ross, W. D., *Aristotle*, Methuen & Co., 1945, pgs. 74-75, y Ross, Introducción a *Aristotle's Physics*, pgs. 36-37.

[2] Desecha la opinión de Galeno, el cual "hablò mas como medico que como filosofo", diciendo que las templanzas proceden de los elementos y, por tanto, no pueden ser primeros principios.

Forma .. { natural «la que constituye la cosa en algun ser natural».... {

sustancial o esencial «que pone la (cosa) en su ser especificado i perfeto en aquel jenero, i que ya sin corromperse no puede reçebir mas grado de perfiçion i sustancia natural» (fol. 39 v.)

parcial o imperfecta .. {

universal - «se halla universalmente en todas las cosas naturales dandoles ser sola mente de cuerpo con sus tres dimensiones largo, ancho, gruesso» («es eterna sin jamas enjendrarse ni corromperse porque el enjendrarse es hazerse de algo, i el corromperse resolverse en algo») (fol. 40).

particular - «la que constituye la cosa natural en ser de parte natural, como en ser de carne, de uessos, de nervio» *(ibid)*.

Resumiendo, pues, diremos que Simón Abril adopta en este punto una posición fundamentalmente escotista: no se contenta con una materia prima despojada mentalmente de toda forma —«aquella cosa imajinaria» de Aristóteles—, sino que admite una materia que llamaríamos secundoprima, real y dotada de una primera forma sustancial. Esta materia es cuanta y pueden descansar en ella los accidentes (la identifica con la sustancia corporal), pero no constituye el ser en su especie concreta: esto lo hace la última forma sustancial, dando la última perfección al ser. En un mismo ser hay, pues, pluralidad de formas subordinadas entre sí. Una de las formas intermedias para el organismo vivo es la forma de corporeidad [1].

---

[1] Cfr. Ueberweg, F., *Grundriss der Geschichte der Philosophie,* Berlín. 1928, Mittler-Sohn, vol. II, pg. 514. La teoría escotista de la forma de corporeidad parece muy difundida hasta entre los vulgarizadores. Cfr. Alejo

Para probar estos conceptos de materia extensa y foi ma de corporeidad, se vale, sobre todo, de la comparación entre el cuerpo vivo y el muerto, afirmando que de otra manera no se puede salvar la identidad del cuerpo de Nuestro Señor en el sepulcro con su mismo cuerpo cuando vivo, y se quitará toda razón de ser a la veneración de las reliquias de los santos (fols. 27 y 28).

Los ejemplos que aduce son característicos de la mentalidad de Simón Abril: el nombre de la amada, grabado en un árbol verde por su pastor, permanece allí aun después de secarse el tronco; el caballo muerto tiene la misma herradura que el vivo. Tales pruebas, que Simón Abril pone probablemente de su propia cosecha, denotan, a mi manera de ver, que es su *bon sens* casero el que lo guía en valorar los sistemas discordantes y que elige una u otra explicación filosófica, según le parece más verosímil desde un punto de vista empírico.

Su manera de argüir sobre el texto de Aristóteles se revela en los capítulos dedicados al movimiento [1]. El movimiento es «un exerçiçio de la cosa movible, en cuanto es ella movible» (fol. 45 v.) [2]. Las cinco cosas «anexas necessariamente a cada movimiento» son «cosa, que mueva, cosa movida, termino, de do proceda, termino, en que pare, i

El movimiento.

Venegas, *Primera parte de la diferencia de libros que ay en el universo.* 1546: "De otra manera bien se hallaran enla materia del hombre dos formas sustanciales segun dize Scoto" (Disti. 16. lib. 2. sen.). "El anima racional que es la vltima dela qual se nombra el compuesto: i la forma substancial que los philosophos dizen forma dela corpulencia que tiene" (fol. XL v.).

[1] Adviértase que en el libro III de la *Physica* los términos κίνησις y μεταβολή se emplean como sinónimos en el sentido general de cambio, mientras que en el libro V μεταβολή se emplea como término genérico y κίνησις se distingue de aquélla en cuanto incluye sólo la alteración, el aumento y disminución y el movimiento local. Pedro Simón Abril, en cambio, habla desde un principio de "movimiento".

[2] *Phys.*, III 1, 201 a 10.

tiempo en que se haga» (fol. 46) [1]. El movimiento es término análogo, distinguiéndose un movimiento de otro por los términos a los que se dirige. Es aquí, al describir «algunas diferençias de movimientos», que Simón Abril entra en una larga discusión para demostrar que el aumento y la disminución no son movimientos, reduciéndose éstos a la alteración para la calidad, y la ida y venida para el lugar [2].

Toda esta discusión, además de estar relacionada con el concepto de materia expuesto arriba, ofrecería, al que tenga interés en ello, un ejemplo de argumentación lógicamente construída, y esta vez no en latín, sino en castellano. Después de todo, por muy enemigo que Simón Abril se declarase de estas especulaciones, hay puntos como, por ejemplo, éste, en que defiende su posición con un ahinco de escolástico. Por lo demás, sigue la distinción fundamental en la dinámica aristotélica entre movimiento espontáneo y movimiento accidental o causado por fuerza ajena, de los cuales el primero cobra fuerzas y el segundo las pierde cuanto más prosigue, como también esas otras distinciones del movimiento continuo y el «interrompido o interpolado» (fol. 50); del movimiento contrario a la naturaleza, y el que ni es natural ni va contra su naturaleza; el ligero y el «perezoso», regular e irregular; todas distinciones que nuestro autor enumeraba, sin duda con cierto placer, ya que hacen su exposición tanto más llana y, exteriormente por lo menos, tanto más sistemática que los textos aristotélicos.

El infinito. Otra cuestión de la filosofía natural es la del infinito, que Simón Abril, apartándose del orden aristotélico o por tradición de las escuelas o porque no entiende bien la hilación del pensamiento del Estagirita, trata a continuación del movimiento. Para definirlo adopta la posición ne-

---

[1] *Phys.,* V 1, 224 *a* 33.
[2] Al contrario que Aristóteles. *Phys.,* III 1, 201 *a* 10 y sigs.

gativa, el infinito es lo que no tiene término[1]. Hay infinito en el ser, Dios, infinito en la cantidad e infinito en la duración; infinito real e infinito posible, i. e. «aquel, que real mente tiene terminos en sus partes: pero o componiendo o dividiendo no se puede llegar al cabo» (fol. 52 vuelto): dividiéndolo, cuando se trata de una cantidad continua, como la raya, y componiéndolo, cuando se trata de un número. Sólo este último se da en la naturaleza. Infinito realmente en el ser y poder es sólo Dios[2].

Hay otros puntos en la filosofía natural «que pareçe demasiada gana de disputa, el inquirillos» (fol. 54 v.). Tales son el lugar y el tiempo, cuestiones que Aristóteles, como es sabido, trató con sumo interés, mientras que al *bon sens* de nuestro autor le parecen inútiles por ser cosas tan *conocidas*. ¡La suya no es, evidentemente, la vocación especulativa del verdadero filósofo!   El lugar.

Con todo, dedica al lugar varios folios, contraponiendo, una vez más, dos opiniones contrastantes: la de Aristóteles y de los escolásticos, según los cuales «el lugar es la ultima extremidad del cuerpo»[3], y otra que atribuye a San Justino y que defiende él mismo: «el lugar de'l cuerpo es aquel ueco, que hinche el cuerpo de sus mismas medidas en el largo, ancho i gruesso». No nos detendremos aquí a hacer un resumen de esta discusión, limitándonos a notar que Simón Abril parece confundir dos conceptos bien distintos en la escolástica —aunque no tanto en las obras de Aristóteles—: los de lugar y espacio, entendiendo por lugar aquello que los escolásticos llamaban espacio, con

---

[1] Cfr. Sto. Tomás, *Qdl.*, X a 4 ad 2.

[2] Nótese esta prueba de Pedro Simón Abril contra la infinitud en la cantidad: la cantidad está en el cuerpo natural. El cuerpo natural es movible, lo cual excluye el ser infinito, "porque el infinito, pues lo henchiria todo, no ternia, donde ir, ni de do venir" (fol. 53). Además, lo que se mueve, se mueve en un lugar y no puede ser realmente infinito.

[3] Cfr. *Phys.*, IV 4, 212 a 20.

sus tres dimensiones. Por otra parte, también parece olvidar que, según la doctrina escolástica, cada cuerpo tiene lugar interno y externo, siendo el interno la misma superficie del cuerpo que lo limita y contiene «in pelle sua», según expresión de escuela, y el lugar externo, que es la superficie cóncava de un cuerpo que contiene a otro[1].

El vacío.   El vacío, esto es, un «lugar que no esta lleno de cuerpo, pero de suyo es apto para estarlo (fol. 6)[2], repugna a

---

[1] "Locus est internus vel externus. Locus internus est superficies ipsa et propria corporis intra quam ipsum continetur, sicut, v. g. animal in pelle sua; dum locus externus est superficies concava corporis aliud corpus immediate ambientis; quo sensu aqua dicitur in amphora". P. Brin, A. Farges et D. Barbedette, *Philosophia scholastica*, Parisiis, 1939, I, pg. 290.

[2] Añade el estar apto "para estar lleno de cuerpo" para distinguirlo de "aquel inmenso espacio, que queda fuera de toda la universidad de la naturaleza, de que los ombres no pueden tener noticia: el cual no se puede llamar vazio, por que no es apto para ser lleno. Aunque por la poca notiçia, que de aquello tiene el umano entendimiento siempre queda con dificultad, si pusiessemos un ombre de pies ençima de la estremidad exterior de la primera esfera, que pareçe que avria de dezirse, que hinche i ocupa algun espaçio. Pero dexemos de tratar i considerar esto, que con su mucha altura / harà desvaneçer nuestros entendimientos, i darà con nosotros acà baxo, aconsejandonos con Salomon, que no escrudriñemos las cosas, que eçeden la capacidad de nuestro flaco entendimiento" (fols. 61 v. y 62).

Este argumento de Aristóteles, que descansa en la falsa suposición de que la velocidad y la resistencia del medio varían inversamente, le parece a nuestro autor muy "agudo", pero no concluyente, y lo rebate con esta distinción, que reproducimos aquí por ser tan característica de su manera de razonar:

"por ser la naturaleza de'l movimiento tal, que incluye de suyo prioridad i posterioridad, i tiene partes primeras i partes postreras. I assí aunque finjiessemos que un cuerpo se moviesse por un vazio: si en aquel vazio uviesse levantada una coluna al paraje dela linea imajinada por donde se a de mover el cuerpo, en parejaria primero de neçessidad con las primeras partes dela coluna que con las postreras, aun que se moviesse con la veloçidad posible. Por lo cual el movimiento hecho por el vazio, aunque de parte del espaçio non repunaria hazerse en un punto de tiempo por no aver cuerpo, que resista, alo menos de parte de'l ser del movimiento, que de suyo incluye primero y postrero implica contradiçion" (fol. 64).

la naturaleza, en primer lugar —y aquí, Simón Abril presenta un característico argumento físico-filosófico— porque las «influençias de los cuerpos celestiales» que gobiernan las cosas naturales, p. ej., los rayos del sol o de la luna, siendo accidentes, no podrían multiplicarse por el vacío por faltarles un substrato. De ahí que, para evitar este inconveniente, las cosas naturales se mueven a veces contra su propia inclinación, «bajando el aire a las cavernas o subiendo el agua por la cerbatana» (fol. 62 v.).

También resume el complejo argumento de Aristóteles sobre este punto, levantando luego sus propias objeciones: de haber vacío en la naturaleza, se seguiría, según el Estagirita, que una cosa se moviese en un punto del tiempo. Esto es imposible, porque el movimiento tiene partes a las cuales han de corresponder otras tantas de tiempo, mientras que un punto de tiempo no las tiene (fol. 63).

En efecto, según Aristóteles, tanto más ligeramente se mueve un cuerpo cuanto más ligero y sutil es el medio que atraviesa (fol. 63), y si esta diferencia fuera infinita, lo sería también la diferencia de los movimientos; pero los cuerpos no pueden tener entre sí una diferencia infinita [1].

«Luego la proporçion de dos movimientos hechos el uno por el lleno, i el otro por el vazio sera la misma que entre el lleno i el vazio: i esta no es ninguna, por cuanto el lleno i el vazio distan entre si infinita mente: luego los movimientos distarian tambien entre si infinita mente. Esto no es possible siendo ambos en tiempo, pues ninguna parte de tiempo dista de otra infinita mente: luego el moviviento hecho por vazio seria sin tiempo, que es en un punto» (fol. 63 v.).

Otra cuestión «inutil» es el disputar si hay o no tiempo. Hacer esto es «abusar del mismo tiempo i de la pa- El tiempo.

---

[1] *Phys.* IV 8, 216 a 11-21.

«ciencia de'l letor» (fol. 65), «ya que otra razon no nos lo persuadiera, bastava a persuadirnoslo el espejo: pues cada dia tenemos un dia mas que ayer: i los que nos vimos moços sin barvas, nos vemos agora viejos, i llenos de canas» (fol. 64 v. y 65).

Según Aristóteles, el tiempo es «el numero de'l movimiento: o es la medida, con que se mide la duracion de'l movimiento» (fol. 65)[1], pero considerado como cantidad conjunta (ibid.)[2].

En concreto: «el tiempo es el mismo movimiento del cielo aplicado a medir con el la duraçion de las demas cosas» (fol. 66)[3]. Y entre tiempo y movimiento no hay más que una diferencia formal: «este ultimo se llama asi por ser accion del cuerpo celestial i el primero en cuanto lo aplican los hombres a medir la duracion de las cosas» (fol. 66 y v.).

El pasado y el porvenir se llaman «partes» del tiempo alegóricamente, porque, en realidad, el pasado ya no es, y el porvenir no es todavía. Pero llámanse así como «le puede cuadrar a cosa, que siempre va en contina suçession. Lo que junta pues estas partes, i les haze poderse llamar conjuntas es este punto de tiempo que siempre va corriendo, i tiene con el la misma correspondençia que el punto con la raya. Por que si imajinassemos, que un punto corriesse por un llano, todo lo que dexara figurado a tras, seria raya continuada con infinitos puntos» (fol. 66 v.). Este tiempo lo partimos nosotros en partes mayores o menores, los años, los meses y días. Con todo, el instante no será parte del tiempo, como el punto no lo es de la raya (fols. 66 y 67). No podemos dejar de recordar aquí aquellas ansiosas preguntas de San Agustín: «Quid est enim tempus? Quis hoc facile breviterque explicaverit? Quis hoc ad verbum

---

[1] *Phys.* IV 2, 219 *b* 1 sigs.; 220 *a* 24 sigs.
[2] Cfr. Arist., *ibid.* 219 *b* 7.
[3] Cfr. Arist., *ibid.* IV 14, 223 *b* 13 sigs.

de illo proferendum vel cogitatione comprehenderit?...
(Conf. XI, 14). Audivi a quodam homine docto, quod solis
et lunae ac siderum motus ipsa sint tempora, et non an-
nui» (XI, 23). Más cercanas a nuestros tiempos son estas
incertidumbres del Obispo de Hipona que esas otras especulaciones escolásticas, que más de un milenio después
nos repite Simón Abril.

Ya vimos otros puntos que nuestro autor trata de mal
grado por su declarada antipatía hacia todo lo que tenga
apariencia de cuestión dialéctica. Más espinoso aún debía parecerle el problema de la eternidad del movimiento, en que tantos teólogos y filósofos habían expresado opiniones contradictorias y en que se enfrentaban particularmente dos tendencias ortodoxas, la agustiniana y la
tomista, y otra heterodoxa, la averroísta.

Si el movimiento es eterno.

Según Simón Abril, esta cuestión no pertenece a la
filosofía natural. Ya vimos que la materia prima, como
último substrato de la generación y corrupción, no se engendra ni corrompe, y por su propia naturaleza es, por
tanto, eterna. En cuanto al movimiento, la filosofía natural lo presupone ,«i lo que se presupone no se prueva alli,
donde se presupone». Además, el problema del origen del
movimiento descansa en principios que exceden las fuerzas
de la naturaleza; esto es, reclaman una fuerza sobrenatural, la creación, y, por tanto, pertenecen a la teología o a la
metafísica. Con todo, «por estar assi puesto en uso» se de-
cide nuestro autor a tratarlo tras muchas salvedades [1].

He aquí cómo resume las pruebas aristotélicas en favor
de la eternidad del mundo [2]:

---

[1] Pedro Simón Abril a menudo emplea como sinónimos los dos términos teología y metafísica (= la filosofía primera de Aristóteles).

[2] Pedro Simón Abril, por supuesto, no pone en duda el que la eternidad del mundo fué una tesis aristotélica, aunque en los *Tópicos,* I, 9 el
mismo Aristóteles afirma que se trata de una cuestión dialéctica sin solución demostrativa y en el octavo libro de la *Física* y en el primero *De caelo*

Si el tiempo es eterna duración, también lo es el movimiento (fol. 75 v.).

El tiempo es eterno porque:

1) El instante, sin el cual no se puede imaginar siquiera el tiempo, como no puede imaginarse la raya sin puntos, en el tiempo es término medio que junta el pasado con el porvenir; por tanto, antes de cualquier instante hubo tiempo, y después de cualquier instante lo habrá *(ibid.),* y lo mismo se puede decir del movimiento y de las cosas que me mueven [1].

2) Todo lo que se hace se hace de algo, y lo que se consume se resuelve en algo *(ibid.)* [2].

Luego, o lo que se hizo primero se hizo de cosas que eternamente habían estado sin alterarse ni mudarse, o las cosas ya se habían alterado y mudado.

Lo primero es inverosímil, porque no hay razón por que repentinamente se mudasen (fol. 76).

De haber sucedido lo segundo se podrá retroceder indefinidamente por una serie infinita de transformaciones. En tal caso sería eterno el movimiento, el tiempo que lo mide y la sucesión de las cosas unas de otras.

A este concepto de un mundo eterno contrapone Simón Abril «la verdad d'ello», esto es, su fe cristiana en un ser infinito y necesario que creó el mundo a su beneplácito [3].

---

parece haber establecido la eternidad del mundo para refutar las doctrinas de aquellos filósofos que atribuían al mundo un principio inaceptable.

[1]   Cfr. *Phys.* VIII 1, 251 *b* 10 sigs.

[2]   *Ibid.* VIII 1, 251 *a* 8 sigs.

[3]   Se trata de un hermoso párrafo que hubiésemos querido incluir en nuestra breve antología de la *Filosofía natural;* lo transcribimos aquí como ilustración al texto: "solo dios es infinito, sin depender de otra cosa que de si mismo, sin estar sujeto a tiempo ni a mudança, bastantissimo para si y para todo, sin tener el neçessidad ninguna, de tal manera sabio, que ninguna cosa inora, ninguna cosa aprende de nuevo: todo lo tiene eternal mente en su Divino entendimiento rejistrado: en el cual todas las cosas biven eternal mente por ideas, i tienen mas perfeto ser alli que no en si mismas: i que conforme alas ideas de su entendimiento libre mente

En la discusión de la creación del mundo en el tiempo, nuestro autor no nombra las autoridades teológicas en que alternativamente se apoya; pero éstas son fácilmente identificables. Comparte, en primer lugar, la opinión de Santo Tomás de que, así como no se puede demostrar la eternidad del mundo, tampoco se puede demostrar su creación *en el tiempo* [1]. Valor demostrativo tienen, en cambio —y aquí Simón Abril recuerda, una vez más, a sus lectores lo que han aprendido en la lógica—, los argumentos sacados de los inconvenientes que se siguen de creer lo contrario (fol. 77). Considerando su punto de vista negativo, no nos maravillará verle exponer a continuación (fols. 77 v. y 78) dos argumentos basados en San Buenaventura: el de la imposibilidad de ser eterno el mundo por no poder existir simultáneamente un infinito número de almas [2] y el de la imposibilidad de haber muchos infinitos, e infinitos cambios, e infinitos diluvios, e infinitas

---

cuando el quiso, i como quiso, i porque el quiso estampò estas criaturas i mundo visible conforme ala eterna traça, que tenia en su divino entendimiento: i dio ser a'l cielo con sus estrellas, i ala tierra con sus metales, plantas i animales: i hizo, que el çielo començasse de moverse, i el tiempo de correr con el, i que las cosas de aca baxo ayudadas del començassen a produzir su semejante conservando la duracion por la sucession, por ser ellas mudables i sujetas a fin i muerte: i dende aquel punto corre esta corriente / natural de los movimientos, alteraçiones, mudanças, i suçessiones de las cosas començando en aquel primero instante, en que Dios las puso en ser: i pararan en el postrero instante, en que a Dios le plazerà poner fin a las jeneraçiones, i reduzillo todo a una eviterna quietud" (fols. 76 v.-77).

[1] Cfr. la célebre frase: "Mundum incepisse est credibile, non autem demonstrabile vel scibile. Et hoc utile est ut consideretur, ne forte aliquis, quod fidei est, demonstrare praesumens, rationes non necessarias inducat, quae praebeant materiam irridendi infidelibus existimantibus nos propter huiusmodi rationes credere, quae fidei sunt" *(S. th.* I 46, 2); Gredt, *op. cit.,* pgs. 286 sigs.; Gilson, *op. cit.,* pg. 210, donde explica la posición de Santo Tomás en esta cuestión.

[2] Cfr. p. ej. la edición veneciana de las obras DIVI / BONAVENTURAE / ... IN SECUNDUM SENTENTIARUM / LIBER SECUNDUS / ... VENETIIS MDLVII, vol. II, fol. 5 (d. I, p. I, art. 1 q. 2).

transformaciones de mar y tierra [1]. También en esta obra del Seráfico Doctor, y en la de muchos otros teólogos, hallamos otra prueba, de la que asimismo echa mano nuestro autor, y que podríamos llamar también de congruencia, esto es: quitando el acto de la creación, «no le dexamos a Dios efeto conforme a su potençia», siendo ésta la única en que no concurren causas segundas [2]. Así vemos acopiados de manera algo asistemática estos argumentos de procedencia heterogénea, que Simón Abril eligió de entre «los muchos» que se le ofrecían. Termina la discusión contrabatiendo las opiniones de Aristóteles por él expuestas al principio del capítulo; la primera, con una de esas pruebas de tipo intuitivo que tanto le gustaban: en la raya cualquier punto no es medio entre parte y parte de la misma, sino que del correr del mismo punto queda trazada la raya, cuyos extremos son el punto de donde comenzó a correr y el otro en que paró (fols. 79 v. y 80). Lo mismo se puede decir del tiempo que empezó al moverse primeramente el cielo, siendo su otro término el momento presente. En cuanto al postulado de que todo lo que se hace se hace de algo, contesta con una distinción propiamente escolástica, diciendo que tan sólo tiene valor este principio para las cosas que se hacen naturalmente y mediante una causa segunda [3].

La cosmografía   Así como no es tan fácil hallar en castellano una obra que trate de todas las partes de la filosofía natural según el plan escolástico [4], la lengua vulgar se había empleado

---

[1] *Ibid.* fol. 5, 1-3 propos.

[2] *Ibid.* fol. 3 v., art. I, q. I.

[3] Es curioso que en esta cuestión, además de apoyarse en los teólogos, aconseja que se siga a Platón, que, por haberlo leído en Mercurio Trimegisto o haberlo oído de los "gitanos" o hebreos, en el *Timeo* considera el mundo creado y le atribuye principio (fol. 80). Compárese esto p. ej. con la *Cohortatio ad Graecos,* atribuída a San Justino, caps. 14, 20, 21, donde también se aboga la autoridad de Platón.

[4] Un libro curioso escrito en buen estilo castellano y con una claridad

mucho, por lo que se refiere a la cosmografía [1]; numero-
sísimos son los escritos que aparecieron en aquellos años,
los más fecundos quizá de la literatura española en el aspecto que podríamos llamar científico [2].

y viveza parangonables con el estilo de Pedro Simón Abril es la *Primera
parte de las diferencias de libros que ay en el vniuerso. Declaradas por el
maestro Alexio Uenegas.* Compuso este tratado en 1539. Entre otras
muchas consideraciones, trata el autor de los principios generales de la
filosofía natural, de la tierra y de los cielos y del alma racional. Coincide
con Pedro Simón Abril en cuanto se propone "hazer algun fruto enla
gente de nuestra nacion que no entienden latin" y en el estar sacada su
"mucha y varia erudicion" de un gran número de autores "assi griegos
como latinos". Pero su fin es claramente religioso y moral (Venegas era
entonces visitador eclesiástico de libros en Toledo), mientras que la obra
de Pedro Simón Abril ha de servir para la vulgarización científica.
De este libro hay varias ediciones; tengo a la vista la enmendada y
corregida por el mismo autor, que según el colofón fué impresa en Toledo
en casa de Juan de Ayala, en 1546, 4.º, 8 h. + 224 fols.

[1] Citaremos p. ej. el LIBRO / *intitulado Los proble/mas de Villalobos:
que trata de / cuerpos naturales y morales, y dos dialogos de medicina: y
el tractado delas tres / grandes: y una can/cion: y la come/dia de
Am/phitrion / M.D.XLIIII.* Colofón: Fue impresso el presente libro del
doctor / Villalobos ... / en la muy noble y leal ciudad de Çaragoça en
casa de George Coci... Fol. 2 hoj. + 72 fols. Bibl. de Pal. I-C-13.
Trata del movimiento del sol, de la luna y de los cuatro elementos (en el
"Tractado primero"), y más adelante, del calor natural. También en esta
obra van insertas "graves autoridades". Sin embargo, nos dará una idea
de su espíritu el que se discute p. ej. la cuestión de si el paraíso terrenal
"estaua assentado envna montaña tan alta que quasi alcança al çielo de
la Luna: y pudiera el hombre leuantandose sobre un arbol o sobre otra
altura alcançar la luna con la mano". Más cercana a la época y conocimientos de Simón Abril es en cambio el TRATADO DE CO / sas de Astronomia, y Cosmogra- / phia, y Philosophia natural. / Ordenado por el
Bachiller Juan Perez de / Moya, natural de Sant Esteuan del Puerto... /
En Alcalà / POR IVAN GRACIAN / Año de M.D.LXXIII. Fol. 248 pgs. +
8 hoj. de índices. Trata de la región etérea y de la elemental (el tercer
libro en cambio está dedicado a la horologiografía). Por ser más res-
tringido su objeto lo trata con mucha más extensión que Pedro Simón
Abril. El estilo, sin embargo, es claro y ameno, aunque más doctrinal que
el de nuestro autor.

[2] Cfr. Picatoste y Rodríguez, F., *Apuntes para una biblioteca cienti-
fica española del siglo XVI.* Madrid, 1891, 417 pgs. Numerosos factores

Huelga decir que el interés que puedan tener estas páginas de Simón Abril no estriba, desde luego, en la originalidad de las observaciones y ni siquiera en la exposición exacta de lo que se sabía en su época, sino que sirven más bien para demostrarnos hasta dónde llegaban los conocimientos de una persona culta, pero no especializada, en este campo. En otras palabras, la parte de la *Filosofía natural* que vamos a tratar sirve, sobre todo, para indicar la resonancia de algunas de las trascendentales controversias que introdujeron los tiempos nuevos.

En cuanto a la doctrina astronómica, por la cual empieza nuestro autor [1], saltan a la vista desde un principio dos actitudes contrastantes, pero en el caso de Simón Abril no incompatibles: por un lado, la duda, el reconocimiento de las dificultades que ofrece un estudio cuyo objeto está tan apartado de los sentidos y, por tanto, no se puede estudiar más que por conjeturas (fol. 90), el desprecio por la arrogancia de muchos astrólogos que hablan de las obras del cielo «como si ellos fuessen rezien venidos de la rejion celestial, i alli uviessen tenido un mui familiar amigo, que les uviesse mostrado mui en particular todas las cosas de

contribuyeron al auge de los estudios científicos: problemas de carácter práctico, como el empleo de la artillería en la guerra, el cómputo del tiempo y la reforma del calendario que Gregorio XIII decretó en el 1582, el cambio de la valuta y, sobre todo, los descubrimientos en el Nuevo Mundo, que por reflejo acrecentaron el interés en el antiguo (hubo quejas que el "mundo ignoto" se conocía mejor que el "conocido"). Recuérdese el gran proyecto de Felipe II de rectificar la geografía de España, la labor de la Casa de Contratación de Sevilla y de la Academia de Matemáticas; la proposición del doctor Laguna de fundar un jardín botánico, como Felipe II efectivamente hizo en Aranjuez, etc. Se traducían obras extranjeras, como p. ej. la *Esfera* de Sacrobosco, añadiendo muchas observaciones originales, y se estudiaban con gran atención y fervor las obras maestras de la antigua geografía clásica, aspecto este último que ha sido poco estudiado, como hizo observar el Dr. Bullón *(Los precursores españoles de Bacon y Descartes,* Salamanca, 1905, pg. 22).

[1] Trata primero de los cuerpos celestiales y elementales por ser los más sencillos (materia y forma sin mezcla de otro cuerpo), fol. 89 v.

alla, como lo suelen hazer en algunas grandes çiudades o casas reales con los forasteros» (fol. 92); por otra parte, las discrepancias entre los mismos entendidos y, por fin, la aceptación de lo tradicional como más seguro y más conforme con la base filosófica, en la que nuestro autor sigue apoyando toda esta descripción de la naturaleza.

En efecto, desde hacía años se ventilaba la controversia entre los propugnadores de Tolomeo y los que ponían en duda sus enseñanzas [1]. En el texto de nuestro autor, las varias soluciones que se ofrecen son reducidas a dos grandes posibilidades, que él, como de costumbre, concretiza de un modo gráfico e ingenuo:

a) O el cielo es todo un cuerpo y las estrellas se van moviendo por él regularmente «como los pescados por el agua», o

b) es un «encaxe» de muchos cuerpos, que están uno dentro de otro «como caxcos de çebollas» (fol. 90 v.).

Ambas soluciones ofrecen sus dificultades, porque si el cielo es materia sólida, debería reflejarse en ella el sol como se refleja en las estrellas. Y si es materia sutil, ¿cómo pueden estar encajados los astros? Y si, por fin, cada estrella tiene su propio movimiento, «¿como se puede salvar de vanidad todo lo que los astrologos dizen de'l çielo, i sus çirculos i esferas?» (fol. 91).

Pero aun en cuanto al orden de las esferas y a sus respectivos movimientos, halla nuestro autor que no se acaban de poner de acuerdo los astrónomos. Merece la pena de citar sus propias palabras:

---

[1] Entre estos últimos hay que contar a D. Alfonso el Sabio; al final del siglo xv Andrés de S. Martín, Piloto del Rey, que participó en la expedición de Magallanes; Francisco Villalobos, que subrayaba la oscuridad y la incertidumbre de la teoría de lós epiciclos. Contribuía a poner en duda las teorías tolemaicas la renovación de la doctrina de Platón y de sus discípulos, que dejaba a los estudiosos una mayor libertad. (Cfr. Picatoste, *op. cit.,* pgs. 342-343.)

Teorías opuestas.
«Ponen todos los astrologos la tierra en centro del mundo, i el sol en el cuarto çielo, i los demas çielos por su orden, i hazen sus juizios de conjunçiones, oposiçiones, eclipses i otras cosas semejantes, i salvan las aparençias, i salen los juiçios verdaderos.

Viene Nicolao Copernico, i trueca la suerte, i haze el sol centro del mundo, i la tierra subela al cuarto çielo, i hazela movible, i salva las aparençias, i conforme a este presupuesto haze los mismos juizios, i salenle bien» (fol. 91 v.).

Notaremos en esta yuxtaposición que ambas soluciones «salvan las aparençias» y hacen «juicios verdaderos»; en otras palabras, satisfacen ambas las dos condiciones esenciales de estar en conformidad con los sentidos y observar las exigencias del razonamiento legítimo [1].

Pero aquí se trata de reducir toda la doctrina del cielo a un curso escolar. Por tanto, Simón Abril, sin rechazar como falsa la teoría de Copérnico —ni ocurrírsele siquiera

---

[1] Es una actitud que coincide con la que predominaba entonces en ciertos sectores españoles, particularmente en la Casa de Contratación de Sevilla y entre los astrónomos y cosmólogos, que, apremiados por las exigencias de los continuos viajes de exploración, se preocupaban más de la exactitud de los varios sistemas y si coincidían con sus cálculos, que de sus implicaciones filosóficas o religiosas. Así, p. ej., se admitieron las tablas copernicanas para los tres planetas superiores, mientras se usaban las alfonsinas para los cuatro inferiores, como lo hizo Suárez Argüello en sus *Ephemerides Generales*.

En la enseñanza fué admitido el sistema de Copérnico como una de las posibles explicaciones del universo, mandándose en los Estatutos de Salamanca en 1594 que se *leyera* públicamente. No por esto, sin embargo, perdió su predominio el sistema tolemaico (y la geografía de Pomponio Mela), por ser el tradicional y además mejor adaptado para fines didácticos. Recordemos que el comentario a Job, en el que Fr. Diego de Zúñiga a propósito del versículo *Qui commovit terram de loco suo* (cap. IX) se fundaba en la autoridad de la Biblia (justamente de este pasaje) para defender el sistema copernicano contra la *sintaxis* de Tolomeo, salió a luz en 1584, siendo la licencia de 1579.

motivos filosóficos o religiosos contra ella [1]—, sigue, como más fácil, más probable y, sobre todo, más segura «la dotrina comun mente reçebida».

De ahí que en las páginas siguientes vemos expuesta con algunas variaciones la teoría tolemaica [2]: el universo, compuesto de catorce esferas, una maciza en el centro —la tierra— y las otras huecas [3].

El universo de 14 esferas.

---

[1] Nótese a cada paso la importancia que Pedro Simón Abril concede a la lógica. "Esto es lo que con el Divino favor i ayudandonos dela metodo i orden dela lojica avemos podido reducir a metodo i dotrina açerca de la naturaleza delas cosas de'ste mundo i maquina visible", dirá al final (fol. 275).

[2] También aquí, como en el resto de sus obras, es parco en citar fuentes. Quizá sería de la opinión de Francisco de Villalobos de que "estas allegaciones mas son para mostrarse el hombre bien leydo: que para la claridad de la escriptura". Tres veces aparece el nombre de Tolomeo hablando de la esfera estrellada (fol. 110). Se refiere también a la "experiencia de muchas estrellas" del mismo al describir la sustancia sutil del cielo (fol. 126) y las "tablas jeograficas" en relación con los paralelos y los grados (fol. 105 v.). También recuerda el "libro del aire, aguas y lugares" de Hipócrates. Es curioso, por otra parte, que considere contemporánea la teoría del influjo lunar sobre los movimientos del mar (fol. 140 v.). "Aunque no se tiene certidumbre de la causa del fluxo, y refluxo del Mar Oceano... todos assi antiguos, como modernos lo atribuyen alos aspectos y mouimientos de la Luna con el Sol", escribía Pérez de Moya, *op. cit.*, pg. 125. Y Murcia de la Llana en su COMPENDIO / DE LOS METHEOROS / DEL PRINCIPE DE LOS / Filosofos Griegos y Latinos Aristoteles... / EN MADRID. Por Iuan de la Cuesta, año de 1616, aduce media columna de autoridades: "ansi lo sienten Ptolomeo lib. 2. ca. 12. Ciceron li. 2 de natura Deorum. Plinio lib. 2. c. 97. Strabon lib. 3. de situ Orbis...", pg. 70. Quizá se acordaría Pedro Simón Abril de la explicación de Vives, según el cual los seres creados de los elementos del mundo inferior por ley impuesta por Dios van creciendo paulatinamente y, cuando llegan a su plenitud, después de detenerse un poco, van retrocediendo hacia su origen; y cita como ejemplo de ello el flujo y reflujo del mar *(De anima et vita,* I, 1,. *Opera,* Basilea, 1555, vol. II, pg. 500).

[3] Más adelante, para dar la razón filosófica de la figura esférica del universo visible, dirá que por ser la fábrica mundana corporal ha de tener sus términos y por lo mismo su figura (fol. 108) y que ésta ha de ser esférica "como mas conveniente para huir de'l vazio, i para moverse

Los movimientos
de las esferas.

La esfera extrema, «el primer cuerpo movible», llamada por los filósofos «el alma del mundo», se mueve alrededor de los polos de éste llevando a cabo su movimiento de rotación en veinticuatro horas e imprimiendo el mismo a todas las demás esferas (fols. 110 v. y 111). El segundo movible gira alrededor de los polos del Zodíaco en treinta y seis mil años (fol. 111 v.). La esfera estrellada, la primera visible, ya que las otras dos se deducen «por el discurso de razon», sigue estos dos movimientos y tiene además otro suyo, que llaman el «tembloso», sobre dos círculos pequeños que están imaginados en los primeros grados del Carnero y de la Libra (*ibid.*). Los planetas son movidos todos por la rotación del primer movible, y tienen además un movimiento alrededor de sus propios polos —y el sol alrededor de los polos del Zodíaco [1]— que se cumple en espacios de tiempo cada vez menores (fols. 112 v.-114).

Movimientos particulares de los planetas.-El auge del sol.

Además, cada planeta tiene otros movimientos particulares. El sol, el del auge y del deferente. Este último se deduce del hecho de que el sol gasta nueve días más en recorrer el trayecto desde el primer grado del Carnero hasta el primero de la Libra que en la vuelta; esto es, gasta nueve días más en el «medio çirculo de los seis sinos setentrionales» que en el otro «medio çirculo» de los sinos australes. Por tanto, el diámetro que parte el Zodíaco por los primeros puntos del Carnero y de la Libra, lo parte en

---

regular mente, i para mejor poderse ençerrar los unos cuerpos dentro de los otros" (fol. 109). Evidentemente le gustan más làs pruebas de carácter intuitivo, geométrico, que otras más abstractas, como el ser la esfera una figura primaria (cfr. Arist., *De caelo*, II 4, 286 *b* 10 sigs.). Otros contemporáneos de Simón Abril ven en cambio algo simbólico en su figura total del mundo (cfr. el párrafo de Arias Montano, titulado oportunamente "De rerum natura *finita et rotunda*" en su NATURAE / HISTORIA... / ANTVERPIAE, / EX OFFICINA PLANTINIANA... / MDCL, pg. 171.

[1] En el manuscrito escribió primeramente que se movían todos alrededor de los polos del Zodíaco, tachando luego estas palabras, menos en el caso del sol, y escribiendo entre las líneas "sus propios polos".

dos «medios çirculos» diferentes. Y así, el centro del *deferente del sol* es distinto del de todo el mundo. **Para salvar** estas «aparençias» dividen los astrónomos la esfera del sol en tres. De éstas, las dos extremas se llaman concéntriças, según la extremidad de afuera, que tiene en ambos casos como centro al mismo centro del mundo. «Pero segun las interiores, que tocan con el deferente de'l sol, que es el çirculo, que lleva en si el mismo planeta del sol, tiene por çentro el mismo de'l deferente, con quien se tocan: el cual dista tanto del centro de'l mundo, cuanto el planeta sol esta mas apartado dela tierra estando en el primer grado del Cangrejo, el cual se llama el auje que estando en el primero de Capricornio, que se llama el opuesto del auje. El cual apartamiento y distançia es la causa de'l tardar el sol nueve dias mas en andar los seis sinos setentrionales, que en el bolver por los australes... Demanera

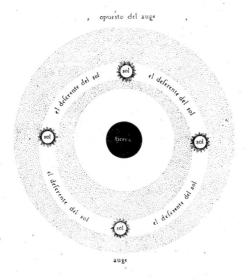

que moviendose toda la esfera de'l sol a'l rededor de'l çentro del mundo a igual distançia, el çirculo deferente de'l sol cónel mismo sol se mueve a igual distançia de su propio çentro, y a desigual del çentro del mundo, que es el dela primera esfera que se mueve. De otra manera no se pueden salvar las dichas aparençias» (fol. 115 v.). Para que esta explicación resulte más clara, reproducimos la figura con que la ilustran Pérez de Moya (*op. cit.*, pg. 51) y Venegas *(op. cit.*, fol. XCVII).

El epiciclo. El movimiento particular de los demás planetas se llama el de «el de el Epiçiclo el cual es un çirculo pequeño, que haze mover al planeta fuera del universal movimiento de su orbe, sobre un plano que se corta con la linea, que hiende el Zodiaço de medio a medio por su anchura, llamada la ecliptica, con angulos torçidos» (fol. 116) [1]. Es un movimiento dispuesto por Dios para evitar que se diesen los eclipses con demasiada frecuencia. Se explica luego brevemente la causa del eclipse del sol y de la luna (que se da cuando ésta coincide con el sol en los puntos donde el epiciclo corta la eclíptica [fol. 117 v.]), el variar de luz y resplandor en la luna y las estrellas, el ser los cuerpos celestes esferas que vuelven «la cara» hacia el cielo o hacia la tierra (fols. 118 v.-119) y las tres maneras de ponerse los planetas y las estrellas (la temporal, mundanal y solar [fols. 119 v.-120]). Hasta aquí la materia que, según nuestro autor, es propia de la filosofía natural; lo demás toca «a'l uso de'l astrolabio i teoricas de los planetas (fol. 120 v.). Nosotros, como resumen e ilustración de toda esta parte, insertamos aquí una tabla sinóptica de las esferas hechas con los datos que Simón Abril nos ofrece.

Carácter general del universo. Completo en su conjunto [2], el cuerpo celestial es perfecto [3] también en todas sus partes, que influyen las unas

---

[1] Para explicar éste punto de la astronomia tolemaica emplea el simil de una rueda que lleva consigo una figura "puesta en su orilla".

[2] Simón Abril no admite, por considerarla superflua, la función de las "inteligencias" motrices.

[3] No hay que olvidar que entonces, más tal vez que ahora, se tenía

EL PRIMER MOVIBLE — da una vuelta a toda la naturaleza sobre los polos del mundo de oriente a occidente en 24 horas y comunica su movimiento a las esferas inferiores

EL SEGVNDO MOVIBLE — se mueve de occidente a oriente sobre los polos del zodiaco en 36.000 años

ESFERA ESTRELLADA — por la fuerza del primer movible da una vuelta de oriente a occidente sobre los polos del mundo en un día. Por la suya propia "se rebuelve en sí misma sobre dos pequeños circulos, que están imajinados en los primeros grados de 'l Carnero i de libra, en espaçio de siete mil años con el movimiento, que llaman tembloso" (fol. 112 y v)

ESFERA DE SATVRNO — por la fuerza del primer movible da una vuelta sobre los polos del zodiaco en 36.000 años. Por la suya propia "se rebuelve en sí misma sobre dos pequeños circulos, que están imajinados en

ESFERA DE JVPITER — sigue el movimiento común de oriente a poniente y otro propio sobre sus polos de poniente a oriente en 30 años; + epiciclo

ESFERA DE MARTE — sigue el movimiento común + movimiento propio: sobre sus polos en 12 años; + epiciclo

ESFERA DEL SOL — sigue el movimiento común + movimiento propio: sobre sus polos en 2½ años; + epiciclo

ESFERA DE VENVS — sigue el movimiento común + movimiento propio: sobre los polos del zodiaco en un año; + movimiento del deferente

ESFERA DE MERCVRIO — sigue el movimiento común + movimiento propio: sobre sus polos en un año (no se aparta nunca mucho del sol); + epiciclo

ESFERA DE LA LVNA — sigue el movimiento común + movimiento propio: sobre sus polos en un año; + epiciclo

ESFERA DEL FVEGO — "por ser de calidad caliente i seca, i su materia tan sutil, ninguna mezcla de cuerpo se enjendra en toda su esfera" (fol. 151)

ESFERA DEL AIRE — umida en estremo i caliente templada mente" (fol. 152): se divide en tres zonas: la "suprema" (perfectamente serena), la "media" y la "baxa", (muy sujetas las dos a alteraciones meteorológicas

ESFERA DEL AGVA — no es entera (lo fué en tiempo del diluvio)

ESFERA DE LA TIERRA — el más pesado de todos los elementos

centro de la "fabrica mundana"

más de 800 leguas — más de 800 leguas

las diez esferas de la región celestial.

las cuatro esferas de la región elemental

LA FABRICA MVNDANA

SEGVN LA FILOSOFIA NATVRAL

DE SIMON ABRIL

A Bertolau dis

sobre las otras según un principio de finalidad; esto es, para el movimiento de las esferas y el bien del cuerpo central, la tierra [1]. Es la misma estructura que, con algunas divergencias de detalle, describían bellamente los versos del Dante, resumiendo la actitud medieval frente al universo:

> Dentro dal ciel della divina pace
> si gira un corpo, nella cui virtute
> l'esser di tutto suo contento giace.

> Lo ciel seguente, c'ha tante vedute,
> quell'esser parte per diverse essenze
> da lui distinte e da lui contenute.

> Gli altri giron per varie differenze
> le distinzion che dentro da se hanno,
> dispongon a lor fini e lor semenze.

> Questi organi del mondo così vanno,
> come tu vedi omai, di grado in grado,
> che di su prendono, e di sotto fanno [2].

En la última parte de este libro, al tratar de las esferas más bajas, hallamos la misma combinación de principios especulativos [3] con la observación empírica. Las cuatro esferas de la región elemental corresponden a los cuatro elementos, con sus sendas «calidades» y movimientos propios. De ahí que la existencia de la más alta, la del fuego, se deduce de la conjugación de los contrarios [4]: «La

Las esferas elementales. La base filosófica.

---

presente la significación de la palabra griega *cosmos* y de la latina *mundus,* "que quiere dezir Ornamento, o Atauio, por la hermosura, y perfecion suya", como decía Pérez de Moya en su Astronomía, pg. 26. De ahí que Pedro Simón Abril en su primer capítulo lo compare a un hermoso jardín ofrecido por Dios al hombre.

[1] De ahí la utilidad, p. ej., de la esfera estrellada cuyas estrellas "tienen particulares fuerças para influir bienes al mundo" (fol. 112).

[2] *Paraíso,* II, 112-123.

[3] Respecto a los cuales sigue sobre todo a Aristóteles. *De caelo,* III y IV.

[4] También aduce las razones de los que niegan que haya esfera de

naturaleza hizo cuerpo simple que fuesse seco i frio, que llamamos tierra, i cuerpo simple que fuesse umedo i frio, que llamamos agua, i cuerpo simple, que fuesse caliente i umedo, que llamamos aire: por donde pareçe que quedaria falta esta conjugaçion de contrarios, si no uviesse hecho tambien cuerpo simple, que fuesse caliente i seco, que llamamos fuego, paraque uviesse bastante combinaçion de las cuatro primeras calidades para las jeneraçiones de las cosas mezcladas i compuestas» (fol. 131).

Y por la contrariedad de «calidades» se explican también muchos fenómenos meteorológicos que se observan en la esfera del aire (fols. 134 sig.) [1]. Y al tratar del agua determina, en primer lugar, contra la opinión de «algunos», que su calidad fundamental es el ser fría, pero no el estar congelada (fols. 138 sig.). En cuanto a la tierra, explica «por buen uso de razon» —puesto que no se entiende por el sentido—, un fenómeno que llama «el movimiento de impulsion», por el cual el centro de gravedad no coincide con el **centro de la tierra**: la media esfera menos expuesta al sol, siendo más húmeda y asimismo más pesada «rempuxa» a la otra más ligera y la hace perder el centro de gravedad (fol. 145 y v.).

Argumentos contra la revolución de la tierra.

Sazonado fruto de esta actividad especulativa son los argumentos que emplea para probar que la tierra está en el centro del mundo, y que a título de curiosidad resumimos a continuación:

1.º De no estar en centro, la tierra debería estar a un

---

fuego por no ser ésta necesaria, ya que la suple el sol produciendo con sus rayos el calor que es menester para la generación de las cosas y "para henchir todo este espaçio, que ai entre el çielo i la tierra, tanto basta, que sea cuerpo de aire, como que sea de fuego" (fol. 131 v.). Con todo, tanta importancia concede a la conjugación de contrarios que, aunque no sea "verdad çierta e infalible, que aya elemento de fuego", le parece "mui conforme a razon, i mui probable" *(ibid.)*.

[1] Cfr. Arist., *Meteor.*, I 3, 340 *b* 15 sigs.

lado, «i una parte della avria de estar mas çerca de'l çielo, i otra mas lexos de'l». Por lo mismo, las estrellas aparecerían alternativamente mayores y menores (fol. 142).

2.º Además, si no estuviese en medio, serían desiguales los dos medios arcos que hace el sol, y en ninguna parte la noche igualaría al día (fol. 142 v.).

3.º Si, en cambio, se moviera sobre sí misma de occidente a oriente sobre su eje («como algunos filosofos dixeron») se verían las estrellas siempre en la misma disposición, ya que el cielo no se movería (fol. 143).

4.º Un tiro de artillería dirigido en línea recta contra el mismo Zenit se mueve hacia éste en línea recta y luego, por la fuerza de gravedad, volverá a «embocarse» en el mismo cañón, lo cual no sería posible si la tierra se moviese (fol. 143 v.).

5.º La tierra es un cuerpo pesado y tiene dentro de sí el centro del mundo. Si mudara de lugar sería yendo hacia el cielo, es decir, subiendo, lo cual es contrario a su naturaleza (fol. 144 v.).

6.º Tras demostrar que la tierra tiene figura esférica y no angular, termina dando dos graves razones de Aristóteles en favor de estos dos hechos. La primera es el no poder tener un cuerpo simple dos movimientos naturales, y, como el movimiento natural de la tierra es el de ir hacia el centro, otro de rotación le sería violento (fols. 144 v.-145), y, en segundo lugar, en el eclipse de la luna, la sombra de la tierra es circular.

Carácter *filosófico* tiene también la explicación del movimiento de los cuerpos pesados y livianos y de sus causas, i. e., de lo que hoy llamamos la fuerza de gravedad. Se proponían varias explicaciones:

El movimiento.

1.ª «El que las enjendrò (las cosas), les diò aquella virtud, i... es el que las mueve» (fol. 148).

2.ª Por impulsión: «lo menos pesado rempuxa a lo

:mas para abaxo i lo menos liviano a lo mas para arriba»
(ibid.) [1].

3.ª «Las cosas compuestas se mueven a'l movimiento
de'l elemento, que predomina en ellas» *(ibid.)*.

4.ª «El peso de cada cosa, o su lijereza es el prinçipio
de'l moverse las cosas para abaxo o para arriba» *(ibid.)*.

Simón Abril, antes de dar su opinión, hace una distinción previa de los cuerpos, en cuanto a su ligereza y su
movimiento natural $(= \dot{\rho}o\pi\acute{\eta})$.

A. *Los cuerpos.*		B. *Su movimiento.*
CUERPOS SENCILLOS...	pesados: tierra y agua.....	«para el medio por linea derecha»
	livianos: aire y fuego......	«de'l medio por linea de-recha»
	ni pesados / cuerpos ce- ni livianos \ lestiales....	«al rededor de'l medio por linea circular»
CUERPOS COMPUESTOS.	pesados o livianos «segun cada uno se pa-reçe mas a cualquiera de los simples en el peso o lijereza........	assi tiene mas o menos el uno delos dos movimientos» (fol. 148 y v.) [2].

Tras asentar así el principio aristotélico [3] del movimiento propio a cada cuerpo, va excluyendo las varias opi-

---

[1] Quizá una alusión a la doctrina de los epicúreos, que atribuían a
todos los cuerpos un movimiento hacia abajo, siendo la causa del movimiento hacia arriba de los cuerpos ligeros (un movimiento no natural) el
impulsarlos en esa dirección los cuerpos más pesados. (Cfr. Ross, Introducción a *Arist. Physics*, pg. 27.)

[2] Cfr. Arist., *De caelo*, IV, 2.

[3] Con la diferencia de que Arist. no consideraba el aire y el agua
absolutamente ligeros y pesados como el fuego y el aire, sino con cierta
limitación. Cfr. *De caelo*, IV 4, 311 *a* 24.

niones propuestas para su explicación; la primera, por parecerle una «mui vulgar manera de filosofar» y una filosofía «façil de aprender, i en poco rato», puesto que todos los efectos se pueden referir a Dios como primera causa, bien sea directa o indirectamente (fol. 148 v.). Tampoco le parece «que filosofan bien» los que lo atribuyen a la impulsión, porque esto equivale a negar el movimiento natural de los cuerpos, fundamento de esta parte de la filosofía [1], y, además, por ser violento, no explica el aumento de velocidad (fol. 149 y v.) [2]. Y sin darse cuenta de la evidente contradicción con lo dicho arriba acerca del movimiento de los compuestos, niega también que éstos se mueven según el elemento predominante en ellos [3]. De ser así, no habría diferencia de movimiento entre la cera derretida y la sólida (fol. 150). Por tanto, se muestra de acuerdo «con los que dizen, que el peso o la lijereza de cada cosa es el verdadero i natural prinçipio del movimiento de los cuerpos pesados i de'l de los livianos, por aver puesto naturaleza esta lei, que lo mas pesado este debaxo, i lo mas liviano ençima» (*ibid.*). Con lo cual no hace más que sustituir una dificultad por otra, porque el peso o la ligereza es, según esta teoría, justamente una tendencia intrínseca a cada elemento, que tiende a ocupar el puesto que le pertenece en la naturaleza, como el mismo Simón Abril afirmó arriba.

Por otra parte, juega un papel importante también el elemento empírico, que aquí tiene un campo más vasto El elemento empírico.

---

[1] Recuérdese la descripción de φύσις en Arist. como ἀρχή κινήσεως ἐν αὐτῷ.

[2] Adviértase que al tratar del movimiento, Pedro Simón Abril siempre observa la distinción aristotélica del mismo en "natural y violento".

[3] Se comprendería que se enfrentara, p. ej., con la teoría de la gravitación selectiva de Platón *(Tim.* 52 e-53 a), pero habla claramente de moverse los cuerpos compuestos según el movimiento natural del elemento predominante, no de agregarse las partes pequeñas de cualquier elemento con las masas a las que se parecen.

para desarrollarse. Así, p. ej., cuando explica por qué el mar es salado —«por la continua adustion que padeçe de los rayos del sol» (fol. 139 v.)— puede corroborar esta explicación tradicional [1] con un ejemplo casero: «como se vee cada dia por la esperiençia en las ollas, que se gisan a'l fuego, que si cuezen demasiado resolviendoseles toda la sustançia dulce i sutil vienen a hazerse saladas» (fol. 140). El engendrarse a veces en la región baja del aire unas llamas de muy «sutil» sustancia, le sirve para explicar cómo, paseándose por un campo al anochecer, pasó por él «una llama de fuego, que a mi pareçer ternia de largo i ancho mas de veinte passos i passo bolando como viento, sin hazerme daño ninguno, y sin sentir yo que fuesse fuego, si no por el resplandor, que traia, que se pudo ver, por ser ya de noche». (fols. 136 v.-37); o también la aparición a oriente y occidente de muchos soles o de muchas lunas [2], «lo cual es de aver vapores gruessos en el aire, en los cuales se representa la figura de'l verdadero sol, o de la verdadera luna, como en muchos espejos» (fol. 137 v.). No hay que maravillarse, pues, de que podía aceptar «racio-

---

[1] Arist., *Meteor.* II 3, 357 a 5 y sigs. Casi todos los tratados de cosmografía tratan este punto; los que nombramos de Villalobos, Venegas y Pérez de Moya (respectivamente, en los fols. XLXV v. y XLVI, fols. V y VI y en la pg. 124, *op. cit.)* le dedican bastante espacio. Afirman que desde un principio el mar fué amargo, porque así lo ordenó Dios y porque en el agua salada se crían los pescados (les es "gratisima y saludable"), mientras que si fuera dulce se pudrirían; además, es más conveniente que el agua sea salada "para que el nauio no se hunda" (!). Nada más lejos de la realidad que considerar tales razonamientos como *ingeniosas invenciones* de estos autores. Tienen todos fuentes comunes, como nos lo indica Murcia de la Llana, que escribe: "tengo por sin duda lo que dizen san Basilio homilia quarta exameron, y San Isidoro libro 13. etimolog. cap. 14. y Pico Mirandulano en sus conclusiones, que Dios nuestro señor crió el mar desde sus principios con esta calidad, de ser salado, porque conuenia lo fuesse, para los fines que le crió...", *op. cit.,* pg. 68.

[2] ¿Las había *visto* él, como se infiere del texto, o se acordaba de la *Historia Natural* de Plinio (II, caps. 31 y 32), quien relata haberse visto muchos soles y tres lunas?

nalmente» los sucesos maravillosos de la antigüedad: la llama, p. ej., que rodeó la cabeza de Servio Tulio, niño («aunque lo del pronostico es vanidad», fol. 136).

Satisfechos debían estar de su enseñanza los maestros de su tiempo, ya que de sus principios, como, p. ej., del de que el agua sube para llevar el vacío, «se sabia valer Lazaro de Tormes para chupalle el vino a'l pobre çiego; lo cual creo el devio de alcançar por aver sido naçido i criado en Salamanca donde ai tanta luz i copia de dotrina». (fol. 62) [1].

Además, penetrando tan adentro en los secretos de la naturaleza, podían luego dar consejos saludables para librar a la humanidad de fenómenos perjudiciales: donde se padecen terremotos, p. ej., «es cordura abrir muchos pozos. Porque teniendo estas calinas muchos lugares por donde puedan espirar i salir de dentro de la tierra, no trastornaran la tierra quieta, ni causaràn aquellos daños» (fol. 147).

Se trata, sin embargo, de una ingenuidad que podríamos llamar, en cierto sentido, «científica», ya que a menudo son observaciones que, como vimos, los doctos recogían en sus lecturas y con las que se preciaban de ilustrar sus escritos, arrastrando así de siglo en siglo todo el bagaje del empirismo antiguo [2]. Es más: Simón Abril entre sus contemporáneos, hasta se destaca a veces por menos crédulo; no admite, p. ej., ninguna proposición astrológica, como hicieron tantos otros tratadistas aun en el siglo siguiente [3].

---

[1] Muchos otros ejemplos se podrían aducir de esta ingenuidad, como p. ej., el admitir en dos lugares la posibilidad de que los reyes del reino de Dania "vienen de linaje de un osso, que arrebato por fuerça una donzella... la cual istoria si es verdadera, muestra aver amistad i simpatia natural entre el ser natural de'l osso i el de'l ombre", fol. 39 v. y fol. 207 v.

[2] Ni el mismo Vives se libra de ello; baste pensar, p. ej., en los fenómenos que describe en *De anima et vita,* sobre todo en la primera parte.

[3] P. ej., en 1616 el ya citado Murcia de la Llana *(op. cit.):* "Sobre

Una orientación práctica notable, que nos revela cuán difundido estaba el estudio de estas cuestiones, la evidencian los últimos capítulos del tercer libro, en los que trata de la división convencional del globo y hace una breve descripción de la tierra siguiendo las costas de los mares[1]; enseña la manera de tomar las distancias de los pueblos sobre el mapa por los paralelos y meridianos, y, por fin, habla de la diversidad de climas y de su relación con la desigualdad entre los días y las noches.

Unión y separación de la materia y de la forma.

Concluída la parte cosmográfica, pasa Simón Abril a tratar de la generación y corrupción; esto es, de la unión y separación de la materia y de la forma. Vuelve, por tanto, a aparecer su concepto del hilemorfismo, como ya lo describimos arriba; para Simón Abril, el substrato de la generación y término de la corrupción no es, como para Aristóteles[2] y Santo Tomás, la materia prima, sino la *substancia corporal*.

Una vez definida luego la alteración, «mudança»[3] acci-

---

tan firme fundamento, como es el que la Fê Catolica nos enseña, que la gracia de Dios, el libre aluedrio, y prudencia, queriendose valer della, pueden vencer todas las influencias, ê impressiones de los planetas y estrellas, seguramente podremos apuntar los efetos, que hazen en las cosas naturales de la tierra, y tambien las propiedades, que cada vno dellos imprime en los hombres" (pg. 6). Tales efectos y propiedades se pueden leer en los capítulos siguientes.

[1] Esta parte, aunque no entra en detalle alguno, ya que no escribe un tratado de "geografía histórica", tiene para nosotros interés como lista de nombres geográficos. Curioso es, desde luego, ver la geografía desde su punto de vista. Hablando, p. ej., del istmo que divide "a Ejipto de la Suria o Palestina", dice "el cual ismo muchos emperadores lo an querido abrir por juntar la navegaçion de'l Oceano con la de'l mediterraneo: pero an desistido de'llo por pareçelles cosa o impossible, o de grand inconveniente" (fol. 158 y v.).

[2] *Phys.* VIII 7 261 a 34.

[3] Sobre el ser "mudança" y no movimiento la alteración, hay en esta parte una larga discusión, en la que Simón Abril repite lo ya expuesto hablando del movimiento.

dental, cuyo fin es el de producir en la sustancia corporal los accidentes y disposiciones que son necesarios para que ésta se una con la forma (fol. 170 v.), tenemos la base para el origen y desarrollo de la vida orgánica e inorgánica. Resumimos aquí la visión de Simón Abril de los seres creados, recorriendo, una vez más, el método esquemático:

CLASIFICACION DE LOS CUERPOS [1]

LOS CUERPOS.

SIMPLE - «aquel que inmediatamente està compuesto de materia i forma, sin entrevenir en su composiçion mezcla ninguna de diferentes sustançias» (fol. 182) ....

el *cuerpo .celestial* (libre de generación y corrupción)

los cuatro cuerpos elementales.
fuego
aire
agua
tierra
(sujetos a generación y corrupción se resuelven últimamente en la materia y la forma)

COMPUESTOS - todos los que resultan de la mezcla de los cuatro elementos..
minerales
plantas
animales [2]

(Sigue en la tabla intercalada.)

---

[1] Invertimos ligeramente el orden de nuestro autor. Simón Abril, fiel aquí también a la costumbre de proceder de lo más sencillo a lo más complejo, empieza por las causas primeras.

[2] Huelga subrayar la base aristotélica de esta clasificación; cfr. *Degen.* II 1 (división de los cuerpos elementales), *ibid.,* 2-8 (combinación de las calidades elementales y de las transformaciones de los elementos); *De caelo* I 2, 268 *b* 11 y sigs. (distinción de los cuatro elementos terrestres de otro cuerpo celestial con movimiento circular), etc.

Acción mutua de los elementos.

Este mundo, que Simón Abril dividía y clasificaba de manera tan lógica, no es estático, sino sujeto a un perpetuo movimiento. Base de todo ello son las «primeras calidades», la sequedad, el calor, la humedad y la frialdad. Cada elemento tiene dos: una en sumo grado, la calidad, «que esta en su punto», y otra en grado menor.

Por la calidad que tienen en común, «simbolizan», i e., tienen cierta afinidad, condición de toda acción mutua; mientras que la calidad por la que se distinguen establece entre ellos esa «antipatia», por la cual el elemento «agente» se esfuerza para reducir el elemento «paciente» a su propia naturaleza. De ahí ese perpetuo flujo y reflujo que con tanta unción describía Luis Vives [1] y que nuestro autor llama perpetua «guerra», describiendo así, de manera muy primitiva y gráfica, la tendencia de los factores de una mezcla química hacia el equilibrio.

Mezclas de los cuerpos compuestos.

Mientras que los elementos se engendran entre sí, los cuerpos compuestos proceden de la mezcla de los elementos. Las mezclas se hacen de dos maneras, o por mixtión de partes pequeñas, o por unión de las dos sustancias entre sí [2]. No dudaba Simón Abril de que «si los ombres las supiessemos mezclar bien con ayuda del calor hasta salbellas dar su punto, saldrian de'l arte quimica grandes bienes para la vida i menesteres delos ombres» (fol. 189 v.). Pero se opone resueltamente a que se cambie un ápice en la teoría de los cuatro elementos.

El alma y sus tres grados.

Con el cuarto libro entramos de nuevo en un argumento del todo o en parte tratado ya muchas veces, tanto en latín como en lengua vulgar [3]: el alma y sus tres grados. Se nos viene a la mente, en primer lugar, esa obra de

---

[1] Secvndvs tomvs / Io. Lo- / dovici Vi- / vis Valentini / opervm... / Basileæ, anno mdlv, pg. 500.

[2] σύνδεσις y μίξις en Arist., *De gen.* I 10, 328 *a* 6 y sigs.

[3] Cfr. Iriarte, M. de, *op. cit.*, pg. 179 y sigs.

Vives, *De anima* [1], escrita unos ciento cincuenta años antes, y surge espontáneamente la pregunta: ¿supone algún
adelanto el periodo que separa las dos obras? El tratado
de Simón Abril es, naturalmente, aristotélico en su fondo;
revela, además, la influencia de las teorías de Hipócrates
y Galeno, entonces básicas en la fisiología, y concuerda, por
lo que se refiere a la inmortalidad del alma, con la fe cristiana. Como Vives [2], no quiere detenerse en refutar los
errores de muchos filósofos antiguos en este punto [3], sino
que empieza directamente por definir el alma como forma
sustancial del cuerpo, i. e.: si se declara por el sujeto que
la recibe «es un acto i perfición sustançial de'l cuerpo
natural organizado i dispuesto para reçebir el ser i vida,
que ella le a de dar», y si se describe por sus «ofiçios»
es «un acto i perfición sustançial del cuerpo natural, que
le da ser para nacer, creçer, moverse, sentir, i entender»
(fol. 197 v.) [4].

Tres son, por tanto, los grados del alma: el vegetativo,
el sensitivo y el intelectivo [5]. Por tanto, nuestro autor tratará sucesivamente de las plantas, de los animales y del
hombre, describiendo cómo se realizan las funciones propias a cada grado.

En cuanto a las plantas, son cuatro las facultades que *El alma vegetativa.*
ejercen para su mantenimiento: la de «atraer» el alimen-
to; la del «retenerlo» hasta que el calor natural lo haya
preparado para ser convertido en su propia sustancia; la
del «cozerlo» o hacerlo semejante a si destruyendo la calidad contraria, y la del «espeler» lo superfluo (fol. 204 y v.) [6].

---

[1] *Opera, ed. cit.*, vol. II, pgs. 496 y sigs.

[2] *Ibid.*, pg. 497.

[3] Aristóteles dedica a la refutación los caps. 2-8 del primer libro
del *De anima*.

[4] Cfr. Arist., *De an.* II 1, 412 a 27, e *ibid.* II 2, 414 a 12.

[5] Cfr. Arist., *ibid.* II 2, 413 b 11 sigs. y 414 a 31 sigs.

[6] Estos son los términos castellanos que Pedro Simón Abril adopta

El alimento varía según la clase de plantas; de ahí la importancia de la agricultura, que Simón Abril, en conformidad con su espíritu práctico y concreto, no deja de subrayar, dedicando además varias páginas a la reproducción en el reino vegetal y a la manera de efectuar los enjertos. Curioso es el capítulo en el que explica la varia duración de la vida en los seres, tanto vegetales como animales, atribuyéndola a la falta o abundancia de humedad [1].

El alma sensitiva.

Al tratar luego de los animales, empieza también con una descripción muy primitiva de su «manera de bivir i mantenerse» (fol. 214 v.). El alimento se recoge en el estómago y se cuece en el hígado; de esta segunda purificación se deriva la diversidad de los temperamentos; esto es: el colérico, el sanguíneo, el flemático y el melancólico, que corresponden a las cuatro cualidades elementales: la seca, caliente, fría y húmeda [2].

A la descripción de la facultad sensitiva concede singular importancia, en cuanto los sentidos, como ya vimos, son «unas ventanas por donde entran a'l celebro las especies o muestras de las cosas sensibles» (fol. 221).

Describe sucesivamente el órgano, el medio y el objeto de cada sentido, con algunas observaciones que parecen originales. Curiosa es su definición de la luz: «calidad, que el cuerpo luminoso va multiplicando en un instante sin

---

del latín para describir las funciones de las plantas; cfr. los equivalentes latinos en Vives, *ibid.,* pg. 499.

[1] "los que son de sustançia floxa i abundante en umedad, son por su comun naturaleza de corta vida"; en cambio, "los que son de sustançia dura i maçiça, i enxuta biven largos años" (fol. 212).

[2] Huelga decir que tenemos aquí una vez más los cuatro humores hipocráticos sistematizados y aplicados a la psicología particularmente por Galeno. Pedro Simón Abril, como ya hemos visto al hablar de la forma, negaba que las "templanças" fuesen los principios de las cosas, pero no por eso deja de considerarlos como base de la fisiología y aun de la psicología, según doctrina corriente en sus tiempos y aun mucho después.

movimiento ninguno por el cuerpo trasparente, conque se haze visible a si i a los demas cuerpos visibles» (fol. 225).

Por supuesto, Simón Abril, según la fisiología común en sus tiempos, atribuye a los animales más perfectos tres potencias fundamentales: la natural para el mantenimiento, que, como hemos visto, tiene su asiento en el estómago y en el hígado; la vital, que parte del cerebro, proveyendo para el movimiento la sangre «mas apurada i mas sutil», y la animal, centralizada en el corazón.

El centro, al que vienen a juntarse todos los nervios, es el sentido común; por él llega el animal a conocer las sensaciones de los diversos sentidos (fol. 237)[1]. Pero además de éste tienen los animales más perfectos otra facultad: la fantasía o imaginativa, «cuyo ofiçio es hazer fabricas i composturas de las muestras o espeçies que el sentido comun ha perçebido por medio de los exteriores» (fol. 238 v.)[2]. Esto acaece tanto durmiendo como velando. Bajo la impresión de la fantasía sobreexcitada, el hombre, aun despierto, puede perder de todo o en parte el uso de los sentidos exteriores, y puede hasta enfermar o morir. Durante el sueño, si éste no es demasiado profundo, la fantasía, con las imágenes que otras veces el sentido común ha representado al alma y que la memoria ha recogido, le representa «fabricas i composturas, unas veces bien concertadas, cuando la sustançia del cerebro està bien dispuesta, i otras de disparates, cuando està mal dispuesta de alguna eçessiva calidad» (fols. 238 v.-239). De ahí que los sueños de persona sana estén mejor concertados que

---

[1] Cfr. Arist., *De anima,* III 2, 426 *b* 11 sigs.

[2] Cfr. Arist., *De anima,* III 3, 427 *b* 29 sigs. Quizá por ser algún tanto confusa la doctrina aristotélica en este punto subrayará luego la diferencia que hay entre la imaginativa y el sentido común. Este último requiere la presencia del objeto y además no se puede sentir lo que no es y ni siquiera lo que no es posible, y el sentir requiere que nos mueva la cosa sensible, es común a todos los animales, cumpliéndose las debidas condiciones no puede engañarse. Todo lo cual no se puede decir de la imaginativa (fol. 242).

los de los enfermos y que, en general, tengan relación con el humor de la persona que sueña (fol. 239)[1].

Y, a veces, de tal manera se fijan en la memoria las «traças» de la imaginación, que al despertar se recuerdan con toda exactitud, mientras que otras veces desaparecen por completo. Cuando el alma está poseída por una fuerte imaginación, hace «imajinaçiones reflexivas», es decir, cree «que no es imajinacion ni ensueño sino verdadera aprehension», lo cual no acaece sino al hombre, por requerir el uso de razón (fol. 239 v.).

Por supuesto, Simón Abril, ateniéndose a la filosofía aristotélica, insiste en que nadie, ni despierto ni dormido, puede imaginar ni soñar cosas que no haya percebido antes por el sentido (fol. 240).

Los animales están dotados también de la facultad de recordar, facultad sensitiva, íntimamente relacionada con la imaginación y que Simón Abril llama sencillamente «memoria» (para distinguirla del «acuerdo» (en griego *anamnesis)* [2], que es propio del hombre por ser una facultad racional), que consiste en el «acordarse de unas cosas por la presencia de otras» (fol. 246).

Estas, que, como las de Vives, hubiesen podido ser unas páginas fecundas en observaciones personales, no aportan, con todo, ninguna idea original. A pesar de haber sido Simón Abril maestro durante tantos años, cuando llega a discutir la manera de acrecentar la memoria, se limita a seguir ingenuamente los principios fisiológicos de sus tiempos. Tras localizar el asiento de la memoria en la parte posterior de la cabeza —al recibir un golpe por delan-

---

[1] Cfr. el interesante capítulo de Luis Vives "De somnio" *(De an., loc. cit.,* vol. II, pgs. 538-541), donde, además de indicar estas causas fisiológicas de los sueños, añade otros motivos exteriores que denotan un fino espíritu de observación.

[2] Cfr. Arist., *De mem. et rem.* 2, 451 *a* 18 y sobre lo que Simón Abril llama "acuerdo" (μνήμη), *ibid.* I, 449 *b* 4 sigs., y *Anal. post.* II 19, 99 *b* 36 sigs.

te se pierde la imaginación, y por detrás la memoria (fol. 243 v.)—, declara que la «templança» de la memoria tira hacia lo caliente y seco. Por tanto, el cerebro, que tiene estas calidades fundamentales, conserva más las especies de las cosas que el frío y húmedo, y para conservar y acrecentar esta facultad, conviene escoger alimentos «enxutos», como son los higos, las pasas, las carnes de aves, asadas y toda clase de especias, y evitar los manjares que envíen al cerebro vapores húmedos y gruesos, p. ej., la carne de puerco y el pescado (!) (fols. 244 v. y 245). En cuanto al ejercicio de la memoria, aconseja que se relacionen las cosas que se quieren recordar con lugares notables: templos, palacios, columnas, etc., y luego se vayan evocando por el mismo orden. Consejo que puede tener su origen en el tratado de Luis Vives [1], pero también directamente en Aristóteles. Simón Abril no entra en más detalles.

De la facultad de «apeteçer i de'l enojarse», esto es, de las pasiones —a las que Vives dedica todo el tercer libro de su *De anima*—, trata en un solo capítulo (fols. 246 v.- 249 v.), considerando como su base y fundamento el instinto de conservación. Los apetitos naturales tienen su asiento en los mismos órganos de la generación y mantenimiento. Otra clase de apetitos se hallan sólo en el hombre. Estos son los vanos, como el deseo de honras, dineros, galas y otros errores semejantes, que Simón Abril no pierde ocasión de condenar. Más adelante distinguirá entre las pasiones e inclinaciones naturales, y las costumbres, cuya identificación llevaría a confundir los hombres con los

---

[1] También Vives localiza la memoria en la nuca haciendo depender su firmeza de la constitución del cerebro; pero a estas ideas tradicionales añade agudísimas observaciones; examina, p. ej., el influjo ejercido sobre la memoria por la edad, temperamento, carácter, estado mental y emocional del individuo al percibir el objeto, sobre las varias clases de olvido y manera de remediarlas y sobre la asociación de ideas, en la que se funda su arte mnemotécnico *(De an. et vi.,* II, 2, pgs. 517 sigs.).

animales, subrayando, contra las doctrinas galénicas, que, si bien las pasiones y afectos del alma son conformes a ia complexión del cuerpo, por el divino don de la razón se puede contrarrestar su impulso (fol. 254 y v.).

El alma racional. Además de las facultades de los dos grados inferiores tiene el hombre —en el que Dios ha puesto «como por manera de compendio todas las perfiçiones de todas las otras criaturas» (fol. 252 v.)— el entendimiento, la voluntad y la memoria. En esta última parte de su obra, Simón Abril, siguiendo siempre las huellas de Aristóteles, describe el procedimiento intelectivo y el volitivo.

Es el alma como «una tabla lisa i embarnizada o un espejo»[1] que refleja todo lo que se le pone delante (fols. 256 v.-257 v.). Sus instrumentos exteriores son los sentidos[2], que representan al sentido común las cosas singulares, y éste, a su vez, a la memoria e imaginación. Esta las representa al entendimiento activo[3], cuyo oficio es el de discernir en ellas lo que es uniforme y sustancial de lo diferente y accidental, para que el entendimiento pasivo —llamado así porque recibe las noticias— pueda a su vez percibir las cosas «en su sustançia i perfiçión i uniformidad» (fols. 259-260 v.).

Tres son, luego, los oficios del entendimiento pasivo: *a)* comprender las noticias sencillas; *b)* juntarlas mediante la afirmación o negación, y *c)* colegir unas verdades de otras mediante el discurso (fol. 261 v.).

---

[1] Cfr. Arist., *De an.,* IV 4, 429 *b* 30 sigs.

[2] Cfr. Arist., *ibid.,* III 7, 431 *a* 16; *ibid.,* 8, 432 *a* 4. Cfr. tamb. Vives, que describe de manera análoga todo este proceso: "Sensus ergo inseruit imaginationi, haec phantasiae, quae intellectui & considerationi, consideratio recordationi, collationi recordatio, rationi uero collatio. Sensus est uelut umbrae aspectio, phantasia seu imaginatio imaginis, intelligentia corporis, ratio affectionis ac uirium" *(loc. cit.,* pg. 521).

[3] νοῦς πρακτικός, expresión no empleada por Aristóteles, sino por Alejandro Afrodiseo, *De anima,* 88, 24. Ueberweg, Praechter K., *Die Phil. des Altertums,* Berlin, 1926, pg. 387.

Por otra parte, el entendimiento práctico («platico») aplica lo general a lo particular, como hace el médico cuando utiliza sus conocimientos para curar un enfermo. Ordena y dispone las cosas particulares según la doctrina de las universales.

El otro distintivo del hombre es la voluntad, cuya función se desarrolla según el siguiente procedimiento: *a)* los sentidos representan la cosa a la imaginación; *b)* ésta al apetito; *c)* el apetito a la voluntad; *d)* y la voluntad lo consulta con la razón *(ibid.); e)* ésta le declara el bien o el mal que hay en ella; *f)* y la voluntad escoge, o lo que le dicta el entendimiento, o lo que le pide el apetito, «i esta libertad de poderse derribar a cualquiera de las dos partes, es lo que llamamos libre alvedrio» (fol. 264).

¡Cuánta distancia entre esta sencillísima exposición del mecanismo de la voluntad y la tajante distinción de lo bueno y lo malo, de la honestidad y la buena razón, por un lado, y las pasiones, por otro, y el capítulo correspondiente de Luis Vives! [1]. Si bien el fundamento filosófico viene a ser el mismo, ¡cuánto más fina la psicología de este último cuando trata de las fluctuaciones de la voluntad interior y exterior y de las muchas y variadas formas de incitación por parte de la razón!

Tras esto llega nuestro autor a plantear la cuestión del ser y sustancia del alma, cuestión dificilísima, puesto que, así como la existencia del alma es «cosa notoria», por estar comprobada por el sentido, «que sea determinada mente, no lo podemos entender» (fol. 266 v.) [2]. Por exclusión llega a definirla como «acto sustançial de la cosa animada» (fol. 267), como ya vimos al principio.

Cuestión que Simón Abril considera ajena a la filosofía natural es la de la inmortalidad del alma. Aquí también,

---

[1] *Loc. cit.,* pgs. 534-536.

[2] Esta misma dificultad la expresa en términos mucho más elegantes Luis Vives, *ibid.,* pgs. 511-512.

como ya en la cuestión de la creación en el tiempo, nuestro autor tiene que hacer «alguna fuerça» a su inclinación natural para decidirse a probar, por razones puramente naturales, lo que ya es de sí un artículo de fe [1]. Respecto a este punto, no nos interesan tanto sus argumentos —los tradicionales de la escolástica, como son el tener
el hombre operaciones que no tan sólo puede efectuar sin
el cuerpo, sino más perfectamente fuera de él—, sino el
contraste entre el tono de Simón Abril, que parece estar
tratando una verdad conocida y admitida por todos, y la
profunda comprensión de las múltiples dudas que pueden
surgir sobre este punto, que se revela en el capítulo correspondiente de Luis Vives [2], uno de los más bellos de
todo el libro, y parangonable, por la elevación del estilo
y la simpatía humana, a su apología *De veritate fidei
christianae*. Simón Abril escribe para la España de la Contrarreforma; Luis Vives, en cambio, compuso su tratado
en Brujas, después de haber estado muchos años en contacto con un ambiente en que la duda se abría rápidamente camino. Y hay, además, una diferencia característica entre las mentalidades de los dos autores. Simón Abril
divulga lo que ha aprendido en los libros; Vives, con el calor que le es característico cuando se trata de cosas de la
fe, expone «las verdades que se le han ocurrido al pensamiento», y, atento a los problemas espirituales del hombre moderno, le representa las tremendas renuncias que
se le impondrían al negar la fuente de sus más elevadas
facultades, colocándose así dentro de esa corriente de ín-
tima comprensión y simpatía por las aspiraciones humanas, que desde San Pablo y San Agustín llega hasta nuestros días.

---

[1] Subraya su posición filosófica diciendo que "el que lo disputasse
por modo de dudar en la verdad i çertidumbre de'lla seria hereje, i por la
misma razon di/gno de ser castigado como tal" (fol. 269).

[2] *Loc. cit.*, pgs. 541-550.

Con todo, a Simón Abril, «despues de haber escrutado —según dice de sí mismo— con todo el esfuerzo y proposito de su inteligencia los cielos, los astros y los elementos; discurrido por el estudio de las plantas, animales, el hombre, los angeles, hasta el rey de la creacion», no le podemos negar el título de hombre sabio, que el mismo Luis Vives atribuía al que con miras universales y cierto amor y comprensión abarcase con su mirada todas las cosas, considerándolas como reflejo de Dios. En efecto, si bien no tiene ni el espíritu de observación, ni la originalidad, ni la elevación de su afamado predecesor, su estilo revela a veces cierta unción y amor hacia las cosas naturales y un deseo, más espontáneo del que surgiría de un puro tradicionalismo, de descubrir su finalidad dentro del plan de la Providencia. Los dos tienen, además, un punto importante en común: el haber sido grandes vulgarizadores del saber de su tiempo, cada uno en un nivel distinto y dirigiéndose a un público de diferente amplitud, pero los dos con purísima intención.

SIMON ABRIL, MAESTRO

La historia de la pedagogía española recuerda el nombre de Simón Abril entre sus principales representantes en el siglo de oro [1]. Desde luego, aunque no excogitó ningún sistema nuevo, fué siempre, en primer lugar, maestro; no tanto Maestro con letra mayúscula, ya que nunca le vemos erguirse como educador de su generación, ni tal le consideraban sus contemporáneos, a pesar de que el humanista belga Pedro Pantino en un redundante carmen le llame «tuae spes maxima gentis» [2], sino maestro en sentido corriente e inmediato de la palabra, es decir, preceptor de sus propios alumnos y, a través de sus libros, de otros muchos.

Vocación de maestro.

Como ya a Quintiliano, no le pesa enseñar a los «rudos principiantes» adaptándose a ellos con sencillez y llaneza [3]. En efecto, consideró la enseñanza elemental como una misión sagrada; labor fecunda, que, de hacerse con diligencia y caridad cristiana, daría un fruto inestimable [4].

---

[1] Sin embargo, no me consta que se haya estudiado el valor pedagógico de su actividad y de su obra.

[2] Cfr. la ed. de 1583 de las Comedias (preliminares).

[3] "pues cosas graues ai ia escritas muchas y muy buenas, mas necessidad ai de cosas assi faciles y claras, y que abran el camino a los que apprenden facil y expedito" (Epístolas Selectas, 1572, Annotaciones).

[4] Fil. rac., fol. 104 v.

Para conseguirlo se pueden recorrer varios caminos —«yo no pretendo poner ley a nadie»—, pero insiste una y otra vez en que se siga un *método*, y él mismo lo esboza a grandes líneas en varios lugares de sus obras [1]. ¡Lástima que sus ideas pedagógicas no sean directamente fruto de su experiencia, sino que lleguen a nosotros sólo *en cuanto están respaldadas* por autores antiguos! [2].

Sus fuentes, como era de esperar, son principalmente Quintiliano y Cicerón, Aristóteles y el tratadito περὶ παίδων ἀγωρῆς que, según creencia común en sus días, atribuye a Plutarco.

De éste adopta los tres conceptos fundamentales de la pedagogía clásica, φύσις, λόγος y ἔθος.

El talento natural.

En cuanto a la φύσις o «buen natural», la define como «vna natural prontitud y sufficiencia para hazer alguna cosa con mas entereza y perficion, que otro la haria» [3], y esto no tan sólo por lo que se refiere a las actividades del entendimiento, sino también en las «aficiones materiales».

Lamenta, si bien en términos no tan patéticos como su contemporáneo Huarte de San Juan [4], que los maestros descuiden este principio con evidente perjuicio de los interesados. Esto se evitaría examinando a los que quieren

---

[1] En la parte preliminar de las *Epístolas Selectas* (1572 y 1583), en la *Filosofía racional,* en los *Apuntamientos,* etc.

[2] "esto que io trato, es cosa deduzida de los que antiguamente fueron tenidos por sabios de cuio parecer ningun hombre discreto se deue apartar sin euidente razon, que le conuença" *(Gram. griega,* fol. 6). Un ejemplo insignificante en cuanto a la materia, pero significativo porque ilustra esta actitud, es la discusión acerca de la utilidad del ejercicio "de los sinónimos". El mismo había sido partidario de hacerles buscar a los discípulos varios términos y giros equivalentes a los empleados por un autor, como aconsejaban ciertos varones doctos. Luego la experiencia le había demostrado que dicho ejercicio resultaba perjudicial a la propiedad de la lengua. No obstante, no quiso decidir por su cuenta *hasta ver comprobada su opinión por algún texto antiguo (Gram. lat.,* 1573, pgs. 286 y sig.).

[3] *Fil. rac.,* fol. 102.

[4] *Op. cit.,* cap. I (III), pg. 415.

·dedicarse a los estudios y encaminando a los menos aptos hacia los oficios mecánicos [1].

Acepta también la tan antigua como vaga afirmación ·de que es la naturaleza la que hace a los hombres más o menos ingeniosos [2], pero no se preocupa de delimitar y concretar este concepto, como hizo, p. ej., el ya mencionado Huarte identificando la naturaleza, diferenciadora de los ingenios, con el temperamento, y construyendo sobre esta base todo su sistema. En general, podemos decir que ·este tema, esbozado ya por Aristóteles y otros escritores antiguos [3], y al que Vives dió tan singular desarrollo, no ·lo trata nunca ex profeso nuestro autor, limitándose a las observaciones que reproducimos arriba. Sin entrar en profundas especulaciones, es muy probable que en la práctica supiera bastante para cumplir con aquella cláusula ·de su contrato con la ciudad de Tudela, por la cual «el ·dicho maestro vistas las abilidades y suficiencia de los ·estudiantes se aya de acomodar a leerles los libros que les fuesen necessarios y hazer las platicas y exercicios que ·combiniessen segun que cada uno pudiera aprovechar» [4].

Más detalladas son, en cambio, sus instrucciones acerca de los otros dos principios, la doctrina y el ejercicio, cuya realización pertenece propiamente a maestros y discípulos. Suponen, como condiciones imprescindibles, el orden, la constancia [5] y la continuidad. De senda servirá la naturaleza, pues no es otra cosa el «arte», sino «una imi-

La doctrina.

---

[1] *Fil. rac., ibid.*

[2] *Ibid.,* fol. 102 v.

[3] Cfr. Quintiliano, *Inst.* I, 3.

[4] Como ya señalamos, dicho contrato fué publicado por J. R. Castro ·en *Príncipe de Viana,* 1942, pgs. 331-2.

[5] Pedro Simón Abril se muestra muy contrario a las "tantas y tan perjudiciales vacaciones" ("echada bien la cuenta cerca de la metad del año comunmente vacan las escuelas") y lamenta la poca constancia y entusiasmo en el estudio, del qual vicio "las demas naciones notan a los Españoles", *Ep. Sel.,* 1572, Annotaciones.

tación» de la misma: antes que nada, el hombre aprende
a hablar; por tanto, se le enseñará, en primer lugar, gramática, y además la gramática de su propia lengua [1] (que
le facilitará luego el aprender las otras). Luego empieza
a discurrir y de ahí que, en segundo lugar, vienen la lógica
y la matemática. Y, por fin, cuando su mente es ya más
madura, entonces podrá dedicarse a estudiar filosofía natural y ética [2].

Esto corresponde, por otra parte, a un proceso que va
desde lo más concreto hacia lo más abstracto. Las matemáticas, p. ej., las coloca bastante al principio de su *curri-
culum* «por ser cosas del sentido», y los niños «abundan
más en el sentido que en el entendimiento»; ¡curiosa observación, por lo que se refiere a las matemáticas; pero
justa, en cuanto al desarrollo mental del niño!

Primeras letras.
El mismo principio le inspira también la convicción de
que el alumno debe aprender a leer y escribir al mismo
tiempo, o aun antes a escribir, porque formando las letras mecánicamente llegará a conocerlas con más facilidad y «juntándolas en silabas con la pluma tambien las
yra juntando con la boz» [3].

Para este fin preparó él mismo unas *Tablas*. Su método
consistiría, según sus propias descripciones, en planas estampadas al revés en tinta colorada, de tal manera que
el discípulo pudiese seguir al otro lado el trazado de los
caracteres [4].

---

[1] Cfr. Nebrija "despues que sintieren bien el arte en castellano...
cuando passaren al latin no avra cosa tan escura: que no se les haga mui
ligera..." *Arte dela lengua castellana...* Salamanca, 1492, Dedicatoria
a iij r. (Bibl. Nac. I/1749).

[2] Cfr. el plan expuesto por nosotros en el primer capítulo, pgs. 56 y sigs.

[3] *Fil. rac.* Al letor.

[4] No he logrado ver estas tablas. En la licencia de 1583 a la segunda
edición de las *Seis comedias de Terencio* hallamos entre los libros presen-
tados por Pedro Simón Abril las *tablas de leer y escriuir facilmente por
letra colorada* ya aprobado para Castilla y ahora para Aragón. En la

Mayáns y Siscar alabó este método como «estrañamente ingenioso», creyendo que se inspiraría Simón Abril en la carta de San Jerónimo a Leta sobre la instrucción de su hija[1]. No hace falta ir tan lejos; al compilarlas le inspiraría el mismo afán que notamos en sus demás obras, el de ahorrarle al alumno todo esfuerzo inútil. Quería que se acostumbrase su mano «a seguir la perfeta linea de la letra, sin andar desuaneciendose en el imitalla a tiento con perdida de tiempo i de trabajo»[2].

Los dos primeros años de enseñanza (de los cinco a los siete) no deben constituir una carga para el niño, evitando cuidadosamente que éste cobre hastío a las letras[3].

Función de la memoria.

Fil. rac., 1587 (Al letor) habla de "aquella inuencion de letras estampadas al reues, que yo tengo diuulgada". No se sabe si sería el mismo sistema o dos distintos. En la carta que acompañaba el *Arbitrio* (cfr. Marco e Hidalgo, *loc. cit.*, pg. 412) escribe "E assi mismo trabajado una traça en seruicio de V. Md. y del esclarescido principe y señor mio Don Felipe, para que por materias impresas casi sin trabajo en poco tiempo aprenda a leer y escrebir... Ame dicho el presidente del consejo real de V. Md. que esta invencion ya V. Md. la avia traçado, y que el esclarecido Principe Don Diego, que goça de Dios con los sanctos, en muy pocos dias por esa via avia aprendido leer y escrebir con billetes que V. Md. le amviaba escriptos de impresion colorada para que los cubriese de negro". Y sigue diciendo: "haria V. Md. un gran bien y md. a todo el mundo, que hiciese vna pragmatica por la cual mandase que todos los maestros enseñasen por esta orden, y la administracion della la incorporase V. Md. en su hacienda... se echa de ver que le baldria a V. Md. tanto como la cruçada..." Y así quedaría resuelto el problema económico español (!). Sobre este punto cfr., además del *Diccionario biográfico y bibliográfico de calígrafos españoles,* Madrid, 1913, de Cotarelo y Mori, el curioso libro de Toria de la Riva y Herrero, *Arte de escribir.* Madrid, Viuda de J. de Ibarra, s. d., por el que se ve cuánta consideración gozaba entonces el arte de enseñar a escribir y crear modelos caligráficos, arte que, además de requerir habilidad técnica, estaba relacionado con otras ramas del saber, y aun con la lógica, como vemos por las definiciones y principios especulativos que acompañan algunas de ellas, como a los demás tratados de este tiempo.

[1]   Prólogo a la ed. de 1760 de las *Epíst. Sel.*

[2]   *Fil. rac.* Al letor.

[3]   Cfr. Quint., *Inst.,* I, 1.

Y aun después sígase el célebre consejo de Quintiliano de impartir la enseñanza en dosis pequeñas y adaptadas a la debilidad del alumno [1], animándolo, sobre todo al principio, con algunos premios de cosas que sean de su gusto y adaptadas a su edad. Con todo, en consonancia con la pedagogía antigua y la de sus propios tiempos, tan contrastante en esto con la moderna, quiere nuestro autor que se aproveche la memoria de los alumnos, en estos años más desarrollada que nunca [2], para que aprendan, por una parte, lo más fundamental de la gramática, y, por otra, los dichos de poetas y filósofos antiguos, que les servirán luego para toda la vida.

Las reglas. En cuanto a los preceptos, insiste que sean pocos, claros, bien ordenados e ilustrados con ejemplos. Ya hemos visto cuán contrario se mostraba a aquel amontonarse de reglas inútiles o de poca importancia, que fatigan al alumno y distraen su atención de lo esencial. Vimos también su afán para hacer de la ciencia un conjunto ordenado y fácilmente digerible. De este orden nos dan un ejemplo práctico sus propios libros. Generalmente empieza por definir la materia, y eventualmente encajarla dentro del plan general del saber humano; la divide volviendo después sobre cada parte, que define y expone, tras explicar los términos que reclamen una aclaración. Entre una sección y otra suele intercalar un epítome, «assi para ayudar la memoria del lector, como para yr con ella continuando la disputa» [3]. Al final de sus obras suele haber además un resumen general de la materia tratada.

Es probable que así lo hiciera también cuando explica-

---

[1] "Los oyentes han de ser enseñados de la misma manera que se hinche vna redoma de agua, la qual si se la echan poco a poco y con orden, la recibe toda hasta henchirse: pero si sela derraman a boca de cantaro, el agua se pierde, y la redoma se queda vazia" *(Fil. rac.,* fol. 11).

[2] Las cosas que aprende, "se le assienta de tal manera en la niñez, que no las olvida para siempre" *(Fil. rac.* Al letor).

[3] *Fil. rac.,* fol. 36 v.

ba oralmente, ya que sus libros parecen un reflejo fiel de sus clases. Hasta las frecuentes repeticiones —¡no por nada era maestro!— y las indicaciones en segunda persona han pasado a la página escrita: «Notaràs en Tulio... Todo esto para que te aveces a saber... Por este lugar entenderas...»

La claridad que exige en la exposición de la parte preceptiva fluye, en primer lugar, del «tener entera y perfeta noticia de la materia... porque ninguno podra dar bien a entender a otro aquello que no entiende», y además del tener «terminos propios... ... con que sepa bien declarar sus concetos al que los oyere»; el estilo debe ser «ceñido y resoluto», evitando todo rodeo inútil.

Pero no escatima los ejemplos y las comparaciones, aportando así al proceso especulativo la eficacia de la intuición. Algunos de estos ejemplos los saca de los textos clásicos[1], otros de la vida corriente[2], salpicando la explicación de refranes populares y modos de hablar[3]. Asimismo se vale a menudo de la definición etimológica guiando al alumno hacia la comprensión del concepto por medio de la explicación literal de la palabra.

Pero la parte a la que Simón Abril, como ya hicimos notar en varias ocasiones, da mayor importancia, es la

Aplicación de las reglas.

---

[1] Para subrayar la importancia del ejercicio, p. ej., repite a menudo el dicho de Aristóteles que "tañendo cithara se hacen los hombres buenos musicos de cithara" (p. ej. *Fil. rac.*, fol. 101, cfr. la *Etica,* II, 1).

[2] Cfr. p. ej. el parangón de un lógico con un buen general *(Fil. rac.,* fol. 14 v.) y la de los lugares dialécticos con los cotos de la caza *(ibid.,* fol. 15).

[3] Algunos de ellos parecen fluir espontáneamente de su pluma; tenemos razón para sospechar que tuviese en la memoria unos cuantos, repitiéndolos cada vez que se presentara la ocasión. Refiriéndose específicamente a la lógica, aconsejaba al maestro que reuniera "una gran copia y como thesoro de exemplos particulares de cada cosa que la logica professa" *(Fil. rac.,* fol. 103 v.).

práctica [1]. Así vimos, p. ej., en la enseñanza del latín, que
muy pronto —a los tres meses— empezaría el alumno a
leer textos escogidos, «haciendo mucho ejercicio en lo que
toca al poner en vso lo que huviere aprendido por reglas
y preceptos» [2]. De este modo las reglas, a fuerza de práctica, «se assientan en el alma sin particular memoria
dellas» [3].

Enseñanza de las
lenguas.

Estos principios los vemos aplicados, en primer lugar,
en la enseñanza de las lenguas. Dos elementos juegan aquí
un papel importantísimo: la comprensión y la participa-
ción activa del alumno.

El orden que propone Simón Abril es casi diametral-
mente opuesto al que comúnmente rige hoy en la enseñanza de las lenguas clásicas: primero se ha de comprender lo que se va a traducir (aquí, por supuesto, no se trata de autodidactos, sino de clases en que el maestro ejer-
cita plenamente su función), luego, traducirlo literal y
libremente, y, por fin, analizarlo lógica y gramaticalmen-
te (¡por último!) [4]. Simón Abril no cree que la construcción lógica lleva necesariamente a la comprensión del

---

[1] Insiste a menudo, p. ej., en que el aprender lenguas no es "cosa de
disputa", como creían muchos, sino depende principalmente del ejercicio
(cfr. las "Anotaciones" en las *Epist. Sel.,* 1583).

[2] *Epist. Sel., ibid.*

[3] *Apunt.,* 1569, fol. 5 v. Aboga en su favor el ejemplo de los humanistas italianos, cuyo lenguaje le parece "propio y elegante" y que "en
espacio de dos años hacen a sus oientes faciles y doctos en la lengua",
enseñando las reglas por el texto de Donato y luego introduciéndolas en
seguida en la lectura de Tulio y Terencio. *Epist. Sel.,* 1572. Annotaciones.
En este época es corriente que se cite Italia como ejemplo y modelo por
lo que se refiere a las humanidades. P. ej. el Palmireno, en la *Segunda
parte del latino de repente,* "diganme, de donde son los mejores latinos,
en Italia o en España? *Todos me conceden* con su silencio, que en Italia.
Digo pues, que alla nunca veen a Antonio, y son tan lindo latinos..."
(pg. 179 de la ed. de 1573). También en *El humanista* del Maestro Céspedes leemos: "... en Italia, donde se trata mejor de la enseñanza del idioma
latino...".

[4] **Cfr.** la *Ratio Studiorum* de los Jesuítas.

texto; es más, la considera innecesaria desde el momento en que el alumno domina las reglas gramaticales [1].

Es el maestro el que hace primero las dos traducciones: la literal y la libre. Por lo mismo, Simón Abril, supliendo al maestro, pone en todos sus libros escolares una traducción castellana. Tan sólo después se comentará el texto [2].

Participará luego activamente el alumno no tan sólo traduciendo, sino, además, vertiendo los mismos trozos del castellano al latín y, finalmente, componiendo alguna carta en contestación a las de Tulio: «Desta manera la misma de Tulio se entiende mejor, y el oyente se aveza a tomar buenos terminos i modos de decir para componella» [3]. En efecto, la imitación, como ya vimos, es el principal instrumento del que ha de estudiar lenguas, sean

---

[1] Huelga decir que aquí, cuando hablamos de análisis o construcción lógica, nos referimos a lo que Pedro Simón Abril llamaba "reducir las palabras a su orden natural", esto es, ponerlas arbitrariamente en el orden que tendrían en la lengua vulgar. Nuestro autor no desterró por completo la *constructio*, como ya habían hecho Barzizza, Guarino y otros humanistas italianos (cfr. Sabbadini, en la *Rivista di Filologia*, XXV, pgs. 100-103), pero consideraba absurdo el empleo abusivo de la misma, como se desprende, por ejemplo, del siguiente pasaje del *Methodo* de 1561: "Illud vero quod a vocativo, nominativo, verbo, accusativo, similibusque nugis verborum coordinationem ordiri docent, quot ingenia perdidit: quales viros ad latine loquendum tardiores reddidit: vt hercules ego... viderim, vt nullus sit liber, quantunuis obscurus, quem ipsi non ista praeclara ordinandi methodo coordinarent... Quodque mirabilius est, cum singularum uocum significata probe teneant, quod conjuncta significent, nequeant intelligere" (pg. 111) ¿Qué hubiese dicho Pedro Simón Abril de algunos textos modernos en los que el análisis gramatical en vez de medio parece casi un fin? Recordamos, p. ej., cierta antología editada en estos últimos años en Barcelona, donde sobre un texto sacado del cap. 68 del VII libro de la *Guerra de las Galias* (diez lineas en total) se hace un análisis morfológico, sintáctico y estilístico que se extiende en caracteres pequeños por más de diez páginas.

[2] Cfr. el *Methodus* de 1561, pgs. 111-112; también el Maestro Céspedes en *El humanista* ridiculiza las "fruslerias" y "Metaphisicas gramaticales".

[3] Cfr. la "Instrucción" en las *Ep. Sel.* de 1572.

vivas o muertas: «aquellos hablan Castellano o Frances, que imitan a los que hablan bien Frances o Castellano»[1]. ¿No será justamente el haber estimado en poco este importantísimo factor subconsciente con el que contaban los antiguos no tan sólo para aprender idiomas, sino para el desarrollo del sentido estético, la causa principal de que la enseñanza del latín en España en nuestros días apenas si llega a obtener de los alumnos traducciones que quizá Simón Abril calificaría de «barbaras», sin que el estudio de los idiomas antiguos influya todo lo debido en la facilidad de expresión de los alumnos?

Enseñanza de la lógica. Las instrucciones didácticas que hemos resumido hasta aquí se hallan en sus gramáticas y en sus textos y versiones de Cicerón. En la *Filosofía racional* también intercala algunas, relacionadas con dicha materia, y, por tanto, con el desarrollo de las facultades mentales del alumno; éste, al principio, examinará los ejemplos que le proponga el maestro hasta alcanzar gran prontitud y facilidad en el uso de las reglas. Se le ofrecerá, además, la ocasión de leer las obras de varios autores juzgando sus escritos desde el punto de vista de la lógica. Luego tratará varias cuestiones —fáciles, al principio, como son las éticas—, que no le propondrá el maestro ya hechas, como era costumbre en las escuelas [2], sino que buscará él mismo los argumentos más oportunos y formulará las demostraciones, conforme se le enseñó en la lógica.

De todo lo dicho se desprende que las ideas expresadas por Simón Abril sobre la enseñanza, más que pedagógicas son didácticas. Esto le coloca desde un principio sobre un nivel distinto al de Vives, por mucho que se propusiera nuestro autor suplir lo que no había hecho su

---

1 *Gram. lat.*, 1573, pg. 278.
2 *Fil. rac.*, 103 v.

ilustre predecesor, ya que éste escribió en latín y no en castellano [1].

Pero aun en el orden puramente didáctico, orden al que pertenecen las *Instituciones* de Quintiliano y la mayoría de los tratados humanísticos que hicieron revivir sus doctrinas dándoles quizá más fama de la que habían tenido en la antigüedad, no toca siquiera muchas de las cuestiones que trataron el mismo Vives, Nebrija [2] y otros, como los problemas de la primera niñez, la educación física, el ser preferible la madre a la nodriza, las cualidades y deberes del buen pedagogo, las ventajas y desventajas de la educación pública y de la privada, y muchas otras. Quizá todo esto lo considerara accidental al lado de esas tres o cuatro ideas claves que repite sin cesar: la necesidad de emplear el idioma vulgar, el orden metódico dentro de cada disciplina, el eslabonamiento de las mismas sin intromisiones mutuas, la preponderancia de la parte práctica sobre la teórica y la simplificación de los preceptos.

Su fin primario es, por tanto, el de enseñar fácil y rápidamente. El hábito que quiere inculcar en las mentes de los jóvenes, el de no ir tambaleándose por inútiles cuestiones, sino buscar derechamente la verdad en todo [3]. De ahí la importancia que concede a la matemática y a la lógica, y hasta a la filosofía natural; a esta última, sobre todo, en cuanto enseña a remontarse desde las causas segundas a la primera. Las disciplinas, por tanto, tienen para él un valor *objetivo*.

No es de extrañar tampoco que la educación moral la funde, principalmente, en el entendimiento, tomando una posición opuesta a la voluntarista de Luis Vives. En efecto, si bien en la *Filosofía natural* reconozca varias veces que

---

[1] Cfr. *Apunt.,* fol. 2 v. Lo mismo dice respecto a los *Lugares Teológicos* de Melchor Cano.

[2] Cfr. *Aelii Antonij Nebrissensis... de liberis educandis libellus,* reproducido por R. Chabas en la *Rev. de Arch.,* 1903, pgs. 56-66.

[3] Cfr. p. ej. *Fil. rac.,* fol. 104 v.

el bien es objeto ae la voluntad, en sus demás escritos identifica la virtud con la doctrina, y el vicio con la ignorancia. Asi se explica su convicción de que, sabiendo el hombre filosofía moral y graves principios, será, por ende, buen
ciudadano y buen gobernante. De ahí también su esperanza de que unos tratados tan poco apetecibles para la generalidad de las personas, como la *Etica* y la *Política* de
Aristóteles, pudieran, efectivamente, servir para formar y
reformar el pueblo español y los que lo regían.

Añádase, además, que en su sistema —aristotélico en
esto como el que más—, no se dedica mucha atención a
las facultades del individuo como tal, sino como miembro
de la comunidad. Se trata de una pedagogía social, en que
lo *individual* hace función de medio, aunque, por otra
parte, también la comunidad contribuya a desarrollar las
facultades del ciudadano: *vir vere civilis, vir bonus.*

SIMON ABRIL Y LA LENGUA CASTELLANA

APOLOGIA DEL CASTELLANO. VOCABULARIO. ESTILO

Una de las razones o, mejor dicho, la razón principal que determina en Simón Abril una actitud defensiva es el empleo de la lengua vulgar: «Basta ser un libro escrito en Castellano, observaba en su famoso *Discurso* Ambrosio de Morales, para no ser tenido en nada» [1]; y de menos consideración gozaría en la enseñanza de las lenguas antiguas y de la filosofía donde aun predominaba el latín. Pero no es tan sólo el descrédito lo que teme Simón Abril, sino la hostilidad de todos aquellos colegas suyos que, deseosos de mantener el monopolio sobre las ciencias, recelaban que éstas se hiciesen inteligibles al vulgo, o, habituados a revestir en un bárbaro latín sus oquedades, se resistían a abandonar tan cómoda costumbre [2].

---

[1] *Discurso sobre la lengua castellana.* Córdoba, 1585, en la reproducción de Pastor, J. F. *Las apologías de la lengua castellana en el siglo de oro,* Madrid, 1929. *Los Clásicos olvidados,* vol. VIII, pg. 78.

[2] Cfr. *Fil. rac.,* Dedicatoria y *passim.* "Vernan, dizen, luego a ser despreciadas y tenidas en poco las ciencias, si se hazen tan comunes", y más adelante "a los que enseñan, pareceles, que quanto... mas dificultosa hagan las ciencias, tanto mas preciados seran ellos, y la dotrina no serà tan comun i popular, lo qual de quan buen animo proceda dexase entender muy facilmente", fol. 95/v. Cfr. Alejo Venegas del Busto, cap. I de la *Agonia del tránsito de la muerte:* "Con mucha razon reprehende Marco

En realidad, los fautores del empleo del latín en las obras doctrinales y didácticas tenían a su favor argumentos de más peso de los que les pone en los labios nuestro autor, como, p. ej., el de la universalidad de la lengua latina. Pero aquí no nos proponemos entrar en esta famosa controversia [1], sino, simplemente, determinar la posición de nuestro autor para justipreciar sus argumentos en favor del castellano. Simón Abril no se *derrama* —emplearemos un término muy usado por él— en alabanzas altisonantes de su idioma patrio, como hicieron otros contemporáneos suyos [2]. Generalmente formula sus argumentos en defensa del empleo del romance de una manera utilitaria y práctica [3]: se evitarán inútiles esfuerzos y pérdida de tiempo, y el abandono de los estudios por parte de muchos que,.

Tullio (Lib. I de finibus) ... a los Romanos, porque menospreciauan su propia lengua Latina, y no querian leer libro que no fuesse escripto en la griega. Como si tanto fuera mayor la sciencia: quanto menos se entendiera la lengua en que se encerraua", citado por Pastor, *op. cit.*, pg. 19.

[1] Sobre este tema hay una bibliografía bastante extensa; cfr. González de la Calle, P. U., *Varia*, Madrid, 1916, que contiene un artículo sobre "Latín y Romance" (pgs. 211-299), en el que se demuestra la victoria de este último en las Universidades, particularmente en el Colegio Trilingüe de Salamanca; del mismo autor, "Latín universitario", en *Homenaje a Menéndez Pidal*, Madrid, 1925, t. I, pgs. 795-818; cfr. también Romera-Navarro, "La defensa de la lengua española en el siglo XVI", en *Bull. Hisp.*, 1929, pgs. 204-255, etc.

[2] Fernando de Herrera, p. ej., llama la lengua castellana "grave, religiosa, onesta, alta, manifica, suave, tierna, afetuosissima, i llena de sentimientos, i tan copiosa i abundante, que ninguna otra puede gloriarse desta riqueza i fertilidad mas justamente... toda entera y perpetua muestra su castidad i cultura i admirable grandeza i espiritu...". *Anotaciones a las obras de Garci Lasso de la Vega*, en Pastor, *op. cit.*, pg. 101; cfr. tb. *ibid*, los *Equívocos morales del Doctor Viana*, pg. 181; Bernardo Aldrete, pg. 169; Morales, pg. 84; Miguel de Cervantes, *Primera parte de la Galatea* (1585), pg. 56, y otros.

[3] "no es menester, escribía en la *Filosofia racional*, gastar gran parte de la vida en sacar a fuerça de braços de la licion de los libros vn corto è imperfeto conocimiento de la lengua estraña, pues en la propia dende los pechos de sus madres comiençan ha ser abiles y prontos en el entendella y el vsalla propiamente", fol. 101.

cansados de luchar con la gramática latina, se dedican a
otras actividades sin saber el mínimo indispensable para
regirse en la vida [1]. Enseñadas en lengua vulgar las varias disciplinas, la retórica, la filosofía natural y moral,
la medicina, y particularmente la jurisprudencia, tendrán
ese contacto con el pueblo y esa eficacia práctica que les
dan su razón de ser [2]. Apoya, además, su defensa del empleo del idioma vulgar en el sentido común: de lo conocido se va a lo desconocido y no viceversa; enseñando en
castellano será más fácil al maestro hacerse comprender
y a los alumnos seguir sus explicaciones [3]. Pero, sobre todo,
Simón Abril repite muchas veces este argumento: ¿No nos
dieron el ejemplo los mismos antiguos, enseñando los cal-
deos en caldeo, los hebreos en hebreo y los gitanos, feni-
cios, griegos, latinos, todos en su propia lengua? [4].

Todos éstos son argumentos en favor del idioma ver-
náculo. Por lo que se refiere en particular al castellano,
hallamos en las obras de Simón Abril algunas afirmaciones —sinceras y escuetas— sobre su belleza, y particularmente su aptitud para ser empleado en obras científicas.
Pero, además, ahí están los escritos y traducciones de nues-

---

[1] "vemos que la gente mas noble y mas granada gastando el tiempo
de su tierna edad en aprender vn poco de gramatica Latina en llegando a
la juuentud da de mano a los estudios, y dexa de yr a tratar de las cosas
grandes y negocios apercebida y reparada de lo que tanto le importa para
saber regirse en ellos como deue, de tal manera que ni aun el nombre de
filosofia no se sabe entrellos que sinifique, o que bienes prometa", *Fil. rac.,*
Dedicatoria.

[2] Cfr. los *Apuntamientos,* donde el "primer error" que condena es
enseñar las disciplinas "en lenguas estrañas y apartadas del vso comun y
trato de las gentes", fol. 3 v., y luego repite la misma acusación al tratar
de cada una de las ciencias. Lo mismo se opinaba en Francia. Cfr. Vossler, K., *Frankreichs Kultur im Spiegel seiner Sprachentwicklung.* Heidel-
berg, 1921, pgs. 240 sigs.

[3] Estos argumentos los repite a cada paso nuestro autor. Cfr. p. ej., los
Apuntamientos, ibid., y la *Filosofia racional,* Ded. Al Letor y *passim.*

[4] Cfr. el mismísimo argumento formulado casi en las mismas palabras
en Huarte de San Juan, *loc, cit.,* pg. 447.

tro autor, que él mismo consideraba la prueba más eficaz de sus afirmaciones.

Pero, por muy dúctil y madura que fuese la lengua castellana, su léxico no estaba adaptado aún a todas las materias. «Agora nueuamente comiença a recebir en si las sciencias» [1], dice de ella en una ocasión Simón Abril, y de la lógica puede afirmar que, con su tratado, «nace en esta lengua» [2]. De dos clases son las dificultades que tiene que vencer: por una parte, los problemas que presenta la versión misma; por otra, las críticas de los contemporáneos. Bien conocía «a los demasiadamente curiosos y que van contando las silabas a dos, y leen mas los libros por tener que murmurar, que por aprouecharse dellos».

Los neologismos.   Tales murmuraciones tendrían por blanco un punto agitadísimo en sus tiempos, el de los neologismos.

Respecto a éstos se pueden señalar dos direcciones: una, la de tener «por vicioso y afectado todo lo que se sale de lo común y ordinario» [3], actitud de condena y de renuncia que Cabrera de Córdoba expresa en los siguientes términos: «Es torpe derivar nuevas voces de necia analogia: no porque se dice de filosofia filosofar, se dice de poeta poetar, ni de pirata piratear... Cuando no hay vocablo bueno, callarse la cosa puede. Es muy de poeta el inventar...» [4]. Otros, en cambio, no se muestran tan enemigos de toda innovación. A mediados de la centuria siguiente, p. ej., Fr. Jerónimo de San José, en su obra titulada *Genio de la Historia* (1651), aun reprendiendo «la estrañeza o estravagancia del Estilo, que antes era achaque de los raros, i estudiosos, *i oi lo es,* no ya tanto dellos, cuanto

---

[1]   *Fil. rac.,* fol. 33.

[2]   *Ibid.,* fol. 79 v. "siendo esto lo primero, que acerca desta materia nace en esta lengua".

[3]   Morales, *ibid.,* pg. 73.

[4]   *De Historia, para entenderla y escribirla,* Madrid, Sánchez, 1611, pgs. 89 y 90.

de la multitud casi popular, i vulgo ignorante» [1], reconoce de hecho, y como necesidad, la transformación lingüística del castellano: «en España mas que en otra Nacion parece que andan a la par el trage, i el lenguage: tan inconstante, i mudable el uno, como el otro. Lo qual, si con moderacion i eleccion se introduxesse, no calumnia, sino loa podria conciliar. Porque el brio español no solo quiere mostrar su imperio en conquistar, i avasallar Reinos estraños; sino tambien ostentar su dominio en servirse de los trages, i lenguages de todo el mundo» [2].

Y, por otra parte, hay quienes reconocen que del latín, como fuente natural del idioma español, se pueden deducir términos nuevos: «en Castilla hay millares de Varones sabios, que... podrian hallar vocablos propios à cualquier cosa, en demas teniendo la lengua Latina, de la qual la Lengua Castellana pretende ser tomada del tiempo de los Romanos venidos a España; que pues la Latina es madre de muchas otras Lenguas, la Castellana se mejoraria grandemente» [3].

Notaremos, además, que casi todos estos apologistas de la lengua castellana y aun los defensores de los neologismos, distinguen entre los términos forjados por necesidad o por graves razones, y los que deben su origen a la fantasía (o a la «extravagancia») del vulgo, y se muestran mucho más comprensivos e indulgentes para con los primeros, mientras condenan los segundos [4].

---

[1] Cfr. Pastor, *op. cit.,* pg. 140.

[2] *Ibid.,* pgs. 143-4.

[3] Rafael Martín de Viviana, reprod. por Pastor, *op. cit.,* pg. 126.

[4] "Vnos pocos Españoles necios, que para hacerse estimar por sabios entre los ignorantes, hablan de manera que no se entiendan han de ser causa y bastar, para que junto con ellos sean condenados todos los que con prudencia procuran hablar bien el Castellano?" (Morales, en Pastor, *op. cit.,* pg. 83). Asimismo D. Juan de Robles pregunta maravillado "como... inventan los oficiales y las damas tantos (vocablos) cada dia en sus obras, labores y galas, sin que nadie se lo prohiba ni reprehenda, sino admitiéndolos todos en general con tanta obediencia como si el rey se lo mandara?" *(Ibid.,* pg. 163).

Tras estas breves consideraciones [1] presentaremos la posición teórica de nuestro autor, para luego ver cómo se condujo en la práctica.

Advertiremos, en primer lugar, que Simón Abril, como traductor y maestro que fué toda su vida, da al uso preciso de los términos una importancia extraordinaria. No comprendiéndolos bien, el discípulo «andará estragado y engañado, como soldado visoño, que no entiende, que es lo que significa el son del atambor» [2]. En las versiones, sobre todo, dar con el término justo es un requisito fundamental [3]. Pero, además, en el uso de la lengua misma no basta «saber cosas dichas assi generalmente y en comun: sino que se ha de tener noticia de las cosas muy particulares y menudas y de la propiedad del termino que ay en ella para tratar de cada cosa» [4]

Ahora bien: cuando la lengua española no ofrece un vocablo correspondiente a un término latino o griego, Simón Abril no es, desde luego, de la opinión de Cabrera de Córdoba de que «callarse la cosa puede», sino que, apoyándose en el parecer de Aristóteles, le parece legítimo inventar nombres [5], y, generalmente, o adopta un término español ya en uso en el lenguaje corriente [6], o, y esto es

---

[1] Para encuadrar a nuestro autor dentro de esta interesantísima controversia de los neologismos, habría que entrar más adentro en el problema, considerando a los distintos escritores que se expresaron sobre este punto en orden cronológico, ya que el tiempo juega un papel importantísimo en la aclimatación de las palabras. Pero un estudio de tal carácter nos llevaría demasiado lejos; por tanto, nos hemos limitado a citar unos pasajes representativos.

[2] *Fil. rac.*, fol. 8.

[3] Cfr. la *Etica*, ed. de Bonilla (1918), pgs. 20-21 y 267.

[4] *Fil. rac.*, Dedicatoria. Es interesante el hecho de que subraye que el conocimiento de las lenguas es "en todas maneras necesario para entender el sentido literal de las sagradas escrituras" *(Ibid.* Al letor).

[5] Cfr. *Fil. rac.*, fol. 33 v.

[6] Cfr., p. ej., en el vocabulario que ponemos a continuación la voz "Dinidades", pg. 195.

lo que aconseja en teoría [1], y lo que en la práctica efectúa la mayoría de las veces, adopta la palabra original castellanizándola o sin castellanizar [2].

Pero si aprueba y considera necesaria la acuñación de términos nuevos, limita su empleo al lenguaje didáctico y científico. Del prólogo de su tercera edición de la *Gramática latina* se desprende esta diferenciación entre la lengua escolástica y la retórica [3], y en la *Filosofía racional* declara expresamente que ciertos términos, empleados legítimamente allí, no deben salir de las escuelas [4]. Y, finalmente, en el prólogo a la *Etica* se disculpa con el lector

---

[1] Cfr. la *Fil. rac.*, donde, explicando cómo el término especie ha sido adoptado por el castellano, añade "como de necessidad se ha de hazer en el traduzir las sciencias de vna lengua en otra, que quando no ay vocablo acomodado se queda el de la lengua primera, que assi lo hizieron los Latinos en el traduzir las sciencias de la lengua Griega ala suya" (18 v.). Y más adelante vuelve sobre lo mismo: "Tomandose las ciencias de vnas lenguas para otra, en falta de vocablo propio mejor es admitir el extrangero, que ya esta vsado, que escurecer la cosa en terminos no recibidos, ni jamas vsados" (fol. 83 v.). Cfr. Vives, *De ratione dicendi*, liber III, Opera, *ed. cit.*, vol. I, pg. 153, proponiendo el ejemplo de los antiguos: "Barbara nomina Graeci ac Romani reliquerunt in sua origine et natura. tantummodo flexerunt ad formam suae linguae".

[2] Cfr. el glosario a continuación. En las traducciones, a veces, deja el término griego con una ampliación explicativa (éste es quizá el punto en que más difiere de los criterios de los traductores modernos). He aquí un ejemplo de la *Etica*, 1, 7 (pg. 84): "El exceso de la generosidad llamase, en griego muy bien, apirokalia, ques como si dijesemos ignorancia de lo que es perfecto o falta de experiencia de lo bueno, y tambien banousia, ques hequereza..." Otras veces en cambio emplea términos castellanos, como, p. ej., cien ducados por una mina *(Ibid.*, I, 6, pg. 79).

[3] "vna cosa es escriuir oraciones, y otras enseñar artes. En las oraciones el modo de dezir a de ser popular y no apartado de la lengua commun de todos: en el enseñar las artes dase mayor libertad de vsar algunos vocablos, que no sean populares". *Gram lat.*, 1573. Al letor.

[4] "Por tanto, el logico no se ofendera, si viere deduzir de cabeça, encabeçado y encabeçamiento, ni de ala, alado, y alacion, o de remo, remado y remacion. Porque estos terminos solo seruiran para declarar estas correspondencias, ni saldran fuera del vso de la logica" (fol. 33 y v.).

por los términos nuevos que se ha visto obligado a emplear, añadiendo que son «bien pocos».

Es difícil determinar si esta limitación de la licitud de los neologismos al lenguaje, que hoy llamaríamos técnico, responde a una convicción del propio Simón Abril o si sus palabras están inspiradas por la prudencia, denotando, una vez más, su posición defensiva, ya que sabía que los vocablos nuevos, recibidos, «no acarrean mucho aplauso y, repudiados, dan ocasion de murmurar» [1], o quizá refleje en esto también la actitud de Cicerón, antineologista en su actividad de tipo civil, jurídico y público, mientras que en los tratados teóricos admitía y aprobaba esta licencia y la utilizó ampliamente en sus obras filosóficas y puramente literarias [2].

No es claro tampoco qué valor tiene una afirmación de Simón Abril en los *Apuntamientos* de que una de las desventajas acarreadas por el empleo del latín en la enseñanza es la de no enriquecer el idioma español [3]. ¿Se ha de interpretar este «enriquecimiento» en el sentido lingüístico, como, p. ej., lo consideraba Luis Vives [4], o en el sentido en que a veces vemos empleada esta misma frase en el siglo de oro, indicando la abundancia de obras escritas o traducidas a un idioma? [5]. Sea como fuere, en

---

[1] *Etica,* Prólogo.

[2] Cfr. Laurand, L., *Etudes sur le style des discours de Ciceron,* Paris, 1925-27, pg. 68.

[3] Fol. 6 "El mismo M. Tullio... en el libro de sus Topicos vso de muchos vocablos escholasticos y apartados del lenguage popular: de manera que por auctoridad y exemplo de Tullio podemos enseñando vsar de vocablos semejantes." *Gram. lat.,* 1573, Al lector.

[4] Cfr. *De ratione dicendi,* lib. III, *Opera,* vol. I, pg. 153: "... Vtilissimum esset linguis, si dexteri interpretes auderent nonunquam peregrinam figuram, uel tropum donare sua ciuitate, modo ne ab illius moribus & consuetudine multum desideret. Quandoque etiam ad imitationem prioris linguae & quasi matris fingere ac formare apte uerba aliqua, ut posteriorem linguam, ac quasi filiam locupletarent."

[5] En este sentido habla de "enriquecimiento" de la lengua D. Tomás

su propio campo, esto es, en los escritos didácticos y filosóficos, Simón Abril hizo amplio uso de la libertad que adjudicaba a la terminología de estas materias [1].

Por lo que se refiere a su vocabulario, en lugar de hacer un estudio comparativo [2], he preferido aportar una lista de palabras que Simón Abril, por una u otra razón específica, explica o comenta. Algunas son de uso corriente en sus tiempos, otras —la mayoría— son términos científicos que nuestro autor se siente en deber de aclarar, bien para que los lectores sigan la explicación, o ya para establecer un enlace entre la terminología tradicional latina y la castellana, que entonces empezaba a cristalizarse. De los términos que cita como griegos y latinos, algunos ya están atestiguados en documentos anteriores (p. ej.: antipatía, apoplejía, aristocracia, discrasia, etc.), otros son corrientes hoy, pero evidentemente no lo eran en su época, y, por fin, otros se incorporaron en la lengua española. Pero, por estar las referencias formuladas en términos idénticos, los he incluído también. El interés intrínseco de tales materiales satisfará por su carácter algo heterogéneo.

El vocabulario.

ACUERDO

"ai otra manera de memoria para tornar a acordarse de lo que una vez se a olvidado el alma: la cual en Griego se llama anamnesis, i en Latin reminisçentia, i en Castellano acuerdo" *(Fil. nat.,* fol. 245 v.).

Tamayo de Vargas en su "Discurso a los defensores de la lengua española". Cfr. pg. 10, n. 2.

[1] La distinción entre el lenguaje científico y el literario nos indica, además ,que aquí nos hallamos en un terreno completamente distinto, aun respecto a los neologismos, del que analizó D. Dámaso Alonso en su trabajo *La lengua poética de Góngora,* Madrid, 1935.

[2] De base servirían los ficheros de los Diccionarios, el Medieval y el de Diccionarios de la Sección de Filología Moderna del Instituto Antonio de Nebrija, el cual, sin embargo, está en formación.

AIMATITES

"las cosas naturales tienen otros actos i perfiçiones... como la piedra iman tiene una virtud i perfiçion de tirar el hierro para si, i otra llamada en Griego aimatites, que en Castellano suena estanca sangre, tiene virtud de detener los fluxos de la sangre, de que tomò el nombre" *(Fil. nat., fol. 198).*

ANALYSIS - ANALYTICO

"Quatro maneras pues ay de methodo, conque se tratan sciencias con orden y destreza, methodo de resolucion, methodo de compo- sicion, llamadas por Aristoteles, Analysis, y Genesis..." *(Fil. rac.,* fol. 11).

"toda ella (la logica) ensi se constituye por las dos methodos gene- rales, de resolucion y com/posicion llamadas en Griego Genesis, y Analysis" *(Ibid.,* fol. 12 y v.).

"... despues de auerse puesto la definicion de la logica, se parte por la ley de la particion en dos partes, Topica y Analytica llamadas por otro nombre inuencion y disposicion" *(Ibid.,* fol. 12 v.).

"Este arte tan vtil y tan esclarecida se diuide en dos partes princi- pales, inuencion y disposicion, llamadas en Griego Topica y Analy- tica" *(Ibid.,* fol. 13 v.).

ANAMNESIS.—Cfr. Acuerdo.

ANTIPATIA

"pero aun entre los animales ai esta amistad o enemistad natural, que los griegos elegante mente llaman en su lengua, simpatia i anti- patia..." *(Fil. nat.,* fol. 39; cfr. también fol. 207).

"entre todas las cosas, que obran conforme a acçion i fuerça natural hallaremos esta manera de antipatia, o acçion i passion reçiproca" *(Ibid.,* fol. 186).

APOPLEXIA

"Porque vemos que en todos aquellos, que mueren repentina mente de la enfermedad, que se llama en Griego apoplexia, i quiere dezir golpe o herida, que por ponerse algun umor gruesso en aquella parte, por donde el çelebro comunica esta sustançia espiritual a'l tuetano dela espina, pierde el cuerpo subitamente todo su movimiento" *(Fil. nat.,* fol. 251).

ARISTOCRACIA.—Cfr. Democratia.

ARSIS i THESIS

"Ai fuera deste movimiento voluntario delos animales, otro que es forçoso enlos que tienen coraçon, que es el de las arterias, que en Griego se llama arsis i thesis, que es compression i dilataçion para alivio de'l coraçon" *(Fil. nat.,* fol. 252).

AUJE Y OPUESTO DEL AUJE

"el çentro del deferente dista tanto del çentro de'l mundo, cuanto el planeta sol esta mas apartado dela tierra estando enel primer grado del Cangrejo, elcual se llama el auje, que estando en el primero del Capricornio, que se llama el opuesto de'l auje" *(Fil. nat.,* fol. 115 v.).

AXIOMA.—Cfr. Dinidades.

CABEÇA Y COLA DEL DRAGON

"... de dos puntos enque (el epiciclo) se corta conla ecliptica el dela parte de oriente se llama la cabeça de'l dragon, y el dela de'l ociente la cola, en solo los cuales dos puntos pueden suçeder / los eclipses... Y cuando el planeta coneste movimiento camina dela cola de'l dragon ala cabeça se dize caminar derecho, y anda mas... Pero cuando camina conel mismos movimiento dela cabeça ala cola, se dize caminar retrogado, y pareçe andar mas perezoso...: pero cuando se halla enlos puntos dela cola o dela cabeça, se dize estar estaçionario" *(Fil. nat.,* fol. 116 v.-117).

CACHECTICO

"ni a de querer de tal manera la (manera de gouierno) que ia esta enuegecida en mal gouierno, i es / semejante al cuerpo de mal habito i cachectico, traerla tan al niuel de la perfeta, que la destruia del todo" *(Rep.,* fol. 107 v. y 108).

CALINAS.—Cfr. Escalaçion.

COÇER

"La facultad pues de crecer i mantener... haziendolo (el mantenimiento) de'l todo semejante ala misma planta mantenida mediante la facultad de'l cozer... haze sus operaçiones" *(Fil. nat.,* fol. 204 v.).

COMENDATICIO

"De aqui procedio el auer diuersos generos de cartas conforme a estos fines diferentes... la que para encomendar cosas agenas, en Latin dize se comendaticia y en Castellano carta de fauor: / la que trata de quexas, dize se en Latin expostulatoria..." *(Epist. fam.,* 1589, fol. 2 y v.).

COMETA

"las calinas... / subense façil mente hasta la rejion suprema de'll aire, donde... vienen a encenderse façil mente, i a hazer aquellas: aparençias, que los filosofos llaman cometas, que quiere dezir estrellas con cabellos, i el rudo vulgo entiende, que son estrellas, que corren" *(Fil. nat.,* fol. 133 y v.).

COMITIA

"I assi lo hazian los Romanos en los aiuntamientos generales, que ellos llamauan comitia Tributa, Centuriata, Decuriata, que quiere dezir concejo aiuntado por perroquias, por Centurias, por Decurias" *(Rep.,* 136 v.).

CORAGUS

"Aquellos, que llama administradores delas fiestas, i en Griego Coragus, eran los que tenian cargo de juegos i danças..." *(Rep.,* fol. 139 v.).

CRASIS - EUCRATO - DISCRATO - DISCRASIA

"Esta manera de mezcla (entre las calidades de los elementos) se llama en Griego crasis, que es como si dixessemos templança; i el cuerpo que en su naçimiento o jeneraçion açertò a tener esta mezcla bien proporçionada en sus calidades bien puestas en su punto, se llama en Griego eucrato, que es como digamos, bien templado: i es cuerpo natural mente sano: i el que no las alcançò en su devida proporçion i sinmetria, se dize discrato, i su templança discrasia: i el cuerpo que la tiene es natural mente enfermizo" *(Fil. nat.,* fol. 211 v.).

DEFERENTE

"El deferente de'l sol que es el çirculo, que lleva en si el mismo planeta de'l sol" *(Fil. nat.,* fol. 115 v.).

DEMOCRATIA

"Pido licencia al benigno lector para vsar destos vocablos, Democratia, Oligarchia, Aristocratia, los quales por no estar recibidos en el comun vso de nuestra lengua, parecen vocablos peregrinos. Pero assi como este vocablo Tyrania, que es dela misma lengua que a- / quellos con el vso a venido a parecer bien i ser vsado, assi tambien les acaecera a los tres, que arriba e puesto que mejor es vsar destos, que escurecer la materia i escritura con rodèos" *(Rep.,* fol. 3).

"No se enfade (el lector) si algunos vocablos leyere nuevos en

nuestra lengua, que son bien pocos, como son los nombres de especies
de republica, Aristocracia, Monarquia, Timocracia, Oligarquia, De-
mocracia" *(Etica*, Prólogo).

DIALUSIS

"Quando dos vocablos, que podian hazer diftongo, hazen silaba cada
vna por si, les se/ñalan dos puntos, para que se entienda, que son
dos silabas, i llamase dialusis, que significa diuision" *(Gram. Griega,*
1587, h. 7 y v.).

DIMAGOGUS

"Los que en el vltimo genero de Democratia llama (Arist.) cabeças,
o gouernadores del pueblo, son los que con su eloquencia lisongera
quieren ganar la boca al rudo vulgo, para con aquello poder ellos
hazer i deshazer en la Republica... En Griego los llaman, Dimagogus,
que quiere dezir, guias del pueblo" *(Rep., fol. 116)*.

DINIDADES

"Desta definicion se colije, que los principios de la demostracion,
han de ser vnos pronunciados de verdad cierta e infalible... que por
si mismas son dinas de que se les de credito. Por lo qual las llaman
los Griegos en su lengua, axiomas, como si dixessemos en Castellano
dinidades" *(Fil. rac., fol. 88 v.)*.

DISCRATO - DISCRASIA.—Cfr. Crasis.

DISCURSO

"De ahi se colige manifiestamente, que toda argumentacion perfecta,
llamada en Griego, ανλλογισμος, y en Latin, ratiocinatio, y en Castellano
el discurso, ha de tener de necessidad tres pronunciados" *(Fil. rac.,*
fol. 71 v., cfr. también fol. 73).

ENKYKLOPAEDIAN

el que profesa letras humanas "... sino que aia passado aquel circulo
de disciplinas que los Griegos llaman Enkyklopaedian, no podra exer-
citarse bien en la declaracion delos autores elegantes, graues, y approuados" *(Ep. Sel.,* 1572, Annotationes).

ESTREMIDAD

"Estremidad es, lo que proçede de'l tirar la raya de ambos estremos
divisible en anchura i en largura" *(Fil. nat., fol. 92)*.

EUCRATO.—Cfr. Crasis.

EVITERNIDAD

"La duraçion pues de las cosas o se mide... con termino anterior pero sin posterior... i llamase en latin Evo, en Castellano no tiene puesto nombre... i assi para hablar de'sto propia mente an lo llamado Eviternidad, componiendo el nombre de Evo i Eternidad, para que sinifique Evo que començò con el tiempo, pero no se a de acabar como la eternidad" *(Fil. nat.,* fol. 70).

EXALAÇION

"en el tiempo de'l estio, ... vemos palpable mente, que (la tierra) està como humeando i levantando de si una sustançia humosa caliente y seca, que los Latinos llaman exalaçion, i nosotros mas propia mente calinas" *(Fil. nat.,* fol. 133).

EXPOSTULATORIA.—Cfr. Comendaticia.

FINIDOR.—Cfr. Partidor.

FISIOLOJIA

"el sujeto de la fisiolojia o filosofia natural es el cuerpo natural" *(Fil. nat.,* fol. 17 v.).

FORMA

"la (sustançia) que da el ser, se dize en griego, morfe, i enteleceia, que en castellano quiere dezir la forma o hermosura, i la perfiçion" *(Fil. nat.,* fol. 200 v.).

HALON

"Hazese tambien en las nuves un çirculo entero al rededor de'l sol, llamado en Griego Halon, el cual resulta de la reflexion, que hazen los rayos en la nuve" *(Fil. nat.,* fol. 137).

HETEROJENEO.—Cfr. Omojeneo.

GENERO

"Genero es vocablo Latino, y tambien Griego: porque en Latin se dize genus, y en Griego τὸ γένος. El vocablo propio que le corresponde en Castellano es linage: pero en cosa de sciencia ya el vso a obtenido el dezirse genero y no linage..." *(Fil. rac.,* fol. 17 v.).

GENESIS.—Cfr. Analysis.

GYMNASTICA

"El exercicio de la lucha, que ellos llamauan gymnastica, i el otro que llamauan pedotribia, anse perdido con la mudança delos tiempos" *(Rep.,* 253 v., por errata 268).

IGUALADOR

"La primera división dela esfera de la tierra la haze el circulo mayor llamado el igualador, el qual dista igual mente en todas sus partes de aquellos dos puntos, que tienen por zenit i nadir los dos polos de'l mundo" *(Fil. nat.,* fol. 151).

METEOROLOJICO

"En todas estas tres rejiones de'sta esfera (del aire) no se enjendran cosas perfetas, sino imperfetas, que llaman en Griego meteorolojicas, que / quiere dezir cosas, que tienen en lo alto la razon de su jeneraçion" *(Fil. nat.,* fol. 132 v. y 133). Mas abajo habla de los "compuestos inperfetos i metereolojicos que se enjendran en el aire" (fol. 133).

MICROCOSMON

"Con mucha razon llamaron a'l hombre los Griegos microcosmon, que quiere dezir / mundo pequeño o mundo abreviado" *(Fil. nat.,* fol. 252 v. y 253).

MONIPODIO

"Bien claramente demuestra en este capitulo Arist. quan perjudiciales son a la Republica los que hazen estos monipolios, o como vulgarmente dizen, monipodios: i vsurpan las cosas para la vida necessarias, para venderlas despues como ellos quieren a los que las vuieren menester" *(Rep.,* fol. 17 v.).

OBELISCOLYCHNION

(Arist.) "Compara al hombre, que tiene muchos cargos con el candelero hecho de tal suerte, que pueda seruir de muchos officios, i particularmente se llamaua en Griego, Obeliscolychnion" *(Rep.,* folio 139 v.).

OLIGARCHIA.—Cfr. Democratia.

OMOJENEO

"en los animales se hallan dos maneras de partes, unas que son uni/formes en sustançia, i por esto los Griegos las llamaron omojeneas, que quiere dezir de un mismo ser i jenero...: otras que son diferentes en sustançia, i por esto los mismos Griegos las llamaron heterojeneas, que quiere dezir hechas en diversas sustançias" *(Fil. nat.,* fol. 40 y v.).

OMONIMO.—Cfr. Sinonimo.

ORGANO

"por tener cada grado de'stos sus propias facultades, conque haze sus propias operaçiones, a menester sus partes instrumentales, que en Griego llaman, organos, conque las pone por la obra" *(Fil. nat.,* fol. 202).

ORIZONTE.—Cfr. Partidor.

PALESTRA

"Lo que el Filosofo llama habitos de luchadores, no tiene en nuestros tiempos esperiencia, con que pueda demostrarse: por auerse / perdido el publico exerçicio dela lucha, a quien los Latinos i tambien los Griegos llamauan la palestra" *(Rep.,* fol. 255 y v.).

PARATITLA

"En el qual (el derecho) estando prohibida toda manera de interpretacion, excepto las titulares, que llaman paratitla, como se lee en el codigo, tit. de vetere iure enucleando, a venido en esto a tanto mal, que ia ni se tiene cuenta con el testo de la lei..." *(Rep.,* 263 v.).

PARTIDOR

"el çirculo partidor llamado en Griego Orizonte, i en latin finidor, es un circulo, que por todas sus partes, dista igual mente de'l punto, que està ençima de nuestra cabeça" *(Fil. nat.,* fol. 97).
"... sobre el çirculo orizonte o partidor" *(Ibid.,* fol. 117).

PEDOTRIBIA.—Cfr. Gymnastica.

PERROQUIA.—Cfr. Comitia.

POSTUMO

"... los que naçen despues de la muerte de su padre, a quien los Latinos llaman postumos" *(Fil. nat.,* fol. 41 v.).

PROCATARTICAS

"Tambien se siruen del (argumento de los adjuntos) los medicos en el inquirir la essencia de las particulares enfermedades, lo qual ellos llaman a lo que procede, causas antecedentes, o como dizen en Griego,

procatarticas, y a lo que acompaña, o sigue, accidentes, o symptomas"
(Fil. rac., fol. 47 v.).

REMINISÇENTIA.—Cfr. Acuerdo.

RESURRECCION

"Como fundamento de toda ella (la Cristiana relijion) se pone S. Pablo... a disputar i provar la verdad de la inmortalidad delas almas, i de la segunda / rejeneraçion, que nosotros llamamos resureçion i los Griegos παλυγγενεσίαν" *(Fil. nat.,* fol. 269 y v.).

SANTIAGO, CAMINO DE

"Ayuda mucho a creer ser ello de'sta manera aquella demostraçion de un çirculo, que se muestra en el çielo, aquien los Griegos i Latinos lo / llaman el camino de leche, por la blancura, que muestra, i los nuestros vulgarmente no se por que lo llaman el camino de Santiago" *(Fil. nat.,* fol. 123 y v.).

SILOGISMO.—Cfr. Discurso.

SIMPATIA.—Cfr. Antipatia.

SINONIMO

"Los ajentes naturales unos produzen efeto semejante a si, i llaman los en Griego causas sinonimas, porque produzen cosa, que tiene su mismo nombre, como un fuego produze otro fuego, i un ombre enjendra otro: otros produzen efeto diferente de si, i llamanse en Griego causas omonimas, porque produzen efeto diferente dellas en el nombre, como es el sol, que con su calor produze animales de materias corrompidas como son ranas, o culebras" *(Fil. nat.,* fol. 41).

SINOS

"... el (circulo) de los sinos, a quien los Griegos llaman el zodiaco" *(Fil. nat.,* fol. 96. En el texto emplea tan pronto sinos como zodiaco).

SORITES

"Esta manera de discurso no es otra cosa realmente que muchos discursos encadenados y asidos entre si: y por esta razon lo llamaron los Griegos Sorites, que en aquella lengua quiere dezir cosa amontonada..." *(Fil. rac.,* fol. 80 v.).

STRATIGOS

"Magistrado que tuuiesse señorio sobre la gente militar, auialo en todas las ciudades de Grecia en aquel tiempo por las muchas guerras, que entre ellos se offrecian: i este se llamaua en aquella lengua: Stratigos" *(Rep.,* 141 v.).

THESIS.—Cfr. Arsis.

TOSTADA, ZONA
"Todo el demas espaçio, que queda entre tropico i tropico... toma: para si la quinta zona llamada en Latin torrida i en Castellano tostada: por razon de'l mucho calor, que alli causa el sol" *(Fil. nat.,* fol. 156).

TYRANIA.—Cfr. Democratia.

ZENIT
"el punto, que està encima de nuestra cabeça, llamado, como poco a dixe, el zenit en lengua Araviga" *(Fil. nat.,* fol. 97).

ZODIACO.—Cfr. Sinos.

La fraseología.   De un estudio aparte sería digna la fraseología [1] de Simón Abril, tanto en su conciencia lingüística como en su lenguaje. Con saber vocablos no está hecho todo, advierte a menudo nuestro autor en sus notas: son los «raros y esquisitos usos» de los mismos, «las elegancias y buenos modos de dezir» los que constituyen «el genio» de la lengua. Y, en efecto, no pierde la ocasión de demostrar a sus colegas y a todos los que creen que aprender lenguas «es cosa de disputa», cuánto más importante que todos los preceptos es que el alumno se familiarice y asimile el caudal de giros idiomáticos de la lengua que quiere dominar. El demostrar cómo se traducen «los modos de decir» es, según su propia declaración, el fin principal de sus ediciones escolares con versión y comentario. Sus traducciones, me refiero a las que realizó como vulgarizador de la ciencia, son una prueba palpable de lo mismo: en su esfuerzo «de transformar en sí el ánimo y sentencia del autor que vierte, y decirla en la lengua en que lo vierte como de suyo,

---

[1] Cfr. el breve comentario a la fraseología de Simón Abril (en su traducción de Terencio) en la ya citada obra de Cejador y Frauca, *Fraseología o Estilística Castellana,* Madrid, 1922, pgs. 13 y sigs.

sin que quede rastro de la lengua peregrina en que fué
primero escrito», Simón Abril muestra una viva conciencia de las peculiaridades de las lenguas antiguas como de
la suya propia [1]. Pero sobre esto volveremos en otro lugar [2].

Quedan ahora por considerar todos aquellos elementos
que agruparemos bajo el término algo vago de «estilo» o,
mejor aún, de *artificium*, palabra que resume la labor del
hombre ilustrado para hacer de la lengua un instrumento
digno de su cultura y de su sentido estético: el escribir,
según concepto clásico muy difundido en el siglo de oro [3],
requiere un esfuerzo consciente no tan sólo en el sentido
de hacer inteligibles los propios pensamientos, sino también para dar perfección a la forma que los reviste.

El estilo.
I. La teoría.

Que así pensara también nuestro autor nos lo demues-

---

[1] Simón Abril conoce por experiencia las dificultades de la traducción:
"ai cosas, que no se pueden bien traduzir, como son todas las que consisten
en cierta gracia del vocablo, donaires, ambiguidades, paronomasias, dichos.
Sino diganos como le fue al que traduziendo a Celestina de Castellana en
Toscano para dezir, que tomo calças de Villa/diego, que en nuestra lengua
quiere dezir huir, dizo que piglio caligas de Villa jacobo, que alla quiere
dezir hurtar calças" *(Gram. gr.,* 1586, fol. 4 v. y 5).

[2] Al tener que interrumpir este trabajo he suprimido el capitulo sobre
Pedro Simón Abril como traductor, cuyas notas espero poder utilizar en
otra ocasión.

[3] En todos (los lenguajes), escribía Morales en su ya citado *Discurso*
(Pastor, *op. cit.,* pgs. 82-3), "el hablar bien es diferente del comun. Las
mismas palabras con que Tvlio decia una cosa, son las que usava cualquier
ciudadano en Roma: mas el con su gran juicio, ayudado del arte i del
mucho uso que tenia en el decir, hace que sea mui diferente su habla;
no en los vocablos i propiedades de la lengua Latina, que todos son unos,
sino en saberlos escoger i juntarlos con mas gracia en el orden i en la
composicion, en la variedad de las figuras, en el buen aire de las clausulas,
en la conveniente juntura de sus partes, en la melodia i dulzura con que
suenan las palabras mezcladas blandamente sin aspereza, en la furia con
que las unas rompen i entran como por fuerza i con vigor en los oidos i
en el animo: i en la suavidad con que otras penetran mui sesgas i mui
sossegadas, que parece que no las metieron, sino que ellas sin sentirlo se
entraron".

tran, en primer lugar, varios pasajes de sus obras. Ya vimos en el capítulo sobre las gramáticas que distinguía tres
estilos: el «ínfimo», el «medio» y el «sublime», siendo el
«medio» el más apropiado para tratar artes y, por tanto,
para sus propios escritos. Aunque no tan adornado como
el «sublime», este estilo requiere también el *numerus* y la
concinnitas. Por otra parte, dentro de estos requisitos formales, puede haber tanta variedad como varían las materias y el auditorio. Así es que cuando unos «doctos varones» le hacen notar que el segundo *Methodo* (el de 1569)
no parecía apropiado para principiantes, Simón Abril lo
refunde, escribiéndolo en estilo más llano y popular[1]. Por
la dureza de las frases y el orden más enrevesado de las
palabras, aun el lector moderno se dará cuenta en seguida
de que le ha quitado buena parte de su *artificium*.

Asimismo de la Lógica observa varias veces nuestro autor
que su estilo es naturalmente «enxuto» y señala sus propios esfuerzos para hacerlo menos «dessabrido»[2]. Y el mis-

---

[1] "Pero algunos amigos varones ciertos doctos, y personas cuia censura se ha de preciar mucho, me auisaron de vna cosa, que a mi me
parecio bien, que pues esto que io escriuia, auia de seruir para nueuas
habilidades... seria bien, que la phrasis del dezirlo fuesse no tan rodada ni
tan artificiosa, sino tal que se dexasse palpar y comprenhender mas facilmente... Pareciendome pues bien este sano consejo determine de hazer la
tercera impression solo para facilitar el estilo y allanar el modo de dezir..."
(Gram. lat., 1573, Al Lector).

[2] Cfr. p. ej. *Fil. rac.,* fol. 79 v.: "Porque el estilo de hablar los lojicos
es assi corto de palabras y espinoso: y que se encierra dentro de pocos
pronunciados, y voluntariamente se priua de todo el atauio dela oracion".
Pero hay que advertir que si en la enseñanza de las ciencias excluye la
retorica —concepto que parece identificar con el estilo oratorio— no por
esto la priva de todo artificio. Cfr. *ibid.,* fol. 9 v.: "lo qual (el alumbrar el
entendimiento con la luz de la verdad) se hace sin rhetorica con sola
discrecion de razones y *claridad y elegancia de palabras*". En la *Filosofía
natural* advierte además que "no es ella (la lógica) dessabrida real mente
por estar en nuestra lengua: que en todas tiene ella essa sequedad natural
i esse estilo tan enxuto. Antes, como lo podran bien juzgar, los que
uvieren estudiado en Griego o en Latin, avemos procurado, que en esta
lengua fuesse menos dessabrida que en aquellas, procurando dalle estilo

mo intento consciente se manifiesta en la *Fisolofía natural* y en la traducción de la *Etica* [1].

La lectura de las obras mismas comprueba e ilustra sus palabras. En todas ellas se nota en seguida la diferencia entre las dedicatorias, mucho más «artificiosas» en el sentido clásico de la palabra, y el texto, y aun en éste, entre las partes meramente doctrinales y las que ilustran la exposición, como los ejemplos, las comparaciones, comentarios personales del autor, etc.

La práctica.

Pero también en las secciones expositivas nuestro autor alcanza una soltura que, analizada más de cerca y, sobre todo, contrastada con escritos de generaciones anteriores, demuestra que sus esfuerzos conscientes no han sido vanos. Lo veremos en la comparación de estos dos trozos sobre la misma materia, el primero de los *Problemas*, de Villalobos [2], y el segundo de la *Filosofía natural*. Así describe el doctor Villalobos los movimientos del sol:

«... el sol tiene tres mouimientos differentes vno de otro. El primero es el que vemos que haze cada día de oriente a poniente. Y este se cumple en veynte y cuatro horas yguales poco mas. Conuiene a saber desde que parte de oriente hasta que rodeando todo el mundo por arriba y por abaxo buelue a salir otra vez. Y este se llama dia natural que comprehende dia y noche. Y desta manera es tan grande el dia de inuierno como el de estio: porque lo que se acorta d'l dia se alarga enla noche. Este mouimiento se llama diurno porque se haze cada dia: y llamase rapto porque el cielo o sphera donde esta el Sol es arrebatado y trahido por fuerça del primer cielo movil: que es tan grande y tan potentissimo en su curso: que como el se mueue de oriente a poniente y da una vuelta entera en un dia natural: trahe consigo

de dezir no tan enxuto...", Al Lector. Ya en la *Introductio* había buscado la "propietas suavisque compositio et concinnum tractum" (pg. 12). Nótese el paralelismo: el mismo esfuerzo lo hace luego en la redacción castellana.

[1] "En las cuales dos partes tambien se a procurado, cuanto alas fuerças de un flaco entendimiento umano les a sido possible, que el estilo de dezir fuesse algo gustoso..." Al Letor.

[2] LIBRO / intitulado Los proble/mas de Villalobos... M.D.XLIIII. Colofón: ... Çaragoça en casa de George Coci... fol. 1.

arrebatados i forzados a todos los cielos que estan debaxo del: y hazeles dar una vuelta cada dia: y hazer el mouimiento diurno (como dicho es) en veynte y cuatro horas... Tiene otro segundo mouimiento el Sol: que es propio curso dela sphera en que el esta: que haze vna vuelta entera en trezientos y sesenta y cinco dias y seys horas... Tiene otro tercero mouimiento el Sol y es el que haze en su rueda que se llama Epiciclo ...»

A su vez, Simón Abril nos habla del movimiento de los astros empezando desde el primer movible:

«... El ofiçio pues de'sta primera esfera es moverse sobre los dos puntos fixos llamados los polos de'l mundo en espaçio de veinte i cuatro oras: i llevarse tras si todas las otras esferas, conque haze, que el sol i la luna, i los demas planetas i estrellas cada dia hagan sus influxos i efetos en todas las tierras: lo qual sin este movimiento no pudieran hazer: pues con los suyos propios dan sus bueltas naturales sobre los polos de'l zodiaco en tanta diversidad de tiempos, cuanta declararemos luego: i por esto a ésta primera esfera con mucha razon la llamaron los filosofos el alma de'l mundo / por manera de metafora. Porque assi como en faltando el alma çessan en el cuerpo todas las obras naturales, assi tambien si çessase el movimiento de'ste primer cielo, aunque anduviessen todos los demas, por su mucha tardança çessarian todas las jeneraciones, i a todas las cosas bivientes les faltaria la vida» [1].

Al autor del primer párrafo citado evidentemente no le molestaba el enojoso repetirse de las mismas construcciones, unidas por las conjunciones copulativas, «Y este se llama...», «Y desta manera...», o con el pronombre relativo, «que es tan grande...», «que como se mueue...». En sus frases cortas y yuxtapuestas, la subordinación juega un papel muy secundario, reduciéndose generalmente a las formas más elementales.

En cuanto a esta última, tampoco la hallamos desarrollada del todo en Simón Abril (predominan en su sintaxis las subordinadas relativas, causales, concesivas y la correlación comparativa). Con todo, la impresión que nos hace el párrafo que acabamos de entresacar de la *Filosofía na-*

---

1 *Fil. nat.*, fol. 110 v.-111.

tural, y en general su obra, es bastante distinta de la que deja la lectura de los *Problemas* de Villalobos. Nótense, p. ej., el empleo de las formas nominales del verbo, la función de los relativos, que aquí recuerda el uso latino, la comparación concadenada con una frase hipotética.

Pero donde el influjo de las lecturas, particularmente la de los clásicos, se hace más patente es en las dedicatorias y en aquellos pasajes en que nuestro autor se siente elevado por la nobleza de la materia [1], o aun simplemente allí donde le interesa probar su punto de vista, esto es, cuando entra en juego el elemento persuasivo (¿y no fué inventada para esto la retórica?). Citaremos un período en el que se manifiesta una de sus «ideas fijas», la necesidad del orden [2].

«Importa tanto en el hazer las cosas el guardar orden i concierto, i el saber lo que se a de hazer al principio, lo que al medio, i lo que al fin, que no solamente sin esto no se pueden bien aprender las buenas letras, cosa tan importante para los hombres que precian el buen trato i policia publica, pero aun los negocios i cosas del trato necessario de la vida tratadas con orden i concierto pocas vezes dexan de tener prosperos sucessos, i salir conforme al desseo i voluntad de quien las trata: i por el contrario la orden no bien guardada no solamente confunde i escurece las sciencias tratando cosas agenas dellas i propias de otra profession, peruirtiendo el concierto que tienen entresi las cosas, tratando al principio lo que se auia de enseñar a la postre: pero tambien se echa de ver esta falta en las cosas de la vida: pues tenemos por indiscretos a los que, o no saben hazer election de buenos fines, o no entienden la orden de los medios, que conuienen para salir con ellos».

---

[1] Cfr. p. ej. el primer capítulo de la *Filosofía natural* reproducido en el apéndice.

[2] Es el principio de la "Instrvcion" en la *Epist. Sel.* de 1583; la comparación de este párrafo con el correspondiente en la edición de 1572 demostrará cuánta diferencia los separa. El desarrollo del estilo de Simón Abril desde sus primeras obras hasta la *Filosofía natural* sería también un tema interesante, que aquí no acometemos por falta de tiempo. Las modificaciones en puntos que a nosotros quizá nos parezcan insignificantes o indiferentes demuestran lo que afirmábamos arriba: el *artificium consciente.*

Consta este párrafo de dos partes que, sirviendo la conjunción de eje, quedan en equilibrio por su estructura y
extensión —y adviértase que se trata de ideas contrastantes—. La frase consecutiva del primer período también se
divide en dos partes, que sirven mutuamente de contrapeso,
no solamente... pero aun; y lo mismo sucede en el segundo
período, *no solamente... pero también.* De manera que,
ordenando el párrafo según lo dicho, tendríamos un esquema como éste:

Importa tanto en el hazer las cosas
el guardar *orden i concierto,*
i el saber lo que se a de hazer al principio,
    lo que al medio
    i lo que al fin,

       que

no solamente sin esto no se pueden bien aprender las buenas letra
    cosa tan importante para los hombres
    que precian *el buen trato i policia publica,*
pero aun los negocios i cosas del trato necessario de la vida
    tratadas con *orden i concierto*
    pocas vezes dexan de tener prosperos sucessos,
    i salir conforme al *desseo i voluntad* de quien las trata:

       i por el contrario

la orden no bien guardada
no solamente *confunde i escurece* las sciencias
    tratando cosas agenas dellas i propias de otra profession,
    peruirtiendo el concierto que tienen entresi las cosas,
    tratando al principio lo que se auia de enseñar a la postre:
pero tambien se echa de ver esta falta en las cosas de la vida:
    pues tenemos por indiscretos a los que,
       o no saben hazer election de buenos fines,
       o no entienden la orden de los medios,
       que conuienen para salir con ellos.

Características parecidas, pero con un tono retórico mucho más marcado, aparecen, p. ej., en la dedicatoria de la
Filosofía racional. Citaremos un trozo esquematizado, también, para que resalte más claramente su construcción y
artificio:

... que

Que

Que

Que

Que

Hemos subrayado en ambos esquemas las cambinaciones de palabras, generalmente sinónimas o de sentido afín, antiquísimo recurso retórico [1], muy común en los tiempos de Simón Abril y tan frecuente en sus escritos, que constituye una de las características más marcadas de su estilo; tanto es así, que en las traducciones le induce a menudo a desdoblar los términos, y esto no ya para aclarar el sentido, sino para que el período quede rítmicamente más completo [2]. Sinónimos.

Otra figura que ha llegado a ser como una segunda naturaleza de Simón Abril, y a la que seguramente le había acostumbrado la lectura de los clásicos, son el paralelismo y la antítesis y con ellos ese equilibrio de las cláusulas que Paralelismo y antítesis.

---

[1] Cfr., p. ej., Blass, F., *Demosthenes Philippische Reden* (II Heft. II Abteilung). Indices. Leipzig, 1886, pg. 13, sobre la predilección de Demóstenes para la combinación de dos sinónimos. Pedro Simón Abril tradujo a Demóstenes; pero puede haber influído en él también Cicerón, en el que, como en general en el latín clásico, tales combinaciones son muy frecuentes.

[2] Cfr., p. ej., en la *Etica* las siguientes traducciones (y recuérdese que Pedro Simón Abril, generalmente, no amplía, a no ser para aclarar algún término, lo cual hace estos desdoblamientos aun más chocantes):

στρατηγικόν	(I, 1)	de emperador o capitán.
ἐφ'ὅσον ἡ τοῦ πράγματος φύσις ἐπιδέχεται	(I, 3)	cuanto la naturaleza de la cosa lo sufre y lo permite.
κατ 'ἀναλογίαν	(I, 6)	por analogía o proporción.
ἀργόν	(I, 7)	cosa ociosa y por demás.
δυσγενής	(I, 8)	vil y bajo.
ἐθιστόν	(I, 9)	por costumbre y uso.
ὅ τε γὰρ πάντα φεύγων καὶ φοβούμενος καὶ μηδὲν ὑπομένων δειλὸς γίνεται	(II, 2)	el que de todo placer huye, como los rústicos, hácese un tonto sin sentido.

Ya Luis Vives otorgaba esta licencia: "Licebit duo verba uno reddere, & unum *duobus*, & in quocunque numero, *ut nactus erit linguam*" (*De ratione dicendi*, loc. cit., pg. 152).

notábamos arriba [1]. Significativa en este sentido, tanto para sus obras como para sus traducciones, es la siguiente disculpa que leemos en el prólogo de la *Etica:* «si algunos lugares hallare (el lector) que no tengan la cadencia de la oración tan dulce como él la quisiera (lo qual yo he procurado cuanto posible de hacer), entienda que es muy diferente cosa vertir ajenas sentencias que decir de suyo, porque en el decir de suyo *cada uno puede cortar las palabras a la medida y talle de las sentencias;* pero en el vertir sentencias ajenas de una lengua en otra, no pueden venir siempre tan a medida como el intérprete quiere las palabras».

Hasta qué punto venció las dificultades aquí expuestas lo demuestran, p. ej., los períodos siguientes:

Διὸ δεῖ ἦχθαί πως εὐθὺς ἐκ νέων, ὡς ὁ Πλάτων φησίν, ὥστε χαίρειν τε καὶ λυπεῖσθαι οἷς δεῖ (1104 *b*, 11).

«Por lo cual conviene, como dice Platón, que luego dende la niñez se avecen los hombres

    a holgarse con lo que es bien que se huelguen,

y a entristecerse con lo que es bien que se entristezcan»

        (ed. 1918, pgs. 71-72).

ὁ μὲν γὰρ εὖ τούτοις χρώμενος ἀγαθὸς ἔσται, ὁ δὲ κακῶς κακός

«... el que bien destas usare,   (1105 *a* 12).

        será bueno,

        y malo

el **que** mal en ellas se empleare...» (*Ibid,* pg. 73).

---

[1] Huelga decir que en los escritos del siglo de oro la influencia lingüística de los clásicos es marcadísima. Basta abrir al azar un libro de Fray Luis de León, p. ej., para encontrar períodos como éste:

"Esta hermosura de cielo y mundo que vemos,
y la otra mayor que entendemos,
y que nos esconde el mundo invisible,

    ¿fué siempre como es agora,
    ó hízose ella á sí misma,
    ó Dios la sacó á luz y la hizo?"

(*Los nombres de Cristo,* Espasa-Calpe, Madrid, 1938, vol. I, pg. 59.)

Ὥσπερ οὖν οὐδ'ἐκεῖνοι εὖ ἕξουσι τὸ σῶμα οὕτω θεραπευόμενοι, οὐδ'οὗτοι τὴν ψυχὴν οὕτω φιλοσοφοῦντες (1105 b 16).

«Y así como aquéllos,

curándose de aquella manera,
jamás ternan el cuerpo sano ni de buen hábito dispuesto,
de la misma manera éstos,

filosofando desta manera,
nunca ternan el alma bien dispuesta.» (Ibid., pg. 76.)

μεσότης μὲν μεγαλοπρέπεια (ὁ γὰρ μεγαλοπρεπὴς διαφέρει ἐλευθε-ρίου·ὁ μὲν γὰρ περὶ μεγάλα, ὁ δὲ περὶ μικρά), ὑπερβολὴ δὲ... (1107 b 17).

«Porque la generosidad es medianía,
y difiere el generoso del liberal en esto:
que el generoso es el que bien emplea su dinero en cosas

graves,
y el liberal es el que hace lo mismo en cosas de no tanto
tomo ni de tanta calidad» (ibid., pg. 84).

Otra figura que nuestro autor utiliza con mucha frecuen- La comparación.
cia y seguramente no tan sólo por su contenido, sino también por las posibilidades formales que ofrece, es la comparación. En ella la simetría puede ser perfecta, y efectivamente lo es casi siempre en la prosa de Simón Abril,
tanto en la latina como en la española. De tal manera, que
al leer sus escritos el lector moderno se siente a menudo
tentado de truncar su frase en el punto en el que ya se
ha hecho inteligible el pensamiento. Nuestro autor, en cambio, prosigue hasta el final y probablemente no por razones
de claridad, sino por la armonía o «elegancia» del período. He aquí uno de los muchísimos ejemplos que podríamos aducir [1]:

---

[1] Compárese, al mismo tiempo, con el pasaje correspondiente de la Introductio (pgs. 17-18): "Eiusmodi vero notiones loci appellati sunt metaphora eleganti: quod quemadmodum prudens venator notos quosdam habet locos, vbi potissimum ferae solent delitescere: inque eiusmodi locis, cum venatum prodit, feras inuestigat, atque ita minore labore maiorem

211

«Llamose lugar dialectico por vna muy conueniente metafora tomada de los caçadores. Porque assi como si saliessen dos a caça juntamente, de los cuales el uno fuesse diestro en saber, donde esta mas de
ordinario la caça en tal o en tal tiempo, y alli fuesse a buscar, y el
otro no supiesse nada desto, sino que la buscasse donde lo llevasse la
ventura, llana cosa es que el primero en menos tiempo, y con menos
trabajo vernía rico de caça: y el otro despues de auerse cansado mucho, o no traeria nada, o seria por fortuna y no por sciencia ni artificio. Dela misma manera si dos se fuessen a buscar razones para algun
proposito y el vno siendo abil en el vso destos lugares, las buscasse
en ellos, y el otro siguiendo su naturaleza sin arte ni noticia desto se
diesse a buscallos, llana cosa es, que el primero hallaria muchas y
buenas razones dichas a proposito, y el otro o no hallará nada, o sera
algun disparate» [1].

Quedan así enumerados los rasgos que más llaman la
atención en un primer análisis del estilo de nuestro autor.
Como impresión de conjunto añadiremos que en la elaboración del mismo, Simón Abril cumple con un requisito
esencial: la naturalidad. No me refiero, desde luego, a las

---

praedam domum reportat: contra vero qui eiusmodi locos non habet pru-
denter annotatos, cum se diu multumque defatigarit, casu tamen aliquid
reperiet: ita etiam prudens & peri/tus logicus disputandarum quaestionum
habet communes notiones, vt cum aliquam quaestionem vel demostraturus,
vel disputaturus sit, eo confugiat, ibique argumenta ad id efficiendum quam
minimo labore paret, & inquirat."

[1] *Fil. rac.*, fol. 14, tales comparaciones son frecuentísimas en el siglo
de oro, p. ej., en la prosa de Fray Luis de León. Véase la siguiente:
"Porque assí como en el árbol la rayz no se hizo para sí, ni menos el
tronco, que nasce y se sustenta sobre ella, sino lo uno y lo otro juntamente
con las ramas y la flor y la hoja y todo lo demás que el árbol produze,
se ordena y endereça para el fructo que dél sale, que es el fin y como
remate suyo; assí por la misma manera estos cielos estendidos que vemos,
y las estrellas que en ellos dan resplandor, y entre todas ellas esta fuente
de claridad y de luz, que todo lo alumbra, redonda y bellísima, la tierra
pintada con flores y las aguas pobladas de peces, los animales y los
hombres, y este universo todo, cuán grande y cuán hermoso es, lo hizo
Dios para fin de hazer Hombre á su Hijo, y para producir á luz este
único y divino fructo, que es Cristo, que con verdad le podemos llamar el
parto común y general de todas las cosas." (*Los nombres de Cristo*,
ed. cit., vol. I, pg. 66.)

versiones escolares, sino a las traducciones de las dos obras aristotélicas y, en modo particular, a la *Filosofía natural*. El valor de este manuscrito consiste, a mi modo de ver, justamente en haber demostrado lo que el autor se proponía al escribirlo: que la lengua castellana en sus tiempos era capaz de «recebir en si las sciencias».

Al mismo tiempo, la fluidez y naturalidad de la exposición —dos características que el autor ha logrado gradualmente y que echamos de menos en sus primeras obras— demuestran su compenetración con el estilo clásico y presentan, por decirlo así, el fruto de esa sensación de «dulzura» que acompaña la lectura de los textos antiguos. Por tratarse además de un escritor de segunda categoría, sus escritos son una ilustración patente del influjo consciente y subconsciente de la forma en el espíritu humano.

Tras estas consideraciones sobre las formas exteriores del estilo de Simón Abril cabría una tentativa de sacar a luz lo que hay «detrás» de esa forma, ya que el estilo, y más aún en el período humanístico, es el reflejo del hombre entero. A mi modo de ver, mucho de lo que dijimos en capítulos anteriores, sobre todo en los de la lógica y de la filosofía natural, encuentra una prueba patente en su lenguaje. La misma antítesis de conceptos contradictorios sin matices intermedios, ¿no evidencia el hábito mental de dividirlo y al mismo tiempo abarcarlo todo? ¡Cuánto más cerca estamos de la lucha medieval entre la luz y las tinieblas que del subjetivismo humanístico de un Erasmo, p. ej.! [1]; y sus mismas comparaciones a las que aludíamos

---

[1] Característica en este sentido es, p. ej., la siguiente comparación de las dos voluntades, la buena y la mala, con un príncipe bueno y un tirano: "estas dos maneras de voluntades son semejantes a dos maneras de prinçipes, la primera a un prinçipe bueno, que todas sus cosas trata con la consulta de personas sabias i bien intençionadas: i la segunda a un Tirano, que en cosa ninguna no tiene consideraçion sino a su propio gusto e interesse, i todas sus cosas las trata i comunica con personas que se rijen mas por passion de animo que por consejo grave i buen uso de razon". (*Fil. nat.*, fol. 264).

arriba, ¿no tienen todas carácter objetivo? Lo psicológico, la interpretación personal, la fantasía no entran para nada. El autor se limita a contraponer, a veces con viveza y tino, dos órdenes de cosas, uno más lejano, otro más «palpable». No hay que olvidar que Simón Abril era maestro y que, por tanto, explicaría a sus discípulos la teoría de las esferas mostrándoles una cebolla (¡no sin motivo advierte que no hay que incluir la raíz, porque el mundo no la tiene!), o el hilemorfismo señalando la mesa, o el proceso digestivo refiriéndose a una «manera de olla», que es el estómago, y otra «manera de alambique», que es el hígado [1].

De ahí que toda la naturaleza la represente en términos que indican cercanía y afinidad con el hombre: el sol se deja atrás a los demás planetas «como compañeros perezosos», y todos ellos *caminan* y *andan* por lo que realmente es una *fabrica i vniuersidad mundana,* mucho más allegada al hombre que este mundo separado de nosotros por cifras por antonomasia astronómicas. Es así que el sol, verdaderamente rey de los planetas, hace resplandecer a las demás estrellas «como una hacha a muchos espejos o pomos de cristal», y los astrónomos mirando hacia arriba se preguntan si están encajadas en las esferas «como los nudos estan en la tabla», o si se mueven por sí mismos «como los peçes en el agua». Y en la esfera del aire los fenómenos meteorológicos ofrecen aspectos de guerra civil, cuyo drama se desarolla dentro de las leyes fijas del universo. «Llegados pues alli (los vapores) como son de materia fria tomados, en hallar alli frialdad como cosa que les es natural, luego se hazen de su vando, como jente tiranizada, que en hallar amigos, que les hagan espaldas, luego se rebelan i buelven a su natural libertad.» Y, por su parte, las calinas, «moviendose a una parte i otra por huir de entre sus enemigos ençiendense con el movimiento como materia façil para ello, i conviertense en llama de fuego, que es

---

1 *Fil. nat.,* fol. 215.

lo que llamamos rayo: el cual con su violençia rompe la
nuve por la parte mas flaca: el cual ruido llamamos true-
no: i si la/parte mas flaca açierta a ser la de hazia la tierra,
baxa hazia ella con violençia de'l rompimiento contra su
propia naturaleza, que es subir hazia arriba: i assi no baxa
por linea derecha, sino por torçida, porque vienen luchando
la violençia del rompimiento por hazelle baxar, i su natural
inclinaçion por hazelle subir: i assi hazen aquella figura
torçida de camino». (Fols. 134 v.-135.)

¡Cuántas corrientes culturales distintas se cruzan en
este lenguaje cuyos períodos tan pronto reflejan una elaboración formal milenaria como la simpleza de una mentalidad ingenua y casi infantil!

SIMON ABRIL ¿HUMANISTA?

Hasta este punto hemos evitado atribuir a nuestro autor el calificativo de humanista. Se impone, por tanto, la pregunta: ¿lo fué Simón Abril?

Antes de aplicarle unos criterios tan fluctuantes como son los de los *ismos* forjados por la crítica histórica en el siglo pasado [1] y que van desvalorizándose a medida que la

---

[1] Introducido en la terminología al principio del siglo XIX por el alemán Niethammer para distinguir la pedagogía tradicional centrada alrededor de las humanidades, de esa otra tendencia que entonces empezaba a afirmar sus derechos, el "filantropismo", con dirección esta última hacia los estudios positivos y especializados, el término *humanismo*, tras varias vicisitudes, empezó a generalizarse en 1859, al ser empleado por Voigt en el título de su famosísima obra *Die Wiederbelebung des classischen Altertums oder das erste Jahrhundert des Humanismus*, y padeció al mismo tiempo una transformación semántica, porque, si bien en el texto el autor lo emplea en el sentido abstracto de formación humanística, las palabras "el primer siglo del humanismo" se adoptaron en sentido cronológico, identificándose el humanismo con un período histórico determinado, lo cual dió pie a que cada sucesivo investigador señalara lo que a él le parecía típicamente *humanístico* en dicha época. Las interpretaciones más recientes tienden a concebir el humanismo como un movimiento retórico-subjetivo que aspira a la formación del individuo valiéndose de elementos *formales*, particularmente de las formas ciceronianas. Cfr. el reciente estudio de Walter Rüegg, *Cicero und der Humanismus / Formale Untersuchungen über Petrarca und Erasmus*, Rhein-Verlag, Zürich, 1946, 139 pgs.

investigación debilita y borra las líneas divisorias entre un período y otro, será oportuno considerar si nuestro autor fué o no humanista según los conceptos de su propia época.

Sentido de la pala-
bra «humanista»
en el siglo XVI.

«Unos llaman humanista a quien saue muchos versos de Poetas de coro: otros a los que professan un poco mas pulido latin que los demas: otros a los que sauen fabulas y historias humanas: otros alos que alcanzan a sauer vn poco de Griego: y otros a otros que estan muy lejos de llegar a sauer lo que obliga el nombre de humanista.»

Para aclarar tales divergencias, el Mtro. Baltasar de Céspedes, yerno del Brocense e inmediato sucesor suyo en la Cátedra de Prima de Retórica de la Universidad de Salamanca, escribió un *Discurso de las letras humanas, llamado el humanista* [1], en el cual expone lo que debe saber quien quiere ser digno de este título. Resumiremos este interesante tratadito, que nos servirá para la clasificación de nuestro propio autor, con el siguiente esquema:

----

[1] Tenemos a la vista el Ms. de la Bibl. Nacional 18.735/50. El tratado de Céspedes ha sido publicado. Conocemos la ed. de Madrid, por Antonio Fernández, 1784, 8.° Todo este tema del sentido que se daba a la palabra *humanista* en el siglo de oro ofrece perspectivas interesantes y, a mi modo de ver, podria servir de base para una visión del humanismo español visto "desde dentro" y no según nuestras fórmulas y criterios actuales. Las obras del Palmireno, p. ej., darían pie para una curiosa monografía sobre los conocimientos que se consideraban entonces indispensables al hombre culto (= humanista), y no tan sólo en cuanto a las letras, sino en la vida práctica, y particularmente en el comportamiento social, las buenas maneras en la mesa, en la conversación con los amigos y con los extraños (cfr. pg. 117, n. 1), en los viajes, en las Escuelas y Universidades. Nosotros aquí nos tenemos que limitar a breves sugerencias. Nótese que para el Palmireno sus paisanos son, digámoslo así, menores de edad en comparación con la élite de otras naciones, y deben desenvolverse bajo la égida de la cultura, de las humanidades.

Las letras humanas

El lenguaje
- la inteligencia del lenguaje
  - lección de los autores
  - lección de las piedras y medallas antiguas.
- la razón del lenguaje
  - etimología
  - sintaxis
- el uso del lenguaje
  - hablar
  - escribir
  > la imitación
  - por adición
  - detracción
  - inversión
  - e imitación propiamente

Las cosas
- conocimiento de las cosas
  - simple narración de los hechos.
    - historia
    - instituciones
  - contemplación o especulación de las cosas
    - medallas e inscripciones
    - mitología
- acción de las cosas: obras que debe escribir el humanista
  - comentarios sobre poetas, historiadores y oradores,
  - traducciones,
  - enmiendas de libros,
  - «varias leciones»: poesías, oraciones y diálogos

instrumento del conocimiento y acción: la lógica.

Confrontando la actividad de nuestro autor con este cuadro, ya vimos, por lo que se refiere al lenguaje, que Simón Abril —exceptuando la epigrafía, que no trató— satisface plenamente estos requisitos. En cuanto a las «cosas», hizo traducciones, comentarios, en los que también trata de historia, instituciones y mitología[1], y hasta se puede hablar en su caso de «emendaciones» de textos, ya que dió a España una edición más depurada de Terencio[2].

---

[1] Cfr. además la "Cronología de los tiempos" y "Vida de Cicerón" en los preliminares de las *Epístolas familiares* (1589). Aunque según nuestro criterio no tengan ningún valor historiográfico, en su tiempo se considerarían trabajos de "historia".

[2] Es la ed. de 1583. Como ya vimos, Francisco Sánchez había "comunicado algunos lugares" con él. Cfr. pg. 43.

Y aun teóricamente, al describir lo que ha de saber el que profesa letras humanas, viene a decir casi lo mismo que el Maestro Céspedes: a diferencia del teólogo, del médico y del jurisconsulto, que con saber la disciplina que profesan ya pueden quedar satisfechos, el que enseña letras debe estar versado en la propiedad y en la variedad de los estilos y de los tiempos y elegancia de las lenguas, debe conocer la «historia y licion de cosas muy antiguas», entender «los assientos y diuisiones delas tierras», tener noticia de las cosas naturales y morales y, por fin, haber cursado aquellos estudios «que los Griegos llaman Enkyklopaedian»[1].

De todo esto concluiremos que, en el concepto de sus propios tiempos, Simón Abril podía atribuirse el calificativo de *humanista:* «tan docto y erudito varon», lo llamaba el maestro Lazcano[2].

¿Es humanista en el sentido actual de la palabra?

Ahora bien: ¿lo fué desde nuestro punto de vista, esto es, si consideramos el humanismo como un movimiento cultural y espiritual que aspira a formar el individuo poniéndole en contacto con los clásicos, y sobre todo con los escritos del exponente máximo de los valores formales, Cicerón, y provocando en él reacciones retórico-subjetivas, en las que el hombre entero halla la expresión y desahogo de su ser interior?

Actitud frente a la antigüedad.

Para contestar a esta pregunta, examinaremos la actitud de Simón Abril frente a la antigüedad, no ya porque el interés en las obras clásicas caracterice exclusivamente el humanismo —en épocas anteriores, particularmente en los siglos XII y XIII, se había manifestado un marcado clasicismo, como lo demuestran los estudios sobre la Edad Media[3], y la controversia de *artes versus auctores* venía

---

[1] *Epist. Sel.,* 1572, Annotaciones.
[2] En la Licencia de las *Epist. Fam.,* 1589.
[3] Cfr., p. ej., los estudios de Norden, Huizinga, etc., y particularmente Manutius, Max, *Geschichte der lateinischen Literatur des Mittelalters,* München, 1911 sigs.

agitándose desde siglos—, sino porque la manera de seleccionar, enjuiciar o aprovechar los textos antiguos podrá servir de criterio para contarle entre los humanistas o excluirle de su número.

Esto nos lleva a encuadrar una vez más a nuestro autor en sus propios tiempos. En el Proemio al *Examen de Ingenios*, Huarte de San Juan contrapone los ingenios *inventivos* —que los toscanos llaman «caprichosos por la semejanza que tienen con la cabra en el andar y parecer» (!)— con esos otros ingenios que califica de *oviles*. Son los primeros los que descubrirán nuevos secretos de la naturaleza, mientras los segundos, como dirá más adelante [1], «no hacen mas que dar circulos en los dichos y sentencias de los autores graves, y tornarlos a repetir».

Aunque no en términos tan tajantes, la contraposición de estas dos actitudes es frecuentísima en los escritos de la época [2] y aparece también en los de Simón Abril. Por una parte, como ya vimos, asevera su fe en el progreso humano: las naturalezas de los hombres son las mismas [3]; es más, los entendimientos parecen ser aún más aptos («como se puede ver por los ingenios de la guerra, y de otras muchas cosas que vemos en estos tiempos tan sutiles, que casi con razón nos reímos de la rudeza de aquéllos cuanto a esto») [4]. Además, en la lógica considera la autoridad del testimonio como el argumento que menos valor

---

[1] Cap. VIII (V), *Bibl. aut. esp.*, t. LXV, pg. 438.

[2] Sería interesante hacer un estudio sobre "lo antiguo y lo nuevo" en las dedicatorias y prólogos de estos libros del siglo de oro. El haber colegido sentencias de varones antiguos o, por otra parte, la conveniencia de escribir libros nuevos, son dos de los lugares comunes que con más frecuencia aparecen en los preliminares y que, ya que servían al autor de justificación, debían despertar simpatías en el público.

[3] *Los dos libros de la Gram. lat.*, 1583, preliminares y *passim*. La fe en el progreso de la humanidad se expresa frecuentísimamente en los escritos de la época; cfr., p. ej., Benito Pereira, *De communibus omnium rerum naturalium principiis et affectionibus.* Colonia, 1603, pgs. 505-6.

[4] *Etica*, Dedicatoria, ed. 1918, pg. 4.

tiene [1] y en la *Filosofía natural* se precia de escribir «la verdad sin respeto a persona» [2].

Con todo, a pesar de esta independencia teórica, Simón Abril, como hemos visto en el curso de este trabajo, acude continuamente a las fuentes antiguas, tanto para el contenido de sus obras como para autorizar sus palabras [3]. Esta dependencia estriba, en primer lugar, en el sentido de la *autoridad*, aun fortísimo en su época, por mucho que se declamase la independencia de los tiempos nuevos. Pero, además, en la convicción de nuestro autor de que lo esencial ya estaba escrito: quien compusiera libros nuevos se exponía a acrecentar las bibliotecas «no por ventura con tanta utilidad» [4]. No cierra el camino a eventuales adiciones y adelantos; pero antes le parece más útil dar a conocer a sus contemporáneos toda la riqueza del saber antiguo [5]. Para él, como vimos, la reforma cultural de España consiste,

---

[1] En la fuerza del testimonio se basan mucho los teólogos, los juristas y los gramáticos, "pero en las demas sciencias, aunque es mucho de preciar, que con nuestra razon y parecer concuerden graues escritores, con todo esso porque alli se atiende mas a la fuerça de la razon, que a la dignidad del que la dize, no es cosa de mucho momento el prouar por testimonios" *(Fil. rac.,* fol. 52).

[2] Al benino letor.

[3] "Este consejo (el que se estudien primero las doctrinas en su propia lengua) no es mio sino de Plutarco en el paralelo de Demostenes y Tulio" (Carta a Felipe II, 1589). Frases como éstas son muy corrientes en sus escritos.

[4] Se encarnizaba sobre todo contra el multiplicarse exagerado de los libros de derecho comentando leyes, "en que no hazen mas que citar los vnos lo que dizen los otros" y ya son tantos "que ya no hay haziendas que basten a comprallos". De seguir su consejo, Felipe II hubiese mandado "so graues penas" que ninguno se atreviese a hacer tales comentarios y glosas *(Apunt.,* fol. 19 v.).

[5] Para ilustrar esta actitud puede servir, p. ej., el hecho de considerar la medicina como la facultad que menos necesitaba de reforma "por auer siempre seguido la licion de Hipocrates y Galeno"; pero al mismo tiempo aconseja que se dedique mayor atención a la anatomía y a la botánica *(Ibid.,* fols. 12 y v.).

antes de todo, en devolver las doctrinas «a su antigua entereza y perficion».

Pero ¿es integral la restauración que aboga?

En el esquema del tratadito de Céspedes se destacaban Doble carácter de
dos conceptos: el lenguaje y las cosas; denominador común su actividad.
es la dirección clásica que expresa el término de *letras
humanas.* En Simón Abril, este dualismo se acentúa sen-
siblemente: por un lado tenemos sus gramáticas, traducciones y comentarios de textos latinos, encauzados todos
hacia la enseñanza de las lenguas clásicas y particularmente del latín por medio de la imitación de Cicerón; por otro,
su intento de propagar en castellano «toda la filosofía»,
lógica, filosofía natural y ética.

En el primer aspecto de su actividad muestra nuestro I. Enseñanza de
autor muchos puntos en común con el humanismo inter- las letras huma-
nacional —y no sin razón apelaba al ejemplo de Italia, nas.
Francia y Alemania—. Tales son, p. ej., su insistencia en
la reducción de la gramática preceptiva al mínimo indispensable, la parte preponderante que da a la lectura de los
textos mismos y a la composición latina, la costumbre de
hacer «decorar» trozos escogidos de autores, la imitación
de los mismos y la comparación de los propios escritos con
el modelo ciceroniano, la atención a la claridad y corrección en la pronunciación, y, sobre todo, el examen de los
distintos estilos y el desarrollo de la sensibilidad para saber
elegir lo «elegante» y «conueniente» (¡=*decorum* y *aptum* ciceronianos!) y saber apreciar la *dulzura* de los períodos, su clásica *concinnitas.* Rasgo humanístico también
es el intento de aprovechar los mismos textos para que simultáneamente el alumno quede ilustrado en el aspecto
moral.

En este sentido, por tanto, se podrá contar a Simón Abril
entre los ciceronianos, si algún día se llega a escribir la

historia de las manifestaciones que este movimiento internacional tuvo en España [1].

Pero ¿se percató nuestro autor del fin hacia el cual estos medios iban enderezados en la cultura humanística? A esto creo que habrá que contestar negativamente. Ya vimos que en su caso no se puede hablar de pedagogía, sino de didáctica. En sus obras no he hallado huella alguna de la que se pudiera deducir que los modelos que proponía a la imitación de los alumnos —tanto en su estilo como por el contenido y la estructura— sirviesen para algo más que para aprender «pulido latín». Y si bien reserva para Cicerón, como escritor y como filósofo, un puesto importante, es poco probable que sintiera, tras la forma, la vibración de su espíritu. Los *Oficios*, pieza central del humanismo, quedan en la sombra, eclipsados por las obras de Aristóteles. Más que el entusiasmo y la fuerza *persuasiva* del *orator*, buscó escuetamente las *cosas*, lo *objetivo*. Asimismo, cuando insiste en que se lean los textos mismos, dejando a un lado las sumas y sumarios, sus exhortaciones no van dirigidas hacia una mayor comprensión del autor y de su arte, sino del *contenido* de dichas obras.

II. Actividad vulgarizadora.

Esta tendencia se revela claramente en las obras de los años 1587-1589, en las que nuestro autor, llevado por el afán de vulgarización de las ciencias, parece olvidar su labor de maestro de letras humanas y presenta el latín como el principal escollo en la adquisición del saber. Más valdría que los alumnos se aplicasen en seguida al estudio de las ciencias, evitando así la pérdida de tiempo y de energías que supone el aprender ese «poco de barbaro latin» [2]. Tales afirmaciones, reveladoras de una mentalidad eminentemente práctica y en vivo contraste con el *otium*

---

[1] Menéndez y Pelayo en su *Bibl. hispano-latina clásica*, pg. 849, notaba la falta de un estudio sobre este punto. No sé que se haya hecho después.

[2] Cfr., p. ej., la *Fil. rac.*, fols. 101 y v.

de los antiguos, reposo que permitía la sedimentación lenta
de las nociones en el espíritu, mientras lo apartan de la
concepción humanística, lo colocan de lleno en una corriente que, si no fuera peligroso generalizar, consideraría característica de los tratadistas y, en general, de buena parte
de los escritores españoles de esta época: la propensión a
buscar y subrayar siempre lo útil en el orden religioso,
moral y social [1].

En Simón Abril, estas dos tendencias quedan tan disgre-
gadas como los divergentes propósitos expresados en sus
dedicatorias. Tampoco haremos nosotros ninguna tentativa
para unificarlas, ya que en esto también refleja nuestro
autor su propia época: por una parte, el sentido común, o
lo que podríamos identificar con el realismo español, le

---

[1] Citar ejemplos que ilustran esta afirmación equivaldría a hacer la
lista de las introducciones y dedicatorias de numerosísimas obras; me limi-
taré, por tanto, a entresacar dos párrafos, que particularmente me han
llamado la atención en este sentido. Proceden de dos cartas dedicatorias
de la misma obra, *El Cortesano* (ed. de Anversa, 1574), de Baltasar Castiglione; la primera escrita por el mismo autor a D. Miguel de Silva,
Obispo de Viseo: "os embio este libro como un retrato de la corte de
Urbino no hecho por mano de Rafael o de Miguel Angel, sino de un
pintor muy baxo y mal diestro que solamente sabe debuxar assentando
las lineas principales sin acompañar ni hermosear la verdad con la lindeza
de los colores; ni hacer parecer por arte perspectiua lo que no es".
La segunda, dirigida por el traductor, Juan Boscán, a D.ª Jerónima Palova
de Almogavar, a quien explica por qué le gustó la obra de Castiglione:
"de mas de parecer me la inuencion buena, y el artificio, y la doctrina:
parescio me la materia de que trata, no solamente provechosa y de mucho
gusto: pero necessaria por ser de cosas que traemos siempre entre las
manos. Todo esto me puso gana que los hombres de nuestra nacion parti-
cipassen de tan buenos libros". Huelga decir que en estas líneas se dibujan
dos actitudes completamente distintas: mientras el Cardenal Castiglione se
siente en primera línea artista y —humildad aparte— se recrea en la obra
de su pluma, Boscán, y con él muchos compatriotas suyos, muestran
patente el deseo de hacer un servicio a su patria. Las obras verdaderamente grandes las produce naturalmente tan sólo el genio, pero los móviles
conscientes pueden ser distintos, y la utilidad suele ser el móvil, o por lo
menos servir de justificación para mucho de lo que se publicó en el
siglo de oro.

induce a escoger el camino que le parece el más breve para propagar la cultura en dosis concentradas; por otra, una tradición centenaria, vivificada ahora por el ejemplo de otros países, le ha hecho maestro de lenguas clásicas.

De las dos tendencias prevalecerá la segunda, la retórica, exacerbándose cada vez más el divorcio entre forma y contenido, tanto por el ambiente como por falta de hombres que supiesen señalar nuevos cauces [1]. La tendencia realista, en cambio, se abrirá camino, particularmente en la pedagogía de otros países. Por su parte, nuestro autor, visiblemente decepcionado en ese su intento de demostrar que la ciencia, como todas las cosas buenas, como el sol, la luna, y todos los cielos y elementos, la razón y Dios mismo, trae consigo el ser comunicable, en una de sus últimas obras, escribirá: «los mismos, en cuyo beneficio resulta trabajo semejante, pareçen enesto alos que naçieron çiegos que no sienten pena ninguna de no ver este çelestial resplandor, que el sol por essos claros aires nos embia: que no tienen sentido con que perçebir el bien deque careçen» [2].

---

[1] Cfr. Menéndez y Pelayo, *Hist. de las Ideas Estéticas en Esp.*, Santander, 1940, vol. II, pg. 164.

[2] *Fil. nat.* Dedicatoria. No obstante, por lo que se refiere a traducciones de obras antiguas, hubo quien hizo eco a las convicciones de Pedro Simón Abril. El Doctor Vallés, p. ej. (puede ser que se trate del conocido médico de Felipe II, Francisco Vallés· de Covarrubias) en la Aprobación de la *Filosofía racional* declaraba ser cosa muy conveniente favorecer a todos los doctos para que tradujesen los graves autores, tanto griegos como latinos, "lo qual seria medio para que los hombres desta nacion fuessen comunmente mas bien entendidos y mejores, y estuuiessen en mejor opinion con las otras gentes: las quales por essa ocasion vsarian mas de nuestra lengua, y tratarian con nosotros con mas amor y llaneza" (¡parecen palabras del mismo Pedro Simón Abril!). Y en efecto, durante ésta y casi toda la centuria siguiente se síguió contribuyendo un buen número de traducciones y recopilaciones del griego y del latín. Cfr., p. ej., el COMPENDIO DE LOS METHEOROS / ... de Aristóteles. / EN MADRID. por Iuan de la Cuesta, año de 1616, 4.º, del licdo. Murcia de la Llana, cuyas palabras en el prólogo también parecen salir de los labios de Simón Abril: "para entretener con algun gusto y prouecho, a los que por no auer estudiado

Con estas consideraciones podríamos poner fin a nues- Conclusión.
tro estudio contestando a la pregunta inicial: Simón Abril
conoció y empleó muchos medios típicamente humanísticos,
pero por no haber penetrado en su finalidad respecto a
la formación espiritual del individuo, se quedó al margen
de este movimiento, mientras que, por otro lado, sus miras
claramente prácticas y objetivas le colocan en el campo
opuesto. Pero, al dar una contestación como ésta, tendríamos en cuenta tan sólo lo que nuestro autor dijo y lo que
conscientemente se propuso. Queda aún un aspecto importante que aquí, dado el carácter general de este trabajo,
no hemos hecho más que desbrozar levemente: el estilo.
En el prólogo de su *Filosofía racional* decía nuestro autor
que a los alumnos de retórica hay que ejercitarlos sobre
todo en la elocuencia española, ya que en esta lengua ha-
brán de tratar y persuadir a los demás. Lo mismo podríamos decir nosotros de Simón Abril: el resultado de sus
lecturas y de sus estudios teóricos hay que buscarlo en el
estilo de sus obras castellanas; es allí donde el sentido
humanístico de la forma ha fructificado.

Filosofia, ni aun Gramatica, no podran entender lo que Aristoteles en sus
Metheoros, y otros Filosofos en lenguas peregrinas han escrito destas
materias, me ha parecido escriuir en nuestra lengua Española esta curiosa
y gustosa obra, en que se declaran todas las cosas arriba tocadas de los
cielos y de los elementos: no ya escriuiendolas con las questiones y disputas, que son propias de las escuelas, sino poniendo solamente la cierta y
llana verdad de cada cosa, para que abriendo los ojos de la consideracion
a muchos, que la tienen dormida, aprendan de lo que leyeren a temer,
reuerenciar, seruir y amar al que con sus admirables obras esto pretende
enseñarnos, para que acudiendole con la gloria que por lo dicho se le
deue, grangeemos la nuestra", pg. 2. Pero la enciclopedia entera de las
obras aristotélicas no vino a enriquecer la lengua castellana como había
deseado nuestro autor. Las obras del prolífico traductor de Aristóteles,
Vicente Mariner, quedaron inéditas. Cfr. Iriarte, Iohannes, *Regiae Bibliothecae Matritensis Codices graeci mss.,* I, Matriti, 1769, pgs. 503 y sigs.

APENDICES

LA PRONUNCIACION DEL LATIN,
SEGUN SIMON ABRIL

Ya vimos el interés con que Simón Abril inculca en sus discípulos la importancia de una pronunciación clara y correcta del latín, para que su oración parezca "natural Romana y no extrangera ciudadana". En sus tiempos, si hemos de creer a sus palabras, prevalecía entre los demás maestros la opinión de que la pronunciación castellanizada de algunos sonidos latinos hallaba su justificación en la costumbre y que, por tanto, era inútil querer corregirla; opinión a la que, por su parte, se opone nuestro autor y con él un buen número de gramáticos anteriores y contemporáneos, haciendo hincapié en el hecho de que el latín, como idioma extranjero, no está sometido a la jurisdicción del vulgo.

Simón Abril, desde luego, no nos dejó ningún tratado de pronunciación latina, sino varias referencias en dos obras suyas; en primer lugar, en el tercer libro de la *Gramática latina*, particularmente en la edición de 1573, donde relaciona los errores que cometen los que hablan o leen en latín con el desarrollo de los idiomas romances: "Añade quando alguna letra con barbaro sonido se pronuncia como si uno pronuncia iuro con aquel sonido de boz con que pronuntiamos en Romance, jurar: de los quales vicios despues aca que la lingua latina dexo de ser popular, y de pueblo mudo que es de libros, se començo a tomar i tomo y padecio mucho como es que las letras, c, g, t, ante de dos vocales las pronunciamos con peregrino y barbaro sonido: porque cada vulgar lengua a procurado de introduzir su pronunciacion en la Latina: de donde en la verdadera pronunciacion an nacido tantos barbarismos" (pg. 208).

231

Es el de *De arte poetica* donde, al tratar de las letras, expone
más extensamente las reglas de pronunciación —sacando todas
ellas de los antiguos— y hace algunas observaciones acerca de las
infracciones de las mismas.

Por el interés que puede tener para la historia de la fonética
castellana, aunque no sea más que para confirmar lo que ya sabemos, transcribo a continuación los pasajes del mencionado tratadito
sobre este punto:

I.   VOCALES:

A.   «Vocales perpetuo»: a, e, o.
B.   Vocales «quae interdum officium faciunt consonantium»:
i, u.
«Cum autem .i. fungatur officio consonantis, non ea soni
asperitate proununtiari debet, qua maiores nostri rudes
illi quidem in Latinitate pronuntiabant, qualis sonat in
Hispano verbo, alhaja, sed ea potius subtilitate & suaui-
tate, quae sonat in Hispano verbo, aiuno» (pg. 311).
«Illud vero non erit inutile annotare diphthongum hanc sequenti littera vocali pronuntiare litteram .u. more quidem consonantis, vt in verbis Euagoras, Euenus, Euan-
gelium: more vero vocalis sequente consonante vt in
verbis Eusebius, Eugenius, Eumenides. Graeci tamen
semper eam pronuntiant more consonantis» (pg. 312).

II.   CONSONANTES:

A.   Mutae: p, b, f, c, q, g, t, d.
«quas idcirco ordine isto reposuimus, quod inter se quadam soni agnatione sunt coniunctae. Nam .p. quidem
tenuiter sonat .b. vero crassius aliquanto quam .p. subtilius tamen quam .f. itaque, ambarum erit intermedia
.c. item aliquanto subtilius quam .q. propterea quod .q.
semper post se .u. liquidam assumit: alioqui enim, vt
Quintilianus ait, sonus vtriusque litterae idem est omnino: crassius vtraque .g. vt quae contracta ad guttur lingua pronuntiatur... Eadem quoque affinitas est inter .t. &
.d. quod .t. quidem est tenuis, .d. vero crassior paulo,
vt quae item sit littera intemedia... Haec fortasse vulgo
falsa iudicabuntur aut ridicula: naturali enim vitio litteras .c. g. cum vocalibus .e. i. barbaro sono pronuntiamus.
.c. quidem sono quo Hispane pronuntiamus, çarça, pronuntiamus item coelum, coena, cera, ciuis: g. vero quemadmodum vulgo dicimus, ageno, dicimus item genus,
gigno, cum tamen nullius auctoris antiqui testimonio

constet, illas duas litteras alium quidem sonum edere
cum his, alium vero cum reliquis vocalibus. Quin potius
M. Tullius libro de perfecto Oratore ad M. Brutum con-
firmat verba haec preco atque centurio propter vocis
sonique similitudinem a multis suo saeculo aspirari
scribique precho actque chenturio. Iam vero quomodo
hodie centurio pronuntiamus, nihil certe similitudinis
habet cum aspirato chenturio. Adde id quod de Quintiliano citauimus superius, qui ait litterae, .c. & .q. ferme
eundem esse sonum: quod certe non est verum eo sono,
quo vulgo his temporibus pronuntiant» (pgs. 314-315).

B. Semivocales consonantes.

1. Liquidae: l, m, n, r.
«modo integra vi, modo debili et remissa pronuntiantur ...in principio ac fine verbi integro quidem
sono pronuntiantur: quin & .r. in vocabuli principio geminum obtinet spiritum, ideoque nunquam
in verbi principio geminatur: tantam enim vim
habet in rapio, quantam in arripio, & duplam in
rumpo, quam in, eripio, & erumpo: in medio verbi
liquescunt aliqua ex mutis praecedente, vt in verbis pharetra, clamo» (pg. 316).

2. s.
«cum in medio verbi sola reperitur debili sono
pronuntiatur vt in verbis, casus, haesi: cum vero
vel in principio verbi est vel post aliquam aliam
consonantem, integram vim habet, vt in verbis,
sumo, adsum, arsi, pransus, sumpsi» (pg. 317).

3. Duplices: x (= cs vel gs), z (= ds).
«Fit barbarus... sonus ille subtilis atque stridens quo
vulgo illas pronuntiamus» (pg. 317).

TROZOS ESCOGIDOS
DE LA FILOSOFIA NATURAL

VALOR DE ESTA PARTE DE LA FILOSOFIA

Capitulo primero, en que se declara, cuan ilustre çiençia es la filosofia natural, i cuan dina de que se empleen en ella todos los buenos entendimientos i particular mente los mas jenerosos. Fol. 11 v.

Si un Rey mui poderoso i liberal quisiesse tanto a un cavallero, que por le hazer bien i merçed fabricasse para el un gran palaçio i casa real con muchas lavores al mosaico, con muchas diferencias de aposentos pintados i dibuxados de mui ricas pinturas: i lo adornasse de mui deleitosos jardines, en que uviesse todo jenero de yervas mui suaves i olorosas: i lo enriqueçiesse de muchas i diversas uertas, en que uviesse toda manera de frutas hasta las mas preçiadas i estimadas, i junta mente hiziesse en el mui grandes i ricas pesqueras, enque se criassen todas maneras de pescados, i lo rodeasse de mui espessos i deleitosos bosques, en que para su gusto i contento se criasse toda manera de caças, i todo jenero / de animales para dalle contento, i suplille sus necessidades: i esto fuesse en una fresca y apazible ribera, donde se pudiessen hazer mui grandes lavores, que lo enriqueçiessen i lo hiziessen poderoso, final mente fuesse como un Aranjuez, i despues de hecho selo entregasse i hiziesse señor de'l, si este cavallero fuesse despues tan descomedido, que en lugar de contemplar i ver aquella tan preçiosa morada, que con tantos cumplimientos solo por hazelle bien i merçed el rey le avia fabricado, la hiziesse morada de malas mujeres, i se diesse en ella a toda manera de vicios i desonestidades, i conversasse en ella con rufianes, con matadores, Fol. 12

con fulleros, finalmente con la hez de'l mundo i jente mas perdida, de cuanta reprehension seria dino este mal cavallero, que assi abusava de la gran liberalidad i amor de'l Rey, que tan de veras se avia empleado en onrallo i levantallo? No mereçeria este tal, que el Rey le quitasse la possession de tan onroso i apazible

v. lugar, i lo mandasse echar / en unas escuras i hediondas carçeles, donde hallasse otros muchos de sus viçios i condiçion, con quien passasse la vida miserable mente, pues no supo gozar bien de aquella tan prospera fortuna? Pues si esto es verdad en cosa tan pequeña como es lo que los ombres pueden hazer, por mas riquezas i poder, que tengan, comparada con las que haze el señor i autor de la naturaleza de las cosas, que castigo i que reprehension mereçeran los ombres, a quien Dios sin tener el neçessidad de cosa ninguna, sino solo por les hazer bien i merçed les edificò este grande i admirable palaçio i casa mas que imperial de todo este visible mundo adornado y hermoseado de tanto numero de estrellas, con cuya hermosura no puede compararse ningun jenero de pintura por mui preçiosa que sea i acabada, de tal claridad i resplandor, como el sol i la luna i las demas estrellas siembran por essos aires hasta llegar alo mas profundo i distante de'llos, que es la tierra,

Fol. 13 cumplido de tantos jardines de yervas mui preciosas, que / por montes i valles estan a sus tiempos sembrando mil olores, i levantando los entendimientos a engrandeçer la bondad de Dios, que tal virtud les diò: lleno de tanta diversidad de arboles, que les produzen tan sabrosos i apazibles frutos: cumplido de tantos i tan diferentes mares, rios, fuentes, i lagunas, que estan de ordinario criando tanta manera i diversidad de peçes, para dar gusto i sustento a'l ombre: rodeado i adornado de tantas espessuras de arboledas, donde se crian tantas diferencias de animales unos para dalle mantenimiento, i otros para alivialle de trabajo: si en lugar de contemplar todas estas maravillas, i entendellas, i entendiendolas agradeçerlas al señor, cuanto la flaqueza de'l umano entendimiento puede, se da a todo jenero de vicios? i el entendimiento, que sele dio para esto, o lo dexa entorpeçer por la inorançia con pereza i neglijençia, o lo aplica a juegos, o a otros peores jeneros de viçios? i de tal manera se cria, que si tuviesse en su casa un esclavo, que fuesse, qual el es, lo echaria de casa libre

v. mente por no vello? Pero ya que la jente plebeya / i vulgar, por atender a sus menesteres i neçessidades, no puede ser tan contemplativa, ni darse tanto ala dotrina, pues el uno a de acudir a su ofiçio, i el otro a su trato, i el otro a su granjeria, si no quieren verse en miserias i trabajos, alomenos la jente noble, que tiene su vida tan bien entablada, que no a menester bivir de su industria, que escusa puede tener para no darse a tan onestos i tan

gustosos exerçiçios? en que si se mira la onra, no puede aver cosa
a ellos mas deçente, si el provecho, no pueden ellos posseer cosa
mas provechosa que la dotrina: pues la dotrina enseña alos ombres,
como se an de conservar en sus estados, i aun como mejorarse:
i la inorançia despeñandolos por todo jenero de viçios les haze
dar a'l traves con las onras, vidas i haziendas: si el deleite, todos
los deleites sensuales no tienen que ver con el menor que trae
consigo la dotrina: pues los deleites sensuales traen consigo muchos
azares de tristeza i arrepentimiento, como cosas hechas fuera de'l
buen uso de razon: pero los que dan las cosas de'l entendimiento,
como perfetos i fundados / en el buen uso de razon, no estan   Fol. 14
sujetos a semejantes quiebras ni azares. Solo una cosa hasta agora
los podia retirar de tan onrosos i tan ilustres exerçiçios, la qual
yo tengo por cierto, que es la total causa de'ste mal, que es el
estar las çiençias escritas en lenguas tan estrañas a nosotros i tan
ajenas de'l uso i lenguaje popular, que la mayor parte de la vida
se a de gastar en aprendellas a fuerça de braços de unos libros
mudos, en cuya liçion se an de exerçitar los mejores años delos
estudios, i al cabo de'llos salen con un barbaro uso de una lengua
extraña, dentro de'l cual tiempo si aprendieran en sus propias
lenguas, se hallaran mui ricos de dotrina, i mui llenos de tal gusto
de'lla, que el que los entretuviera en ella de su propia voluntad.
I assi cansados de ver que en tantos años de estudio no an alcan-
çado mas de un poco de barbaro latin dan de mano alos estudios,
i hallandolos la vida sensual i deleitosa desaperçibidos, de dotrina,
caçalos façilmente haziendolos inutiles para si, verdugos de sus
propios patrimonios, i perjudi/çiales a'l bien comun de la Repu-   v.
blica i trato delos ombres. Pero ya que hasta aqui aya avido esse
impedimento, que aya causado tanto mal i daño en el uso i trato
de la jente noble, cuanto es el viçio i la inorançia, agora alomenos,
pues ya se procura, que los mismos escritores, cuyos libros se an
de leer en lenguas estrañas, hablen en la nuestra con mui mayor·
provecho, sin que aya neçessidad de gastar los mejores años en
adquirir el uso de las lenguas, no terná la jente noble escusa para
no ser mui dota siquiera en la filosofia, pues dende los treze años
hasta los deziseis empleandose el primero en la parte raçional, i
el segundo en la natural, i el terçero en la moral, podrà despues
ayudado de'stas tan buenas partes aplicarse a qualquier cosa grave
bien aperçebido de dotrina.

APENDICES

LA FORTUNA

Fol. 43 v.   Capitulo segundo. Que es caso o fortuna, i si se a de contar
entre las causas naturales.

Dela fortuna pues los jentiles filosofaron falsa mente como delas
demas cosas, que tocavan ala relijion i culto divino. Porque finjian
Fol. 44   ser una / Diosa a cuyo cargo tocava el repartir las cosas tempo-
rales: cuya figura pinta discreta mente Cebes Tebano en su tabla
filosofica: i assi le hazian templos i cantavan himnos: como se
puede ver por las odas de Oraçio. Pero los filosofos como jente
de mejor entendimiento no lo sintieron assi: Fortuna pues hablando
propia mente no es una cosa determinada, sino un concurso de
dos causas, que ni tienen entre si connexion ni repunançia, pero
acaeçe rara mente concordarse. Como abrir los çimientos para
hazer una casa, i hallarse alli un tesoro: passar por una calle, i
caer a tal sazon una teja de un tejado, que lo matasse: ir ala
plaça a otro negoçio, i topar alli un forastero, que le devia su
dinero, i cobrallo: i otras cosas assi como estas, que vienen a
conçertarse entre si mui de tarde en tarde, de las cuales cada una
por si considerada en acçion libre i voluntaria: pero el venir a
v.   una, aquello es caso o fortuna. Como el ir ala pla- / ça Juan, i
venir de fuera alli Françisco hechos libres son i voluntarios: pero
el concurrir a una no tiene razon ni causa propia: i assi es
fortuna. Assi mismo el ir uno por el camino obra voluntaria es:
el caer el rayo violençia natural: el encontrarse a una es fortuna:
assi mismo el herir Aquiles a Jasson Pereo con la espada obra
voluntaria fue con intento de matallo: el tener Jasson dentro de'l
pecho una enfermedad de apostema, i abrirsela, i con aquello
curarse el apostema, i dalle la vida pensando dalle la muerte esso
es fortuna: i cuando de'ste tal aiuntamiento hecho tan a caso
redunda a'l ombre algun bien, llamase buena fortuna: i mala,
cuando algun mal. Esta manera pues de concursos, que açaeçen
rara mente, o son de dos cosas voluntarias, como el ir a la plaça,
i el acudir alli el deudor; o de dos cosas naturales, como el abrir /
Fol. 45   se la tierra con el terremoto, i el impedirse la corriente de'l rio
haziendo laguna: o de la una natural, i la otra voluntaria, como
el caer la piedra, i el ir el ombre por la calle. Cuando ai pues
alguna deliberaçion en alguna de'llas, quiero dezir, que o ambas
acçiones son voluntarias, o alomenos la una, se dize fortuna: pero
cuando ambas son cosas naturales; aquello se llama caso. Demanera que ni el caso, ni la fortuna no son causas, ni cosas naturales,
sino un concurso casual de dos acçiones diversas, que rarissima
mente suelen acaeçer. I si alguna causa ai, es sobre natural, que

es la Divina providençia, que por sus secretos juizios ordenò aquel concurso de cosas diferentes i tan rara mente concordes: pero en lei de naturaleza no ai cosa que propia mente se pueda llamar causa de tal manera de concurso.

LA FILOSOFIA NATURAL ENSEÑA LA MODERACION EN EL COMER

La mezcla de que la naturaleza se sirve para las jeneraçiones Fol. 190 de los cuerpos naturales compuestos, es la que con virtud de'l calor confunde las sustançias de los cuerpos mezclados total mente haziendo de todas ellas una diferente de cada una de'llas por si, i partiçipante / de todas las calidades i propiedades remissa mente v. por razon de la mezcla de fuerças i propiedades o contrarias o diferentes entresi. Dedo sacaremos una dotrina util para el bien de nuestra vida, que la cosa que mas estraga nuestros cuerpos, i mas acorta nuestras vidas, i mas debilita la virtud de'l natural calor, es lo que o por no saber mas, o por querer bivir mas conforme a'l apetito, que conforme ala razon, usan los grandes señores, que es hazer comidas de manjares de diferentes calidades, i guisados, donde entren sustançias de diferentes calidades i naturalezas: i alos cozineros, que mas saben hazer destas cosas, los estiman en mas, i les pagan mas largos salarios por que sean mayores verdugos de sus vidas i salud: i en esto fundan punto de onra, i esto pretenden que es el ser señores, ser siervos de sus apetitos, i meter en sus cuerpos diversidad de enemigos, que les destruiga dentro las vidas, i de fuera las haziendas, que fueran mejor empleadas en otras cosas de mayor fruto assi para ellos como para la Republica. Porque de aquella tanta diversidad de manjares de tan diferentes calidades viene el calor natural a sacar una mezcla de mantenimiento de / tanta complicaçion de calidades, Fol. 191 que o no puede traello a punto de convertillo en su sustançia, i assi se corrompe, i hinche el cuerpo de malos umores, que causan mil jeneros de enfermedades, o por la gran resistençia, que halla en el por razon de tal complicaçion por la antipatia o repassion, que deziamos arriba viene a debilitarse de manera, que acarrea mui temprano vejez, i llena de mil enfermedades: lo cual todo es a'l contrario en aquellos, que usan de mantenimiento moderado, i de uniforme calidad, como se vee enlos pastores, que mantenidos de solas migas estan gordos i luzidos, i en los galeotes, que estando libres por bivir sin regla tenian enfermedades mui peligrosas i pesadas, i echados a'l remo con el mantenimiento dela galera no nada regalado vienen a estar sanos, gordos i luzidos.

239

APENDICES

JERARQUIA ENTRE LOS SERES NATURALES

Fol. 191 v.　La primera manera pues (es) de cuerpos compuestos, que se enjendran de la mezcla sustançial de los cuatro elementos mediante el calor de'l sol en las entrañas de la tierra: los cuales son los mas imperfetos compuestos de la naturaleza... Porque aunque es verdad que la umana codiçia por el uso dela contrataçion a venido a preçiar mas algunos metales, que su propia vida, pues tan a çiegas i arriscada mente la aventura por ellos, i aun, lo que peor es, muchas vezes la de'l alma, con todo esso no sola mente es mas perfeto que el oro i que las perlas preçiosas i que los diamantes, cualquiera de los mas viles mosquitos que buelan

Fol. 192　por el aire, pero aun cualquiera de las mas vul/gares yerbas que el ganado paçe por los montes: pues estas tienen acto de vida, i aquellos no la tienen...

LA VARIEDAD DE LA CREACION

Fol 208 y v.　Capitulo 7. enque se declaran las causas, porque / Dios crio tantas diferençias de arboles i yervas: i cuan neçessaria le es a'l filosofo la istoria natural.

Pero no creo sera cosa ajena deste lugar, ni indina de filosofos el inquirir las causas, porque quiso Dios criar tantas diferençias de arboles i yervas, cuantas se hallan en tanta diversidad de tierras, que apenas basta toda la istoria natural a comprendellas. Porque de'sta consideraçion resultara el conoçer mas de veras la infinita sabiduria de Dios, que las crio, i el inefable amor, que tiene a'l linaje de los ombres, para cuyo serviçio crio toda esta universidad de naturaleza, que tan deleitable es a los ojos de los ombres: i conoçiendo la lo glorificaran por ella no incurriendo en el viçio de desagradecimiento, de que con tanta razon reprehende S. Pablo alos filosofos Griegos en la carta, que escrive a los Romanos. Dos son las causas, cuanto la flaqueza de'l umano entendimiento puede rastrear en obra tan admirable i tan divina, porque Dios quiso criar tanta diferençia de criaturas, la una fue la infinita sabiduria, i la otra el grande amor que tiene

Fol. 209　a'l linaje de los ombres. Porque / si la cosa, en que mas se puede mostrar la gran sabiduria de un pintor, es pintar gran diversidad de cosas, i dalles a cada una su remate i perfiçion, cuanto la pintura puede imitar la verdad, cuanto mas de veras muestra Dios su infinito saber criando cada dia i produziendo tantos i tan diversos jeneros de yervas, i de flores, como va

mostrando la dulçe primavera, Cuando favonio i abrego soplando
muestran a'l campo su beldad primera: I van artifiçiosas esmal-
tando De roxo, azul i blanco la ribera? Porque esta tanta variedad,
i el ver i contemplar, que cada una en su jenero tiene entera
perfiçion sin podelle hallar una cosa que reprehender, muestra
clara mente a los que con alguna consideraçiones lo quieren contemplar, que el prinçipal autor i causa de tanta hermosura tiene
tan infinita sabiduria, que no se puede agotar por mas diferençias
de cosas, que produzga: conque hermosea tanto esta universidad
de'l mundo, que el formo, que admirado de'lla un poeta dixo en
lengua Toscana: Per tanto variar natura e bella. Pero no menos
grave pareçe ser la causa de'l amor, con que eternal mente lo
miro en su Divino entendimiento, i a'l ombre para darsele / i v-
comunicarsele por graçia i gloria criò tanta diversidad de yervas
i de plantas para el, unas para que le sirviessen de mantenimiento,
otras de mediçinas, otras de pasto para los animales, que le avian
de servir, otras de casa i recojimiento, en que se recoja, otras
de mantenimiento para el fuego, con que se caliente, otras enfin
para otros usos i menesteres de la vida: con que se muestra
abierta mente el grande amor que Dios tiene a'l linaje de los
ombres, pues lo hizo fin de tantos i tan diversos jeneros de cosas.
Pero dira alguno, que los abrojos, los cardos espinosos i las çarças
no sola mente no le son utiles a'l ombre, sino que antes le ofenden
i son perjudiçiales, i lo mismo podrà tambien dezir de muchos
animales ponçoñosos, i de otros, que biven con daño delos ombres,
como el aspide, la bivora, el lobo, la raposa, i el leon: i que assi
no todo lo que Dios a criado, es hecho para bien y aprovechamiento de los ombres. Pero alo delos abrojos i çarças puede se
responder, que esso fue castigo de'l pecado, i assi en la sen-
tençia, que Dios diò contra el ombre, sele intimò por pena, que
la tierra le avia de produzir abrojos i espinas. Cuanto mas que
aun esas mismas espinas i abrojos, i essos mismos animales ponçoñosos le son a'l ombre de grande utilidad o para defendelle / sus $\quad$ Fol. 210
eredades, pues se hazen buenos septos de çarças plantadas a'l
rededor de'llas, o alomenos para hazelle andar sobre si, i no
descuidado, siendo le utiles de la manera que Plutarco en un libro,
que intitulò, como se puede sacar provecho delos enemigos, enseña,
que muchas enemistades son mas utiles, que algunas amistades:
pues de algunos amigos nunca el ombre oye la verdad, mayor
mente si el ombre es poderoso, i los amigos lisonjeros: i de los
enemigos oye la verdad de sus viçios i defetos, aunque dicha con
mal animo. De manera que toda esta diversidad innumerable de
arboles i yervas i aun de animales la hizo i criò Dios para muestra
de su infinita bondad i sabiduria, i por el grande amor, que a'l

15

ombre tiene. Todas ellas pues convienen en la manera, que esta dicha de'l naçer, creçer, sustentarse, i enjendrar su semejante: pero en lo que toca asus propiedades i efetos, que cada una de'llas tiene segun la diversidad de la materia i mezcla de elementos, de que esta compuesta, i de'l alma de aquel jenero, que le da la vida i ser de planta, cada una es diferente de la otra, unas con simpatia, i otras con antipatia: las cuales se an de saber por la istoria natural, que graves filosofos y medicos an escrito dellas, como son Teofrasto, / Dioscorides, Galeno, i otros, que en nuestros tiempos an escrito largamente de las yervas i arboles particulares, que ai en las Indias de Oriente, i de poniente: los cuales todos convernia ponellos bien interpretados en la lengua propia de cada naçion, para que con mas fidelidad, i menos dificultad se tuviesse notiçia de la istoria natural, cuyo conoçimiento assi alos filosofos naturales como alos medicos les es en todas maneras neçessario. Lo cual mostrò mui bien por la obra i esperiençia el dotissimo filosofo i medico el dotor Andres Laguna en la traduçion delos libros, que escrivio Dioscorides en Griego de las diversas naturalezas de las plantas: i el dotamente los traduxo de lengua Griega en Castellana cuyo mui prudente pareçer si imitassen muchos, no seria neçessario con tanto daño de los que aprenden, estudiar las ciençias en lenguas peregrinas i dificultosas de entender, pudiendo las estudiar cada naçion en la suya con mucho mas ahorro de tiempo i de trabajo, como todas las naçiones antiguas lo hazian. Seria tambien esto mui util para el arte quimica. Porque sin entender bien la propia naturaleza de las simples yervas o frutas no puede el alquimista hazer buena mezcla dellas en los alambiques para hazer las composiçiones, que pretende.

v. (en el margen izquierdo)

LOS SENTIDOS

Fol. 222 v.   Capitulo 13. de'l sentido dela vista...

El sentido de la vista pues es el mas noble i eçelente sentido de todos los çinco por muchas i mui bastantes razones. La primera porque por el sele representan a'l alma los mejores i mas divinos objetos i sensibles, como son tanta hermosura de estrellas, como el çielo le representa, esta claridad i luz de'l sol i de la luna, esta hermosura de flores i frutos, que las plantas produzen, tanta diversidad de pescados, fieras, aves, i particular mente la hermosura, que Dios puso en los cuerpos umanos especial mente en los de la edad florida, i mayor mente en el dela mujer, especial mente cuando la hermosura de'l alma haze mas linda i mas hermosa la de'l cuerpo. Ni ai ninguno delos demas sentidos, que tantas dife-

rençias de cosas le presente a'l / alma, que la vista. La segunda Fol. 223
por la gran presteza, conque haze su ofiçio i operaçion. Porque
en quitar el impedimento aunque el objeto este en el çielo, i el ojo
en la tierra, sin perder en ello tiempo ninguno, ni venir por movimiento en un punto haze su operaçion i reçibe en si la espeçie o
muestra de'l objeto o cosa visible i la representa a'l alma. La
terçera por el artifiçio i compostura que tiene mayor i mas divina
que todos los sentidos, como lo pruevan los que tratan de anato-
mia, alos cuales remitiremos esta consideraçion por no ser este
su lugar...

Capitulo 14. de'l sentido de'l oido, i de las cosas, que se requie- Fol. 228
ren para que se haga bien su operaçion.

Despues de'l sentido de la vista es el mas noble el de'l oido
por las mismas razones casi que diximos en la vista. Porque por
este sentido sele representan a'l animal las muchas diferençias de
sonidos i bozes, i el armonia i consonançia de'llas, que llamamos
musica, que es una cosa çelestial. Por el sele representan al ombre
todas las dotrinas, consejos, relijion, buenas conversaçiones, i
otras muchas cosas de mucha utilidad i de contento. Tambien
porque aunque no haze su operaçion con tanta presteza como la
vista, por proçeder por via de movimiento, alomenos hazela por
espeçies o muestras de sonidos multiplicadas por el medio como
la de los colores: i en lo que toca a su artifiçio tiene mucho que
considerar. Porque no es el camino de los sonidos derecho como
el de los colores: sino hecho con çiertas bueltas i concavidades,
para que la boz se quiebre alli i no entre con todo su impetu
ofendiendo el sentido interior i sustançia de'l çelebro...

RESUMEN FINAL

Capitulo 31. en que se reduze a epilogo todo lo que se a Fol. 272
tratado en estos cuatro libros de la fisiologia o filosofia natural.

Aviendo pues tratado en el primer libro de los tres prinçipios
de la cosa natural, que son la materia, la forma i la privaçion,
i delos cuatro jeneros de causas, que en la jeneraçion de cada
cosa con curren, i delas passiones que a todas las cosas naturales
son comunes, que son el movimiento, el tiempo, el lugar, la gran- / v.
deza, la duraçion, i por causa dellos del vazio, i del infinito, como
a'l fin del primer libro queda epilogado: i aviendo en el segundo
propuesto la traça i arquitectura de todo este mundo visible, i sus
catorze esferas con sus movimientos propios i comunes, i tratado
de los çinco cuerpos senzillos uno çelestial i cuatro elementales
con las cosas, que a cada uno de'llos le son anexas, como tambien
queda epilogado a'l cabo de'l segundo: i aviendo assimismo dispu-

tado en el terçero de la jeneraçion de las cosas naturales, que resultan de la mezcla de los cuatro elementos, i de su muerte i corruçion, i de las cosas que a cada una de'llas le son anexas, i de'l primer jenero de cosas compuestas dellos i mas imperfeto, que son los minerales, como tambien queda epilogado a'l cabo de'l terçero, en este cuarto i ultimo libro de nuestra fisiolojia o filosofia natural propusimos de tratar del ser i naturaleza delas cosas animales, debaxo de'l cual jenero se incluyen todo jenero de plantas, arboles, yervas, i simientes, todo jenero de animales,

Fol. 273 aves, pescados, fieras, i el ombre. / En el primer capitulo se declararon las razones, porque la dotrina, que trata de'l alma, es la mejor parte i de mayor eçelençia i dinidad de toda la filosofia natural assi por la nobleza del sujeto, como por la claridad de la dotrina. En el segundo se puso la definiçion de'l alma, i se declaro por sus partes. En el terçero se pusieron çiertos presupuestos para mayor declaraçion dela definiçion de'l alma. En el cuarto se declararon los tres grados de perfiçion, por donde van subiendo las cosas animadas, que son el de la vida, el de'l sentido, i el de'l uso de razon, los cuales se an entre si como uno, i dos, i tres. En el quinto se propone el primero i mas senzillo grado de las cosas animadas, que son las que tienen sola mente vida, con sus operaçiones, potençias, e instrumentos. En el sesto se declaran las diversas maneras de enjendrar sus semejantes, que se hallan en las plantas: i dela virtud de'l enxerir. En el seteno se proponen las causas de'l averse criado tanta diversidad de plantas, i la mucha neçessidad, que el filosofo natural tiene de la istoria de las cosas naturales. En el octavo se da razon de las causas de

v. vida corta o larga, / i de las enfermedades i muerte de las plantas i cosas animadas. En el noveno se disputa de'l segundo grado de cosas animadas, que es el de los que tienen vida i sentido junta mente, i de sus potençias i operaçiones i partes instrumentales, que tienen para ponellas por la obra. En el dezeno se dize, que facultad es la de'l sentir, que el sentido, i que la cosa sensible. En el onzeno se distingue de otra manera el sentido i la cosa sensible, i se relatan los grandes bienes, que el animal reçibe por medio de la potençia sensitiva. En el dozeno se ponen por lista los sentidos esteriores, mediante cuya fuerça i ministerio perçibe el alma las cosas defuera. En el trezeno se trata particular mente de'l sentido de la vista, i de las cosas, que este sentido requiere para hazer bien su operaçion. En el catorzeno se declara la fuerça de'l sentido de'l oir, i su manera de operaçion, i lo que para hazer se bien i perfeta mente es menester. En el quinzeno se trata delos otros tres sentidos, que son el olfato, el gusto, i el tacto, i de como aunque son mas terrestres que los otros dos, con todo esso

le son al animal mui necessarios para su sustento. En el dezi/seis Fol. 274
se haze una comparaçion entre estos çinco sentidos sobre cuales
le son a'l animal mas neçessarios. En el dezisiete se dize, que cosa
es el sentido comun, donde los demas sentidos acuden a rejistrar
las muestras delas cosas, que perçiben. En el deziocho se disputa
dela facultad imajinativa, que alos brutos les sirve como de entendimiento: i delos efetos, que haze, i que jeneros de animales la
alcanzan a tener. En el dezinueve se propone la virtud de la
memoria, i la diferençia, que ai entre la memoria i el acuerdo, i
la manera como se deve conservar i acreçentar. En el venteno
se trata dela facultad de'l apeteçer, i de la de'l enojarse, i de los
lugares, donde cada una de'llas tiene su assiento i señorio. En el
veinte i uno se considera la facultad del movimiento animal, i los
prinçipios, de do proçede, i la parte, donde tiene su operaçion.
En el veinte i dos se comiença de tratar de'l mas perfeto grado
de cosa animada, que es el ombre, i de las perfiçiones, de que es
dotado sobre todos los demas jeneros de animales. En el veinte
i tres, se declara, como el alma de'l ombre en el cuerpo de'l mismo
ombre haze ofiçio de alma de planta, i de alma / sensitiva, i el v.
suyo propio, que es el de alma capaz de razon i entendimiento.
En el veinte i cuatro se proponen las dos potençias propias de'l
ombre, que son el entendimiento i la voluntad libre e indiferente
ala eleçion delas dos partes de la consulta. En el veinte i çinco
se declara la manera de entender propia de'l ombre, i la diferençia,
que ai entre ella i la delas sustançias pura mente espirituales.
En el veinte i seis se dize, que es entendimiento activo, i que
passivo, que platico, i que especulativo. En el veinte i siete se
trata de la potençia llamada voluntad, i de la libertad de su
alvedrio en el escojer una delas partes dela consulta: i se dize
aquien son semejantes las dos maneras de voluntad, la una rejida
por la razon, i la otra rendida a'l apetito. En el veinte i ocho se
disputa dela memoria de'l ombre, i de la diferençia, que ai entre
ella i la de los animales brutos. En el veinte i nueve se trata de'l
ser i sustançia de'l alma, i delas cosas, que en esta manera de
dotrina se deven considerar. En el treinteno se demuestra, como
todas las otras diferençias de almas fuera de la de'l ombre son
dependientes del cuerpo en el ser i en el obrar, i por esto mueren
i acaban junta mente con el: pero la de'l / ombre por tener Fol. 275
propias operaçiones, que puede exercitar sin el cuerpo mejor que
estando en el, tiene ser, i poder, i obrar sin el cuerpo: i por esto
es inmortal. Esto es lo que con el Divino favor i ayudandonos
de la dotrina de los filosofos antiguos assi Cristianos como jentiles,
i dela metodo i orden de la lojica avemos podido reduzir a metodo
i dotrina açerca delas cosas de'ste mundo i maquina visible...

DOCUMENTOS

PROCESO INCOADO POR LA UNIVERSIDAD
DE HUESCA CONTRA SIMON ABRIL

Copia del processo a instancia de la Ciudad de Huesca Contra la
Ciudad de Çaragoça sobre la Comission hecha por su Mag. en el negocio
de la Universidad de Huesca al Canceller Y Regente de Cataluña y micer
Paulo Pla[1].

Copia totius originalis processus coram domino Subconseruatore alme   p. 218
vniuersitatis studij Generalis Ciuitatis oscensis habito & actitato intitulato
processus Syndici seu procuratoris almae vniuersitatis studij Generalis
Ciuitatis oscensis contra petrum simon linguae latinae professorem Habitatorem Ville de vn castillo Super criminali.

In Dei Nomine Amen. Nouerint Vniuersi quod anno a natiuitate domini
Millesimo quingentesimo septuagesimo Die vero connumerata Duodecima
mensis Dezembris apud ciuitatem oscae Regni Aragonum coram multum
Reuerendo domino fratre bartholomeo goys Priore Monasterii Beatae mariae
de monte Carmello Ciuitatis predicte oscae judice et subconseruatore
apostolico Alme vniuersitatis studij generalis oscensis hora et loco assigna-
tis in iudicio comparuit discretus hieronimus de Arascues n[otar]ius con-
sindicus dictae ciuitatis oscae domiciliatus vt procurator et eo nomine
Iosephi apestegui studentis atque Syndici dicti studii Generalis oscensis
qui ad ostendendum et demostrandum quod litere citatoriae ab huiusmodi
curiae emanate ad instantiam dicti Syndici predictae vniuersitatis contra et
aduersus Petrum simon de abril oppidi de vncastillo fuerunt legitime
exercitate sortiteque suum debitum effectum reportauit easdem simul cum
relatione earum executionis tenoris sequentis. frater Bartholomeus Goys
prior monasterii Beatae mariae de monte carmello ciuitatis oscae judexque
ac subconseruator apostolicus rerum et pertinentiarum Almae vniuersitatis studii Generalis oscensis vniuersis et singulis presbiteris curatis / et   p. 219
non curatis ex Ciuitate et diocesi oscensi Ilerdensi cesaraugustensi tira-

---

[1] Manuscrito en folio conservado en la Biblioteca Pública de Huesca;
2 h. + 411 pgs. + 2 h. Perg.

sonensi Pampilonensi atque alias ubilibet constitutis et nuntiis curiae nostre iuratis et vestrum cuilibet in solidum salutem in domino et nostris huiusmodi imo verius apostolicis firmiter obedire mandatis. Ad instantiam et requisitionem Iosephi apestegui studentis et syndici dicti studii Generalis oscensis et ex parte nostra imo verius apostolica vocetis seu citetis primo secundo tertio et peremptorie Petrum simon de abril habitatorem ville de vn Castillo quem nos tenore presentium vocamus seu citamus quatenus sexta die non feriata post huiusmodi citationem seu presentium presentationem per vos aut alterum vestrum ipsi inde facti continue numerari et inmediate sequenti que si feriata fuerit sequenti die non feriata coram nobis oscae et in consistorio curiae nostre legitime compareat ad audiendum et respondendum cuidam petitioni criminali pro parte dicta agentis et contra eum oferende et dande causis et rationibus in ea deducendis. Hec n[ ] ad videndum Declarari se incidisse et incurrisse in penis et censuris in priuilegiis et inmunitatibus dicti studii positis et per sedem apostolicam dicto studio concessis alias lapso dicto termino quem ipsi ad id pro tribus edictis et [uno] peremptorio termino ac trina et debita citatione canonica assignamus haberemus procedere et procedemus contra eum et in dicta causa parte instante et iustitia exigente prout iuris fuerit et rationis eius absentia in aliquo non obstante sed contumatia exigente et completo nostro mandato presentes reddite latori cum relatione. Datum oscae die vicesimo quarto octobris anno a natiuitate domini Millesimo quingentesimo septuagesimo. Vt subconseruator apostolicus predictus P. Sanctapau notarius Registratus: Yo alexos arnal nuntio del Señor conseruador del studio general de Huesca hago fe y relacion que he citado en vn castillo a Pedro simon de abril cara a cara a seys de deziembre de 1570. Quibus quidem literis citatoriis sic per dictum procuratorem reportatis idem pro-

p. 220 curator petiit / et supplicauit per dictum dominum subconseruatorem apostolicum mandare inseri easdem in praesenti processu quod dictus dominus subconseruator mandauit acceptatum per dictum procuratorem. Et cum his idem procurator illis melioribus via modo et forma quibus de iure et alias facere potuit et debuit quandam contra dictum petrum simon de abril obtulit et presentauit petitionem criminalem papiro scriptam tenoris sequentis. Coram vobis Multum Reuerendo et Honesto religioso domino fratre Bartholomeo Goys Priore monasterii beatae mariae del carmen ac subconseruatore studii generalis ciuitatis oscae comparuit et comparet Magnificus Hieronimus arascues ut procurator syndici et vniuersitatis Generalis studii dictae ciuitatis oscae qui nomine procuratorio praedicto ac illis melioribus via modo et forma quibus melius et vtilius de iure et alias facere potest et debet in iudicio agendo conqueritur contra et adversus Petrum simon habitatorem ville de vn castillo reum ex aduerso principalem contra quem dictus procurator offert et dat presentem petitionem criminalem articulis in hunc qui sequitur modum. Et Primo dicit acusat et proponit dictus procurator quod intra presens Regnum Ara-

gonum et in presenti ciuitate oscae fuit erat et est ab antiquis et antiquissi-
mis temporibus taliter quod memoriam hominum excedit seu hominum
memoria in contrarium non reperitur instituta et fundata quedam vniuersitas seu studium Generale habens rectorem et cancellarium doctores licen-
tiatos et magistros scholares qui Rector est caput et presidet omnibus
Scholaribus et Bachalaureis dicti studij in quibus supra quibus habet iurisdictionem ciuilem et criminalem ac illos regit gubernat et administrat et
cancellarius est caput et praesidet collegio omnium doctorum dicti studij
et confert gradus ex voto et consensu dictorum doctorum omnibus qui
veniunt et conferunt ad dictum studium ad se graduandum et recipiendum
gradus in omnibus facultatibus / in quo studio leguntur et interprerantur   p. 221
omnes discipline et liberales artes vt sunt theologia ius canonicum ius
ciuile medicina Philosophia, artes, metaphisica, oratoria gramatica lingua
grega et latina et alie plures et liberales artes et discipline que vniuersitas
seu studium generale fuit concessum per Reges bone memoriae et concessum ciuitati oscae illudque fuit confirmatum per Romanos pontifices Recolendae memoriae et tam per dictos Reges quam dictos Romanos Pontifices
plurimis priuilegiis gratiis prerogatiuis et indultis apostolicis dotatum et orna-
tum et inter ea priuilegia que habuit et habet predictum studium rector doctores magistri licentiati bacchalaurej et scholares dicti studij ac aliae personae et ministri eiusdem habuit habebat et habet priuilegium conseruatoriae
dicto studio et personis eiusdem per Paulum secundum Papam consessum rectori doctoribus et aliis personis dicti studii in et per quod rectori et personis
dicti studij fuerunt erant et sunt dati in conseruatorem et pro conseruatore
dicti studij personarum rerum et bonoru[m i]dem abbates montis Aragonum sancti Joannis dela pena et Beatae mariae del Pilar ciuitatis cesar-
auguste pre[sentis] aragonum Regni per qu[o]d dictum studium personae
et bona eiusdem tuentur et deffenduntur a quibusuis molestiis iniuriis et
[   ] dicto studio et personis eiusdem illatis et inferendis et coram
quibusuis rector doctores et aliae personae dicti studii tam in agendo quam
in deffendendo conueniunt et conueniri solent dictos suos debitores mo-
lestatores et suorum iurium et priuilegiorum ac iurisdictionis violatores et
perturbatores prout de predictis legitimis aparebit rationibus et documentis ad quas et que relatio habeatur et ita est verum. item dicit et
acusat dictus procurator quod vltra per supradicta priuilegia superius
memorata et recitata que habuit et habet dictum studium rector et persone
eiusdem habuit priuilegium sibi a quondam rege petro recolendae memoriae concessum quod datum fuit alcagniz Die duodecimo martii
anni / a Cristi natiuitate computati Millesimo Trecentesimo quinquagesimo   p. 222
quarto quod in presenti Aragonum Regno nulla persona cuiuscumque con-
dicionis existat possit in aliquo loco nec ciuitate dicti regni legere neque
interpretari theologiam, ius canonicum, ius ciuile medicinam, Philosophiam, artes, methaphisicam oratoriam nec aliquam aliam liberalem artem
nec disciplinam nisi gramaticam excepta demptis theologia que in aliquibus

monasteriis inter religiosos illi*us* legitur et auditur nec aliqui in dicto
regno Aragon*um* ne*que* aliqua ciuitate ne*que* loco illi*us* possunt nec
valent audire supradic*tas* facultates nisi in presenti ·ciuitate osce et in
gener*ali* studio ei*us*dem sub pena qui c*on*trari*um* fecerint et qui dictas
facultates in alio studio qua*m* presenti oscen*si* legerint i*n*terpretati fuerint
nec audierint incurr*ant* in pena*m* mille aureor*um* seu florennor*um* iaccens*ium*
monete rectori et rectoribus sindico et p*er*sonis dicti studii ·seu reg*ibus*
aragon*um* aplicandor*um* atque sub [incur]su aliar*um* penar*um* et censu-
rar*um* ecclesiasticar*um* contra eos qui attemptati fuerint dictas facultates
legere interpretari nec audire in alio loco presentis Regni aragon*um*
q*uam* in dicto studio Generali oscen*si* quod quid*em* priuilegium p*er* dictum
regem petrum superi*us* chalend[atum] q*uondam* dicte ciuitati et studio
generali osc*ae* concessum [fuit] p*er* alios reges regni aragon*um* et signanter
p*er* regem ferdinand*um* vocat*um* el catholico et Carolum quintum Impera-
tor*em* et Philippu*m* nun*ch* prospere regnantem confirmatum que privi-
legia fuerunt era*n*t et sunt in vsu et viridi obseruantia et sic in vim
illor*um* vsitatum et. practicatum in presenti regno Aragon*um* et obtentum
contra quascumq*ue* personas volentes in preiudicium dictorum priuilegior*um* nec al*ias* legere interpretari nec audiri dictas facultates alibi q*uam* in
p. 223 studio generali oscen*si* prout de p*r*aedictis legitimis / aparebit rationib*us*
et documentis et ad quas et que relatio habeatur et ita est verum.
Item dicit et proponit dictus procurator q*uod* vos fratrer bartholome*us*
Goys fuistis eratis et estis legitime ac seruatis seruandis creat*us* elect*us*
nominat*us* et deputat*us* in subconseruator*em* dicti studii Generalis oscen*sis*
rectoris doctor*um*. magistrorum licentiatorum bacchalaureor*um* et scho-
lar*um* aliarum personar*um* et ministror*um* ac iuriu*m* rerum et bonor*um*
dicti studij oscensis et hoc ad tuendum deffendendum manutenendum
p*er*sonas res et bona dicti studij et ad puniendum cohercendum et casti-
gandu*m* violatores et perturbatores atque iniuriatores personarum bonor*um*
iurisdictionis at*que* rer*um* et bonorum dicti estudij et hoc debitis penis et
censuris ecclesiasticis ac aliis. debitis iuris remediis et pro legitimo conseruatore defensore et procuratore prin*cipalis* dicti procuratoris rerum
et bonor*um* ei*us*dem atque iurisdictionis ciuilis et criminalis dicti studij
Generalis oscen*sis* ac iuriu*m* priuilegiorum ei*us*dem fuistis eratis et estis
habit*us* tentus et nominat*us* et reputat*us* communiter ab omnib*us* in presenti
ciuitate osce loco· de vn castillo et in alijs ciuitatib*us* et locis presentis
regni aragon*um* vt sic fuistis eratis et estis judex datus ad vniuersitatem
causarum et judex competens tam pro principali dicto procuratore q*uam*
contra ex *adverso* prin*cipalem* ●cita*tum* et omnes alios iniuratores mo-
lestatores violatores et perturbatores iuri*um* et priuilegior*um* dicti studij
Generalis oscen*sis* et i[ta est] verum. Item dicit et acusat dict*us* procurator q*uod* vos domin*us* Petrus Simo*n* in anno presenti ab Cristi natiuitate
computati millesimi quingentesimi septuagesimi et seu in anno a Cristi
natiuitate computato millesimo quigentesimo septuagesimo attemptastis et

conat*us* fuistis legere et interpretari facultatem arti*um* Philosophiae
seu metaphysic*ae* illam publice docendo legendo et interpretando in
villa seu loco de vn castillo presentis regni Aragon*um* quod fecistis
iniuriam et graue preiudicium dicti studij Ge/neralis oscen*sis* et r*e*ctoris p. 224
et personar*um* eiusde*m* et vt sic princ*ipalis* dicti procura*tor*is ac in graue
preiudici*um* priuilegiorum dicti studij et signanter dicti priuilegii regis don
peri superius chalendati et alior*um* priuilegior*um* illi*us* confirmator*um* superi*us*
mencionator*um* ob quod et al*ias* incurristis in pena*m* dict*or*um mille aureor*um*
seu florennor*um* in dicto priuilegio seu aliis priuilegiis dicti studij Genera*lis*
oscen*sis* oppositam et contentam a*tque* etiam iniuriastis molestastis et inquie-
tastis propter lecturam dict*arum* artium qua*m* attentastis facere et fecistis in
dicto loco de vn castillo **principale*m*** dict*um* procuratore*m* et vt sic et al*ias*
dict*us* procurator propterea **quod** violastis priuilegia dicti studij oscen*sis* a*tque*
iniuriastis principale*m* dict*um* **procuratore*m*** et perturbastis iurisdictionem
dicti studij vltra penam dict*orum* priuilegiorum stimat dicta*m* iuri*am* in
summa*m* et ad summam mille ducator*um* facentium suma*m* viginti duor*um*
mille solidor*um* denariorum iaccens*ium* ita et taliter q*uod* dictus procurator sindic*us* sui princ*ipalis* maluisset perdere de suo marsipio et suis
de bonis dicti studij dictos mille du*c*atos qua*m* pati et sustinere iniuri*am*
sublatam propter lectura*m* predictarum artium qu*am* ex. *adverso* princ*ipalis*
fecit seu facere attemptauit in dicto loco de vn castillo in preiudicium et
contemptum princ*ipalis* dicti procurat*or*is atque iuri*um* et priuilegior*um*
dicti studij Generalis oscen*sis* et ita est verum. Item dicit et proponit
dict*us* procurator q*uod* ex *adverso* principalis licet de dicto studio Gener*ali* oscen*si* et suis priuilegiis legitime certificatus et q*uod* null*us* in
dicto regno aragon*um* nec in aliqua ciuitate villa nec loco illius potest
legere nec interpretari dictas liberales artes et facultates supra mentio-
natas gramatica excepta nec aliquis poterit exaudire nec illas docere
legere nec interpretari nisi in dicto Generali studio oscen*si* fuit tame*n* semel
bis et ter peremptorie et per literas monitorias a vobis domino subconser-
vatore concessas dictus ex *aduerso* princi/palis monit*us* et legitime instat*us* p. 225
et requisit*us* quetan*us* cessaret et desisteret docere legere nec interpretari
dictas artes Philosophiam methaphisicam et alias quasuis facultates gramatica excepta tam publice qua*m* oculte tam in dicta villa et loco de vn
castillo qua*m* alia villa et loco p*r*aesentis regni Aragon*um* q*uod* licet
certificat*us* ex dictis priuilegiis ac legitime monit*us* et requisit*us* vt a
predictis cessaret et desisteret recusauit et de p*r*aesenti recusat illud facere
imo q*uod* pei*us* est mala malis acumulando post dictam monitionem et
requisitione*m* attemptauit legere et interpretari tam publice qu*am* occulte
dictas artes in dicta villa seu loco de vn Castillo et hoc in contemptum
vilipendiu*m* et graue preiudici*um* princ*ipalis* dicti procuratoris et priuilegior*um* studij Generalis oscen*sis* incurrendo in penis contra talia facien-
tes in priuilegiis dicti studij Generalis oscen*sis* contentis et aliis penis
per vos dominu*m* iudicem pro predicto instante procur*ator*e predictu*m*

imponendis et ita est verum. Item dicit et proponit dictus procurator quod ipse seruatis seruandis per habentem ad id potestatem fuit erat et est creatus et constitutus in procuratorem et sindicum dicti studij Generalis oscensis rectoris personarum et bonorum eiusdem ac consilii dicti studij ac vt sic et alias fuit erat et est pars legitima ad agendum et em[an]an[dum] et deffendendum principalis dicti procuratoris iura et priuilegia dicti studij ac procedendum contra ex aduerso principalem et alios qui violant et perturbant priuilegia dicti studij et pro tali fuit erat et est habitus et tentus nominatus et reputatus in presenti ciuitate oscae communiter et ab omnibus dicti studij et ita est verum. Et predicta omnia alia et singula fuerunt erant et sunt vera publica notoria et manifesta et ea talia fore et esse ex aduerso principalis est semel et pluries confessus et de predictis se iactauit

p. 226   semel et pluries et in presentia plurimarum personarum maxima fide / dignarum et talis de predictis fuit erat et est vox comunis opinio gentium et fama publica vbi supra et alibi et ita est verum. Verum cum ad vos dictum dominum subconseruatorem et iudicem predictum et ad officium vestrum pertineat competat et spectat iustitiam petentibus qualem decet ministrare et eos qui violant turbant et iniurantur principalem dictum procuratorem et priuilegia dicti studii generalis oscensis punire castigare vt talibus sic in penam ceteris vero cedat in exemplum. Id circho dictus procurator principalis et sindicus petit supplicat et requirit per vos dictum dominum conseruatorem iudicem predictum et vestri diffinitiuam sententiam pronuntiari sententiari decerni et declarari dictum petrum simon ex aduerso principalem contra priuilegia vniuersitatis studij Generalis oscensis venisse in eo quod attemptauit legere et legit facultatem artium philosophiae seu methaphisicae in dicta villa seu loco de vn castillo et ob dictam lecturam incurrisse in penam mille aureorum seu florennorum denariorum iaccensium per priuilegium recolende memorie regis petri concessum et reges ferdinandum catholicum Carolum Quintum et Philippum modernum regem inpositam contra illos qui in ciuitate alia loco seu villa in presenti Regno Aragonum preterquam in praesenti ciuitate oescae docuerint legerint nec interpretati fuerint publice nec oculte dictarum artium facultatem nec aliam liberalem disciplinam excepta gramatica. quo sic pronuntiato et declarato petit supplicat et requirit dictus procurator per vos dominum iudicem et vestri diffinitiuam sententiam condempnari ex aduerso principalem propter lecturam quam fecit et attemptauit facere ac monitus et requisitus ne dictarum artium facultatem legeret in dicta villa seu loco de vncastillo illam legit in dicta villa seu loco in contemptum principalis dicti procuratoris et periudicium priuilegiorum dicti studij Generalis os-

p. 227   censis condem/nari dictum ex aduerso principalem in summa et quantitate ad unam partem dictorum mille aureorum seu florennorum per priuilegia superius mentionata imposita et pro iniuria quam fecit in legendo dictarum artium facultatem in dicta villa seu loco de vn castillo principalis dicti procuratoris et iniuria quam passa est vniuersitas dicti studij Generalis

oscensis condempnari per eandemmet vestri diffinitiuam sententiam et ad
aliam partem in summa et quantitate mille Ducatorum suma facientium
viginti duorum milium solidorum denariorum iaccensium compellendo et
distringendo ex aduerso principalem ad veram et realem solutionem dictarum pecuniarum summarum et quantitatum et hoc censuris ecclesiasticis
et aliis quibus decet iuris remediis implorato ad executionem premissorum
si opus fuerit auxilio brachii secularis per captationem personae ex
aduerso principalis dictum ex aduerşo principalem in expensis cause
presentis contempnando et instantiam qualem decet principalis dicti procuratoris ministrando cum ita in vim bulle conseruatoriae studij generalis
oscensis ac de iure alias per [vos] dominum iudicem faciendum ac
prouidendum existat aut alias in talibus et similibus casibus est fieri pronuntiari et prouideri solitum assuetum et debet quoniam si negentur off [   ]
non tantum [   ] non se astringen [   ] saluo iure [   ]
vestrum benignum et nobile officium quatenus opus est humiliter implo-
rando. ordinauit predicta Dominicus de silues D. d. aduocatus principalis
dicti procuratoris. Qua quidem petitione criminali sic per dictum procuratorem oblata idem procurator petiit et supplicauit a me omnia per dictum
dominum iudicem et subconseruatorem apostolicum predictum quod cum
dictus petrus simon non compareat ad audiendum et respondendum dicte
petitioni reputari contumacem et excomunicari eum et eodem procuratore instante dictus dominus iudex nisi huius ad primam diem iuridicam
dictus / petrus simon de abril comparuerit reputauit eum contumacem p. 228
acceptatum per dictum procuratorem. Deinde vero die que computabatur
Decima mensis februarii de sequenti et inferius chalendato anno computato a natiuitate Domini Millesimo quingentesimo septuagesimo primo et
apud dictam Ciuitatem oscae coram dicto domino fratre bartholomeo
Goys priore iudice et subconseruatore apostolico predicto in iudicio comparuit dictus Hieronimus de arascues procurator predictus quo instante
dictus dominus iudex reputauit contumacem dictum dominum petrum simon
in non comparendo et respondiendo dicte petitioni. Deinceps vero die que
computabatur duodecima predicti mensis februarii de dicto et superius
calendato anno computato a natiuitate Domini Millesimo quingentesimo
septuagesimo primo et apud dictam ciuitatem oscae coram dicto domino
fratre Bartholomeo Goys priore iudice et subconseruatore apostolico predicto in iudicio comparuit dictus [Hieronimus] de [Aras]cues procurator
predictus quo instante nisi [h]inc ad primam dictus petrus simon comparuerit dictus dominus iudex concessit contra eum literas publicatorias
excommunicationis [. acce]ptatum per dictum procuratorem que quidem litere
fuerint expedite et executate prout sequatur. frater Bartholomeus Goys prior
monasterii beatae mariae de monte carmello ciuitatis oscae iudexque ac subconseruator apostolicus almae vniuersitatis studij Generalis oscensis vniuersis
et singulis presbiteris curatis et non curatis ex ciuitate et diocesi oscensi Ilerdensi Cesaraugustensi Tirasonensi pampilonensi atque alias ubilibet constitutis

255

et ve*s*trum cuilibet in solidum salutem in domino et nostri hui*us*modi imo
veri*us* apostolicis firmiter obedire mandatis. Cum petr*us* simon / lingue
latin*ae* profe*ss*or habitator ville de vn Castillo fuerit et sit vinculo excommunicationis sententiae innodat*us* eo quia monitus *s*eu citatus legitime
p*er* unum ex nuntiis curi*ae* nostre quaten*us* coram nobis compareat ad
audiendu*m* et respondendum cuidam petitioni criminali pro parte syndici
dicte alm*ae* vniuersitatis dicti studij Generalis os*c*ens*is* cora*m* nobis et
contra eum offerende et dand*ae* et. ea oblata quia dicte citationi minime
satisfecit fuit p*er* nos instante dicto procuratore dicte vniuersitatis con-
tumax reputat*us* et ratione dicte contumatiae excommunicatus et pro
excommunicato eunde*m* denu*n*tiari mandauim*us* nostras super premissis
concedentes literas denu*n*tiatorias in forma assueta per quas vobis omnib*us* et singulis supra dictis quib*us* presentes no*s*tre litere diriguntur
dicimus et mandam*us* quaten*us* ex parte nostra imo verius *a*po*s*tolica et
ad instantiam dicti syndici dicte vniuersitatis studij generalis oscens*is* singulis diebus dominicis festis et non festis vt moris est in vestris eclesiis
intra missaru*m* aut ali*a*rum horarum Diuinarum solempnia dum maior in
ibi ad diuina adiendu*m* populi conuenerit multitudo alta et intelligibili
voce prenominatu*m* petru*m* simon preuia de causa excommunicatu*m* publice
pro excommunicato denuntietis et a diuinis officiis euitetis et ab aliis artius
euit*a*ri faciatis. Et hoc tantu*m* et tamdiu donech beneficium absolutionis
inde meruerit obtinere aliudque a nobis super his receperitis in mandatis.
Et completo mandato reddite presentes latori cum relatione. Dat*um* oscae
die duodecimo me*n*sis februarii anno a nat*iuitate* D*o*mini Millesimo quingentesimo septuagesimo primo. Vt subconseruator a*po*s*tolicus* predict*us*
M. Jo Sanctapau not*arius* Registrat*us*. Ego Petrus assin Vicari*us* / parro-
chialis ecle*s*i*ae* Sancti martini ville vni castri publicaui pro excommunicato
Petru*m* Simone*m* Abril nominatu*m* in retroscriptis literis intra missaru*m*
solempnia alta et intelligibili voce Die decimo nono mensis februarij 1571;
et dictu*m* petru*m* simone*m* euitabo a diuinis officiis donech et quousque
beneficiu*m* absolutionis obtinuerit. Tandem vero di*e* que computabatur
vicesimo tertio me*n*sis maii de dicto et superius calendato anno computato
a nat*iuitate* Domini Millesimo quinge*n*tesimo septuagesim*o* primo et apud
dictam ciuitate*m* oscae coram multum R*eue*rendo Domino fratre Joanne moreno priore monasterii beat*ae* mari*ae* de monte carmello ciuitatis oscae iudice
et subconseruatore apostolico p*re*dicte Alm*ae* vniuersitatis studij Generalis
oscens*is* comparuit p*er*sonaliter supra dict*us* petrus simo*n* abril de super
criminaliter citat*us* qui purgata pri*us* contumatia per eum petiit et supplicauit p*er* dictum dominu*m* iudicem e*t* subconseruatore*m* a*po*s*tolicum predictum concedi sibi beneficiu*m* absolutionis a sententia excommunicationis
a qua fuerat ad instantiam syndici dict*ae* vniuersitatis innodat*us* quod
fuit sibi per dictum dominu*m* iudicem concessum et cum his in continenti
dict*us* petr*us* Simon abril iurauit in posse dicti domini iudicis et subcon-
seruatoris apo*s*tolicis predicti per deu*m* super cruce*m* Domini nostri Jesu

Christi. eius per sacro sancta quatuor euangelia suis propriis manibus corporaliter tacta reuerenterque inspecta et adorata quod leget deinceps aliam facultatem nisi gramaticam in presenti regno Aragonum in preiudicium et contra priuilegia dictae vniuersitatis et studij generalis oscensis imo procurabit in quantum in se sit dicta priuilegia deffendere / et conseruare. de p. 231 quibus omnibus et singulis antedictis ego Michael Ioannes de Sanctapau notarius ad consuetudinem iuris illius seu illorum quorum interest intererit aut interesse poterit quomodo libet in futurum huiusmodi publicum confeci istrumentum seu instrumenta vnum duo aut plura et tot quot inde. fuerint necessaria et opportuna presentibus ibidem magnificis dominis Hieronimo monter magistro in artibus et Petro Liarte ciue oscensi dictae ciuitatis oscae habitatoribus pro testibus ad premissa vocatis rogatis et assumptis †
(rubrica).

(Siguen otras tres páginas que no reproducimos, porque, aunque sirvan para atestiguar la autenticidad del documento, no añaden ningún dato a la biografía de Simón Abril.)

NOTA.—La tinta ha traspasado el papel en bastantes lugares, y varias páginas están agujereadas, lo cual hace muy difícil la lectura.

ARBITRIO PARA EL DESEMPEÑO DEL ESTADO REAL

ARCHIVO GENERAL DE SIMANCAS.

ESTADO. LEG.º 163. FOLIO 114.

Libro del acresçentamiento en las vacantes para el desempeño del Estado Real, por el qual se muestra concurrir en él, todas las partes, que se requieren en vna graue y prudente consulta; y se responde a todas las obieçiones y dificultades que çerca d'el se offresçen.

En las cosas arduas y de gran peso y momento se ofresçen las dificultades y obieçiones, y assi no es de marauillar, que siendo el desempeño del estado de Su Md. vna de las cosas mas graues y de mas dificultad que ay oy en la Republica; y auiendo yo offresçido de dar vna traça con que sin nueuo tributo, y sin pedir ni quitar a nadie lo que tiene, y es suyo, en tiempo de veynte años quedasen satisfechos todos aquellos a quien Su Md. deue, y las rentas Reales libres, y descargadas, aya personas de grandes entendimientos, a las quales, se les representan algunas dificultades (a su paresçer) graues, a que conuiene satisfaçer.

En qualquier graue consulta (segun demuestra Aristoteles, en sus libros de Retorica, tractando del genero deliberatiuo) se offresçen todos estos puntos, sobre que se deue consultar. El primero, si aquello sobre que es la consulta, es posible o imposible; el ‖ segundo, si es negoçio façil o dificultoso; el terçero, si es justo o injusto; el quarto, si es vtil o perjudiçial, el quinto, si es nesçesario o sin nesçesidad. Por estos puntos conuiene pasar esta consulta, y demostrar como concurren todos en ella, y despues satisfazer a todas las dificultades que se ofresçen en contrario.

Hoj. 1 v.

Que esta manera pues de desempeño sea posible, entiendese de dos maneras, o possible en naturaleça o possible conforme a derecho; id possumus quod iuee [sic] posumus. Aqui tractaremos de como es posible en naturaleça, porque de la otra manera de possibilidad, hablaremos quando tractemos de su justiçia. No es pues negoçio de dificultad el demostrar como el auer este dinero por esta via, es cosa possible; pues ya él está en naturaleça, ni es menester que Dios lo crie de nueuo, ni hay nesçesidad de abrir los montes para sacar minas; ni inuentar traças de alquimistas; saluo trocar el vso d'él, de vna cosa para otra, de la manera que Pisistrato (segun scriue Diogenes Laerçio en la vida de Solon) halló el auer dinero para la administraçion de la guerra y de la manera que Demosthenes en la Olinthiaca primera aconseja a los Athenienses, que para tener dinero

con que sustentar la guerra en fauor ‖ de los de Olintho, contra Philippo   Hoj. 2
padre de Alexandro, mudasen el dinero que ellos llamauan theoretico en
el vso de la guerra durante ella. Assi aqui no hay mas que hazer en quanto
a su posibilidad, de hazer que cada prouision de las cosas de graçia por
tiempo de veynte años como vaya vacando, se esté assi suspensa o del
todo, o dexandole alguna parte por razon del seruiçio, y que de aquel
dinero se vaya pagando lo que está cargado en los partidos, y d'esta
manera queden libres y desempeñadas las Rentas Reales. De manera que
en lo que toca a su posibilidad, ni creo lo dubdara nadie, ni ay mas que
dezir. Pues en lo que toca a su façilidad, qué cosa puede auer mas façil,
ni avn imaginarse con menos perjuiçio, que fingir, que el primer possessor
viue? Y que si él biuiera, auia de goçar aquello? Y el que le ha de subçeder
se tuuiera por bien librado, y lo tomara por buen partido, que le dieran
vna expectatiua para ello dende aquel dia para tanto tiempo? Y que en
aquel intermedio lo goçe la republica para vna nesçesidad tan vrgente, y
que en tanto riesgo y dificultad pone a todo el mundo? Mas façil cosa
creo será buscar y traçar nueuos tributos, despojar a cada vno de
lo que tiene, traer a los hombres en pobreça y nesçesidad, alterar las
cosas de la republica, hazer odioso el gouierno a toda la comunidad,
y finalmente ‖ ordeñar tanto las tetas (como dize el vulgar prouerbio)   Hoj. 2 v.
que en lugar de leche saquen sangre. Llana y aueriguada cosa es que
qualquier otra manera de traça que se diere a de ser despojar a los que
tienen, lo qual es con grande escandalo y alteraçion del mundo, hora sea
por via de pechos, hora por via de sisas, hora por via de dehesas y pastos
priuilegiados, hora por qualquier otra via, todo ello es cargar el pueblo
de nueua carga, si la que tiene a cuestas no es harto grande. Pero por
esta via ninguna nueua imposiçion se pone, ninguna hazienda se le pide
al pueblo, fuera de la que paga de ordinario. De manera que el pueblo
no puede quexarse que es por esta causa agrauado de carga intolerable;
y assi queda aueriguado ser ésta la mas façil manera de desempeñar el
estado Real, que puede auer en toda la masa de hazienda que tiene la
reppublica.

El terçer punto era ver si esto cabe en raçon de justiçia que dexe este
dinero de seruir de lo que sirue, y se emplee en el desempeño de las rentas
y estado Real por el tiempo que está dicho. Quanto a lo primero este
indulto no se a de pedir a Su Sanctidad por via de justiçia, sino por graçia,
representandole las dificultades de las cosas del estado y casa Real, los
grandes y exçesiuos gastos que se le han ofresçido y ofresçen a la Magestad Real ‖ y los que se offresçieron al inuictissimo Carlos, su padre, en   Hoj. 3
las guerras que tuuo en Alemania contra los que querian derriuar la verdad
catholica de la Sancta Yglesia Romana; y en lugar d'ella plantar, e intro-
duçir sus falsos y vanos paresçeres, de donde tiene raiz todo este gasto
y empeño, y despues aca a la Magestad Real en las armadas que a hecho
contra el Turco, enemigo capital de la Yglesia; y contra los hereges que

an alterado los estados de Flandes, queriendo juntamente despojar a Su Md. y deshazer la verdad catholica y vnion de los fieles.

De manera que aunque la causa de Flandes paresçe propia de Su Md. en realidad de verdad es comun suya y de la Yglesia, pues qualquier daño que alli se resçiuiese, resultaria en grande daño de su quietud por ser hereges los que alli sustentan la rebelion; y que si este desempeño se vuiese de hazer, hechando tributos nueuos, seria con peligro de auer alteraçiones, las quales fuesen en deseruiçio de Dios y peligro del bien público.

Pero si queremos fundallo en justiçia, llana y aueriguada cosa es, que es justo, que si yo viendo a mi amigo en nesçesidad, hago mal de mi hazienda, y la cargo por sacallo a él de aquella nesçesidad, que él ya libre d'ella está obligado, viniendo a quietud y prosperi‖dad a satisfaçerme aquello que yo gasté por remediallo, y sanearme los daños que por ello me vinieron. Presupuesto este prinçipio bien sabemos que esta deuda que el Emperador nuestro Señor hizo, y Su Md. a hecho, no a sido viçiosa, ni por gastos prodigiosos, ni de mal juiçio hechos, como son los que cuentan las historias antiguas de Heliogabalo y de otros malos Prinçipes que tuuo el Imperio Romano; pues vemos que no hay casa de particular, tan ordenada ni con tanto conçierto y regla regida como la de Su Md. sino que todo esto a proçedido de querer y procurar dar remedio a los grandes males, que los hereges, ministros de Satanas, han hecho en la parte del Septentrion, que son Alemania y Flandes, causando guerras y rebelliones, no solamente contra Su Md. sino tambien contra la Iglesia catholica; de manera que estos tan grandes gastos no menos tocan al bien y estado de la Yglesia, que al de Su Md. Y assi no es cosa agena de razon que pudiendose remediar tan sin sentirse y tan sin alteraçion y tan sin perjuiçio los gastos, y deudas que el estado y hazienda Real a hecho por defender la Iglesia, se remedien; speçialmente pues el remedio no es despojando a nadie, ni quitandole lo que tiene, sino diferiendo la graçia y conçesion de aquello por algun tiempo, como si biuiera rrealmente su primer vsufructuario. De manera que aunque ‖ lo queramos fundar en justiçia y no solamente en graçia, no es cosa contra justiçia, que los gastos y deudas que se han hecho en el estado y hazienda de Su Md. por defension del estado de la Yglesia, se remedien con hazienda de la Yglesia, specialmente pudiendose hazer tan sin escandalo.

Açerca del quarto punto a mi paresçer no ay mucho que dificultar pues es vtil a la republica el escoger del bien lo más y del mal lo menos; y pues aqui no ay adquerir bien sino remediar mal, aueriguada cosa es que se a de procurar el remedio que con menos daño y dificultad se pueda dar; por quanto parte de bien es, el escoger lo menos malo en los lançes forçosos. Y que éste sea el menos malo, parte se entendera por lo que arriua está dicho de su façilidad y parte tambien por ver que d'esta manera de remedio nadie particularmente resçiue perjuiçio. Porque o lo hauia de resçeuir el que obtuuo aquella graçia y benefiçio, o el que la obterna o el

Cuerpo y Collegio donde está fundada. Llana cosa pues es, que él que la obtuuo no resçiue ningun daño, pues con la muerte se le acauo todo el derecho y action que tenia al vsofructo d'ella. Tambien es llana cosa que no resçiue daño el que la ha de obtener, porque aun no es nadie, ni tiene action a ella nadie antes de la conçesion. Y quando se la conçeden seria con aquella condiçion de que se le a de diferir el vso de la graçia tanto tiempo; ‖ si assi no le estuuiere bien tomalla, en su mano estará no **Hoj. 4 v.** açeptar la graçia, que muchos otros aura que la açepten; y finalmente es muy diferente cosa el deçir, quitanme, al dezir, no me dan; que aquel a quien quitan, queda despojado; y aquel a quien no le dan, no, sino que no queda tan medrado. Resta agora ver si el Cuerpo o Collegio donde está fundada aquella graçia o benefiçio resçiue perjuiçio lo qual bien clara- mente se hecha de ver que no, pues de su titulo no se les disminuye nada a los que quedan en posesion; y aquello que corre auia de ser para otro si fuera proueydo, y no para ellos. Pero resçibe detrimento el culto diuino, que no seran tantos los que se emplearan en él. A esto respondo que entre los que se emplean en el culto diuino, ay vnos que son en todas maneras nesçesarios, como son los que administran los Sacramentos, y los que dan doctrina, los quales son los Obispos, los Curas, los Predicadores, a los quales por esta razon no se les da mas vacante de la que es menester para su election, y de la que permiten los Canones y decretos antiguos de los Conçilios; otros ay que no son de tanta nesçesidad, y siruen mas para ornamento y magestad del culto diuino, que para el bien de las almas de los fieles, como son todos los demas fuera de Obispos, Curas y Predica- dores, y que estos en tanto ‖ numero como ay de ministros, no hazen **Hoj. 5** falta notable porque esté vacante vno en esta yglesia, y otro en la otra. Demas que es nuestro Dios tan benigno, que con ser lo mas alto de todo lo que ay, lo que toca a su culto y veneraçion, con todo eso por el grande amor que nos tiene, quiere mas que se falte al culto suyo que a la charidad del proximo, quando no se puede juntamente acudir a ambos, como se vee en el que sirue al enfermo, que si no puede asistir a la solem- nidad del santo sacrifiçio, no le obliga Dios, ni la Yglesia. Y pues remediar este mal tan grande como la republica y estado Real padesçe, es una de las mayores charidades que puede auer, por ser bien tan vniuersal y reme- dio de tantos males y difficultades, la benignidad de nuestro Dios no se terna por ofendida, porque para vn tan grande remedio esten vacantes algunos beneffiçios, aqui vno y alli otro, quanto mas que aura quien huelgue de seruillos entre tanto, por las distribuçiones, si tan nesçesario fuere su seruiçio. De manera que bien aueriguado queda ser muy grande la vtilidad, y muy poco, o ninguno el perjuiçio que d'esta traça y manera de desempeñar redunda a la republica.

Resta agora el ver su neçesidad; çerca de lo qual ‖ ay que consultar **Hoj. 5 v.** dos cosas, la vna si es de nesçesidad desempeñar el estado Real, y la otra si es neçesidad desempeñarlo por esta via. Quanto a lo primero, quien ay

261

que no entienda que la total ruina y perdiçion de vna hazienda es el cargarla de deuda? pues no solamente la suma prinçipal de la deuda, la disminuye y apoca, pero aun tambien las vsuras y reditos que de lo que se deue se va pagando cada dia la van royendo, acabando, y disminuyendo? demas de que muchas vezes para cumplir con los reditos de vnas deudas es menester hazer otras mayores, que es vna llana manera de dar al traues con los patrimonios y haziendas. Y si esto es assi en los patrimonios y haziendas de los particulares, quanto mas de veras será en el patrimonio Real, donde tan grandes nesçesidades se ofresçen y tan grandes yntereses se pagan? Allegandose pues a los gastos ordinarios, los extraordinarios, de los juros y çensos y cambios que cresçen de cada dia, y siendo lançes tan forçosos los gastos ordinarios de Su Md., aueriguada cosa es, que si no se remedia lo del pagar intereses de lo que se deue, que ha de venir a adeudarse tanto, que a de ser vna de dos cosas, que o el patrimonio Real se consuma, o dexe Su Md. de corresponder a sus

Hoj. 6   acrehedores; y lo vno y lo otro se||ria vna total perdiçion de la rrepublica. De manera que queda bien aueriguada esta verdad, que no puede dexar de desempeñarse el estado y hazienda Real sin total perdiçion de la republica.

Ya no nos resta otra cosa por ver, sino si es neçesario hazerse por esta via, de tal manera que qualquiera otra fuera d'esta sea perjudiçial para republicas, y solo esta no lo sea, lo qual casi está ya entendido de todo lo de atras. Porque llana cosa es, que todas las otras se hazen despojando, y ésta no; todas las otras se hazen con quexa de terçero, y ésta no; todas las otras se hazen con odio del público gouierno, y ésta no; todas las otras se hazen arriscando la comun quietud, y ésta sin arriscar nada. Y pues en todas las cosas es neçesario mirar el mejor modo para que tengan mejor subçeso, aueriguado queda que éste es el modo mas neçesario para este desempeño pues este nos muestra y promete muy mejor subçeso que todos los demas.

Aueriguado queda hasta aqui que esta manera de desempeño es posible, es façil, es conforme a buena razon, es la mas vtil, y es en todas maneras nesçe[sa]ria. Resta agora responder a las dificultades, las quales no puede dejar de topar en alguno d'estos çinco puntos, si son difficultades puestas por entendimientos fundados en rrazon. Respondere || a algunas que se

Hoj. 6 v.   me han puesto, y estare aparejado a satisfaçer a las que se me propusieren, quanto me basten las fuerzas de mi flaco entendimiento. En lo que toca, pues, a la natural posibilidad nadie difficulta; porque es cosa notoria, quan posible cosa es el hazerse el desempeño por esta via.

En lo de la façilidad, ay quien dize que paresçera grande descomedimiento el presentar vna cosa como esta ante el Summo Pontifiçe, y del Collegio de los Cardenales; porque paresçera querer abusar de las rrentas eclesiasticas, y conuertillas en vsos seculares.

Yo estoy admirado de ver aun los muy buenos entendimientos tropieçan y caen en cosas claras y manifiestas, y mayormente quando presuponiendo los hombres mucho de sí, tienen por tiro inutil el que no salio de su aljaua. Que descomedimiento es dar notiçia a Su Sanctidad de como el patrimonio de Su Md. padesçe esta extrema neçesidad, y dificultad, de la qual redunda peligro a ambos estados ecclesiastico y seglar? Y como en esta neçesidad y dificultad, ha venido por amparar las cosas de la Yglesia? Y quanta razon es que de alli mismo le venga el remedio, de donde le vino el daño? speçialmente mostrando, como por todas las vias se a hecho escrutinio de hazienda, ‖ y en todas (saluo en ésta) se ofresçen **Hoj. 7** grandes dificultades? A mi me paresçe que es mas descomedimiento, tener a Su Sanctidad y a todo el Collegio de Cardenales, por personas de tan duras entrañas, y por tan faltos de razon y consideraçion, que viendo ser la causa d'esto el çelo que Su Magd. a tenido y tiene de defender la Yglesia, y considerando que aca en lo humano no tiene agora la Sancta Yglesia otro caudillo, que tan de ueras tome la espada por su defension, y entendiendo que de aqui a venido esta dificultad, y que no ay otro mejor medio que este para remedialla, no se enternezcan y huelguen de remediar la dificultad del estado de su Md. que en realidad de verdad es remediarse assi y a la nesçesidad de la Yglesia Catholica.

Ay tambien quien dize, que es negoçio mal sonante, porque la entrada y prinçipio de los hereges fue por aqui, de persuadir que las rentas ecclesiasticas se conuirtiesen en vsos seculares; razon realmente no digna de tan claro y buen entendimiento. Haze realmente grande injuria a la verdad, el que con palabras aparentes quiere mezclar su causa con la de la falsedad y error. Digo pues quanto a lo primero, que esto no es conuertir las rentas eclesiasticas en vsos seculares; sino remediar con las rentas eclesiasticas el daño y trauajo en que el estado y hazienda ‖ de Su Md. esta puesto **Hoj. 7 v.** por la deffension de la Yglesia.

Digo asimismo que los hereges an querido para siempre deshazer el orden hierarchico de la Sancta Madre Yglesia, y persuadir a los Prinçipes que ellos podian por su propia autoridad apoderarse de aquellas rentas y conuertillas en los vsos que a ellos les paresçiesen; aqui por el contrario se procura que el orden hierarchico de la Sancta Yglesia se conserue; y para su conseruaçion sirua este dinero, pues se a gastado y gasta en resistir a los que lo procuran deshazer y destruir; aqui no persuadimos a Su Md. que él por su autoridad se lo tome; sino que acuda a Su Sanctidad como a cabeça de la Yglesia vniuersal y le represente todas estas causas y dificultades, y con la autoridad de la Sancta Sede Apostolica se vse d'ese dinero para esta neçessidad. De manera que juntar esta causa, con la maldad de los hereges es hazer vna grande affrenta a la verdad.

Digo assimismo que las estremas nesçesidades se pueden remediar de donde mas commodamente se puede hazer; y que no son mas sagradas las rentas eclesiasticas que eran los panes de la proposiçion en el Viejo Testamento; los quales no los podia comer otro sino los saçerdotes, y con todo

Hoj. 8 eso los comio Dauid, quando huyendo de Saul, ‖ y teniendo estrema hambre, llegó al saçerdote Abimelech a que le diese de comer, y no tuuo otra cosa que dalle, sino los panes de la proposiçion. Leemos assimismo en las historias de los libros de los Reyes auer muchas vezes seruidose los Reyes de Hierusalem del dinero del templo para resistir a los Gentiles que venian con fin de quitalles el Reyno, y destruir el templo, y no hallamos que d'esto los reprehendiesen los sanctos Prophetas. Pero que es menester buscar exemplos antiguos? pongamos los ojos en todos esos estados de Ytalia, y veremos quanta parte de hazienda ecclesiastica está empleada y conuertida en vsos seculares por neçesidades que deuieron de offresçerse conforme a los tiempos. De manera que esta dificultad no tiene fundamento en que pueda estribar, que no sea de arena.

Hay tambien quien dize que d'esta manera vendria en diminuçion el culto diuino, y se dexarian de hazer muchas limosnas que se han de hazer de los bienes ecclesiasticos; razon por çierto de buen çelo, pero a mi paresçer no del todo fundada en la buena consideraçion.

A lo del culto diuino ya atras queda satisfecho. A lo de la limosna digo que auemos de creer piamente que las personas eclesiasticas distri-

Hoj. 8 v. buyen las rentas ‖ de sus offiçios bien y como deuen; y no podemos pensar otra cosa sin offension de nuestras propias conçiençias; pero que con todo eso, esto no solamente no perjudica a la limosna antes es manera de hazer limosna, la mejor y mas importante que ay.

Quanto a lo primero, esta es vna verdad catholica que la Yglesia de Dios es vna, como el Spiritu Sancto lo manifiesta en los cantares; y que la cabeça d'esta Yglesia es Christo, y el que aca en la tierra tiene sus vezes, que es el Pontifiçe Romano; y que los dos estados secular y ecclesiastico son dos misticos braços de vn mismo cuerpo, los quales estan obligados a valerse y ampararse quando qualquiera d'ellos corriere riesgo y nesçesidad; y assi se a visto que padesçiendo en las partes del Norte el estado ecclesiastico, el estado secular tomó y toma las armas y arrisca su estado por deffendello. Pues, qué limosna mejor puede auer, que acudir al braço ecclesiastico a remediar la neçesidad en que por causa de deffendelle se ha puesto el braço secular? espeçialmente pudiendolo hazer tan sin perjuiçio, alteraçion, y pesadumbre.

Ytem todos los Theologos y Philosophos conforman en esta verdad,
Hoj. 9 que entre los grados de obligaçion ‖ ay mucha diferençia, y que si padeçe nesçesidad el estraño, y la padeçe el padre, o la madre, o el hermano, no pudiendose acudir a todos se deue acudir a la del mas çercano. Pues bien entendido está que la republica christiana es vna madre comun de los christianos, y que los dos estados, secular y ecclesiastico son como dos hermanos hijos de esta madre; y que padesçiendo nesçesidad qualquier d'ellos es razon que el otro le acuda; y pues el estado secular y casa de Su Md. padesçe esta estrema nesçesidad por auer amparado a su madre la Yglesia y por amparalla de presente, y por fauoresçer al estado eccle-

siastico que en aquellas partes va tan decayda, qué limosna mas justa puede auer, que el acudille con un remedio tan façil en vna neçesidad como ésta? La qual el Sumo* Pontifiçe remedie que en la distribuçion de las rentas ecclesiasticas y en todo el gouierno de la Yglesia tiene las riendas en la mano; y dezir lo contrario seria proposiçion escandalosa y mal sonante.

Demas d'esto es verdad aueriguada que entre las nesçesidades se a de acudir por via de limosna a la mas vrgente, y la mas vrgente es aquella ‖ de   **Hoj. 9 v.** donde mas general daño proçede; y pues de apremiar al pueblo con nueuos tributos redundaria a todo el cuerpo de la reppublica, daño muy notable, paresçe ser muy justa limosna el acudir a este remedio con las rentas ecclesiasticas mayormente tan sin perjuiçio.

Ay quien dize que ya se le dan a Su Md. los subsidio y escusado y la cruçada; y que se deue de tener por contento con esto. A esto digo que las nesçesidades de Su Md., vnas proçeden de causas presentes y otras de pasadas; y que las presentes se remedian con esso, pero el desempeño que trae rayz y origen de causas pasadas no se remedian con eso y está pidiendo a boçes el remedio, el qual solo por esta via se le puede dar sin detrimento alguno.

Estas son las dificultades que se me an propuesto y representado açerca d'este auiso; a las quales y como e podido he satisfecho remitiendome siempre al mas sano paresçer y mejor consejo.

Soli Deo, honor et gloria. [*rúbrica*].

[Al dorso, letra del siglo XIX, a modo de carpeta:] Dentro de copia de carta de Pedro Simon Abril, fecha en Madrid a 22, de Enero de 1583.

[Volante adjunto a estos documentos.]

†

S. C. R. Md.

Vieronse estos papeles de Pedro Simon Abril en la Junta y paresçio que se deuen remitir al Consejo de la Hazienda. 27 de Henero 1583. [*rúbrica*]. [*Decreto marginal:*] Asi.

(Debo la reproducción de este documento al servicio de copias del Archivo General de Simancas, y su corrección a la amabilidad de los archiveros.)

DOCUMENTOS

·

CARTA A FELIPE II [1]

Fol. 423   Señor. Por que confio me harà V. M. merced de leer la Carta que al principio dese libro va escrita al secretario de V. M. Mateo Vazquez, en que van escritas las causas y necesidad de su impresion, no las digo aqui à V. M. la que ami me ha mobido à suplicar a V. M. me haga merced de leer en el algun rato desocupado, es el mostrar à V. M. por la esperiencia quan capaz es de toda buena dotrina la Lengua Castellana, y el gran fruto que se pierde en no enseñar en ella à los Españoles toda buena dotrina; pues en menos tiempo serian en ella sabios en las cosas del que gastan en el aprender un poco de barbaro latin y una mala e inutil Gramatica estrangera. Yo como V. M. me mandò, tengo puesta en esta lengua toda

v.   la elegante dotrina de los Griegos y Latinos; / por que le tengo Gramatica con que se pueda aprender en todas naciones como el latin y como el griego y las demas lenguas que se aprenden por arte de Gramatica: Le tengo hecha Logica, que dispone y alumbra el entendimiento para que pueda aprender las ciencias con orden y concierto. Tengo tambien toda la Filosofia natural conforme a la dotrina de Aristoteles y Platon, y traducidos y comentados los diez libros morales de Aristoteles, y los ocho que escribio del buen gobierno de la Republica; por los quales libros se puede aprender toda buena dotrina, y lo que hà menester saber un hombre discreto, para rejirse bien asi, à su familia, y à la Republica, sin andar à buscar esta dotrina por lenguas estrañas mal entendidas y peor usadas; pero todo esto no sirve de nada sin viva voz de Maestro quelo enseñe, como lo hallarà V. M. ecrito por Tulio en la carta 19. del seteno libro; y asi aunque los Griegos tenian harta abundancia de libros, siempre tubieron Escuelas en que enseñaban la dotrina con viva voz de Maestro. De manera que para que esta nacion sepa cosas graves en su lengua solo

---

[1]   La copia que reproducimos aquí se halla en el manuscrito 5.938 que lleva el título *Copia de un Codice del Escorial que fue de Ambrosio de Morales,* en los folios 423-425. El encabezamiento escrito en distinta letra dice "Carta à Felipe 2.º sobre la gramatica y otras obras griegas que tenia traducidas". La carta evidentemente acompañaría su edición de las Epístolas Familiares de Cicerón (1589).

El original de esta carta se halla tal vez en la Biblioteca de la Real Academia de la Historia, en cuyo catálogo manuscrito está consignada con la indicación: "Papeles Varios N.º 13". He revisado un gran número de tomos de varios sin que apareciera.

falta que V. M. como Señor aquien solo toca el mirar por el bien della / y   Fol. 424
que solo tiene poder para mandar ponello por la obra, mande que los
pueblos granados como tienen asalariados Maestros para enseñar la Gramatica latina, que es cosa de muy poco momento, tengan tambien hombres
sabios en la dotrina, que enseñen en Castellano à los mancebos la dotrina,
que quando lleguen à ser varones perfetos los haga aptos para saberse
regir en toda cosa grave. Esto es cosa dina de la prudencia de V. M. dina
de su Real autoridad, y dina de la edad y años que el Señor hà sido servido
de dar a V. M. y que en los siglos venideros quando los hombres juzgaràn
de los que hoy vivimos, desapasionadamente le darà à V. M. eterno nombre
y alabanza, no menos que le diò al Emperador Augusto el haber hecho
Escuelas latinas, y puesto en aquella lengua la dotrina que antes solian
aprendella de los Griegos. Bien veo que esta empresa no serà muy util
para los que hoy se hallan yà adelantados en edad, quando yà parece
cuesta arriva el aprender, aunque si quieren y tienen deseo de saber,
tambien les serà util; pues Marco Caton de sesenta años estudiò lengua
Griega por saber dotrina; y el Rey Don Alonso de Aragon Rey de / Na-   v.
poles en medio el bullicio de sus guerras estudio latin, queriendo mas
aprender tarde que inorar siempre: los quales lo hicieran con mayor gusto
si en sus proprias lenguas tubieran la dotrina; pero pues V. M. en sus
Bosques y Arboledas los Arboles que yà hallò crecidos y endurecidos en
mala figura, los deja estar asi, y los que se plantan de nuevo manda
formar en figura hermosa, y poner por muy buena orden y concierto,
tanto mas razon es mande formar bien los hombres, que como nuevas
plantas pueden ser bien instruidos por ser tiernos: quanta diferencia hay
del plantar Arboles al plantar hombres tales, que llegados à grandes seles
pueda encomendar toda cosa grave por razon de su dotrina y su virtud.
No puedo yo en tan breve Carta declarar à V. M. por entero los grandes
bienes que de aqui procederàn; y asi concluyo suplicando à V. M. no dè
credito à los que le dijeren que con esto se vendran à perder las lenguas
latin y griega, sino que V. M. entienda al contrario, de que perdidas y
arruinadas que estan, tornaràn con esto à su antigua perficion y dinidad;
pues sabiendo los hombres las buenas dotrinas en su propia lengua, les
serà facil por las mismas cosas entender la / buena lengua Latina y la   Fol. 425
buena Griega en sus propias fuentes sin error ni barbarismo. Este consejo
no es mio sino de Plutarco en el paralelo de Demostenes y Tulio. Conserve
Dios la vida de V. M. por largos años como todos habemos menester, y
le ponga todos sus enemigos debajo de sus pies. De Madrid à 4 de
Otubre 1589.—El Doctor Abril.

BIBLIOGRAFIA

Para bosquejar el desarrollo de la bibliografía de las obras de nuestro autor hay que seguir la misma trayectoria que para la recopilación de las noticias biográficas; es más, como ya dijimos, dichas noticias sirven generalmente de introducción a las listas de sus obras. Simón Abril padece el destino de todos los autores de libros de texto, con la diferencia de que su nombre, quizá también por su eufonía y la facilidad con que se recuerda, no desapareció nunca de la portada de sus escritos.

La lista más antigua de las obras de Simón Abril la hallamos en el ya mencionado manuscrito de D. Tomás Tamayo de Vargas, que compiló una bibliografía de obras anteriores al 1634 [1]. Enumera el diligente bibliógrafo veintiocho obras de Simón Abril, pero tan sólo ocho llevan pie de imprenta (la *Gramática latina* de 1573, la *Gramática latina* en español, "Zaragoza, por J. Soler, 1581, 8.", la *Gramática griega* de 1587, la *Lógica* en castellano de 1587, la *Tabla de Cebes,* Zaragoza, 1586, los *Apuntamientos* de 1789 y las *Tablas de leer, i escribir bien, i facilmente,* Madrid, Alonso Gómez, 1582, fol.), y dos son manuscritas, las *Obras de Cornelio Tácito* y la *Etica* de Aristóteles. Las otras están en el mismo orden —con una sola variación— en que las enumera Simón Abril en su "Comparación de la Lengua Latina con la Griega [2], que Tamayo

---

[1] La citamos en la pg. 9; también enumera algunas traducciones de Abril (ninguna distinta de las de la *Junta de Libros)* en el citado *Discurso a los aficionados a la lengua española.*

[2] *Gramática griega* de 1586, fols. 1-5 v.

seguramente conocía. Se puede, por tanto, concluir que de ese pasaje se valió para esta lista y que, a lo más, tan sólo indicaría de primera mano las ocho obras citadas arriba y el ms. de la *Etica* que poseyó él mismo [1]. Por lo que se refiere a las obras de Tácito, no puedo decir sino que Simón Abril nunca nombra dicha traducción entre las hechas por él, ni aconseja la lectura de Tácito a sus alumnos [2].

D. Nicolás Antonio, con toda probabilidad, tuvo presente la lista de Tamayo para la voz correspondiente a nuestro autor de su *Bibliotheca Hispana* (1672-1696). En efecto, lo nombra al incluir las obras de Tácito entre las traducciones de Simón Abril [8].

Los títulos indicados por Nicolás Antonio son diecinueve. Tiene noticia de varias ediciones de la *Gramática latina,* sin saber si se trata de la misma obra [4]. Conoce dos de la *Gramática griega* y con un prudente *nescio an aliud opus sit* añade una *Cartilla griega* (Caesaraugustae, 1586, in 4), que efectivamente tuvo que ser una impresión separada. Cita además la *Introductiones ad Logicam Aristotelis* con la recta indicación del pie de imprenta, pero equivocándose en el número de libros *(libris IV).* Además da pie para creer que la *Primera parte de la filosofía,* esto es, la *Filosofía racional,* sea la misma obra en español [5]. Da algún dato más acerca de algunas obras que Tamayo no indicó sino por el título, p. ej., los *Progymnasmas de Aphtonio: de novo versa e Graeco,* Caesaraugustae in 4. De algunas otras, de las que su antecesor no señala más que el contenido, Nicolás Antonio indica el pie de imprenta y en dos casos una edición posterior. El mismo vió además manuscritos los dos libros *De Arte Dialéctica, hoc est, de Inventione & Iudicio,*

---

[1] Según su propia afirmación.

[2] El Sr. Francisco Sanmartí, que presentó recientemente una tesis sobre los traductores de Tácito en España, me informa que ha buscado inútilmente la versión que Tamayo atribuye a Simón Abril.

[3] "Obras de C. T. suplidas MS. in folio vidit D. Thomas Tamajus."

[4] "De Lengua Latina sive de Arte Grammatica libri IV. Tudelae 1573... Credo idem opus esse Artis Grammaticae latinae linguae rudimenta. Caesaraugustae, editum in 8. 1576 sive Grammatica Latina en Español. Ibidem 1581. in 8."

[5] Tras indicar la *Introductio* escribe: "Quod etiam opus dedit Hispane", y después del título de la *Filosofía racional,* "... hoc est ars logica Hispana".

que probablemente no es otra sino la *Introductio* [1] y un *Libro de la Tassa del pan,* que se conservaba manuscrito en casa de D. Gaspar Ibáñez de Segovia, Marqués de Agropoli.

De primera mano es, en cambio, la lista incluída en el catálogo de la biblioteca de D. Gregorio Mayans y Siscar [2] y más amplia la que él mismo ofrece al lector en su introducción a las *Epístolas selectas* en 1760, siendo ésta la primera bibliografía segura y fundamental de Simón Abril. Consta de doce obras impresas que vió él mismo, otras seis ediciones posteriores y siete títulos de obras que cita de Nicolás Antonio, Valerio Andrés Taxandro y una —las *Metamorfosis* de Ovidio, que demuestra no ser de Simón Abril— de la *Bibliotheca* del Barón de Schomberg (vol. II, pg. 452).

En D. Nicolás Antonio y en Mayans se apoyó Pellicer para su lista de traducciones de Simón Abril [3], pero sin añadir nada esencial.

Posteriormente hallamos elencos bibliográficos más o menos extensos y más o menos exactos —pero sin nuevas aportaciones— en muchas de las obras generales que mencionamos en el prólogo.

Merece especial mención la *Biblioteca hispano-latina clásica* de Menéndez y Pelayo, en la que cita dieciséis ediciones y reimpresiones de obras de Cicerón traducidas por nuestro autor, con amplios extractos de los preliminares de las mismas [4].

Por otra parte, citar expresamente todas las obras propiamente bibliográficas que desde un concepto u otro señalan escritos de nuestro autor equivaldría a nombrar casi todos los bibliógrafos mayores del siglo pasado y de éste: Gallardo, Pérez Pastor, Catalina García, Cotarelo y Mori, etc. Destacaremos tan sólo, por lo cuidadoso de las fichas y el gran número de obras de Simón Abril que abarca, la *Bibliografía aragonesa del siglo XVI* [5] de Juan

---

[1] "MSS vidimus, qui eumdem habent auctorem; idem opus forte cum Introductionibus ad Logicam."

[2] *Specimen Bibliothecae Hispano - Majansianae...* Hannoverae, MDCCLIII, pgs. 108-113.

[3] *Op. cit.,* pgs. 146-153.

[4] Los números CXCVI-CCXII inclusive (pgs. 604-634). De los preliminares de las *Epistolas Selectas* reproduce entre otros el texto íntegro de las "Annotaciones" (1572), un amplio extracto de la introducción de D. G. Mayans (1760) y la dedicatoria latina a D. Antonio Agustín (copiada, no se sabe por qué, de la edición de 1790).

[5] Madrid, 1914, t. II.

Manuel Sánchez, y, por la reproducción de las portadas de las impresiones tudelanas, el ensayo bibliográfico de J. R. Castro [1].

Una bibliografía hecha exclusivamente con miras al estudio de Simón Abril la intentó Marco e Hidalgo en el artículo ya citado. Llegó a reunir un buen número de títulos esparcidos por los catálogos anteriores y a indicar de algunas obras varias ediciones. Con todo, por muy laudable que sea su intento, el elenco que ofrece no es ni completo ni muy exacto y nos ha parecido imprescindible, como base de nuestro trabajo, rehacer de nuevo la bibliografía, no ya recopilando las indicaciones de bibliógrafos anteriores, sino valiéndonos de las obras mismas. Todas las fichas que se ponen a continuación están hechas directamente, menos dos que indico al pie, y se señalan las bibliotecas españolas en que se conservan ejemplares, lo cual en ciertos casos, dentro de lo que cabe, dará una idea de su mayor o menor difusión.

Doy cuenta, además, de las impresiones que según testimonios fehacientes tuvieron que existir, mientras que, respecto a aquellas otras obras que de la lista redactada por el propio Simón Abril pasaron a los catálogos bibliográficos, sin que se haya descubierto nunca si llegaron a imprimirse, cito el pasaje correspondiente del mismo autor. No cause, por tanto, extrañeza el número reducido de títulos, porque, además, no he tenido en cuenta aquellos que en realidad forman parte de otra obra, aunque los bibliógrafos los citen por separado [2].

En mi descripción de las obras de Simón Abril he omitido algunos de los detalles que llaman la atención del bibliófilo, mientras que incluyo otros, aunque quizá no estrictamente bibliográficos, por la luz que arrojan sobre las circunstancias y método de las distintas ediciones, y más hubiese incluído si no fuera por el temor de alargarme y alejarme demasiado de la senda acostumbrada.

---

[1] El ya citado *Ensayo de una Biblioteca Tudelana*, 1933, pgs. 23-28.

[2] Ya en Tamayo de Vargas y en Nicolás Antonio vemos este desdoblamiento. El primero, además de la *Gramática griega*, cita separadamente la *Comparación de la lengua Latina con la Griega*. Nicolás Antonio hace lo mismo e incluye como título aparte las *Sententiae*, unaque *Una tabla de Cebes Thebano*, Zaragoza, 1586, in 8, después de haber citado la edición del mismo lugar y año de la *Gramática griega*, que en efecto contenía dichos textos. A otra separación arbitraria ha dado lugar el tratado "De arte poetica", incluído desde 1569 en la *Gramática latina*. Tales desdoblamientos han pasado a los catálogos bibliográficos posteriores.

Tan sólo la reproducción fotográfica de los frontispicios mismos de estos tomitos, como de tantos otros de aquellos siglos, podría traernos el reflejo de su carácter individual. Pero aun la lectura atenta de las portadas y de los títulos, que encabezan las distintas partes, puede revelarnos datos biográficos, aspectos importantes de su sistema didáctico y hasta algo de su carácter. Aunque sean muchos los años que nos separan de su fecha de impresión, parece ser el propio autor quien nos entrega estas obras: el título, que, a diferencia de algunos de los de hoy, nada tiene de sibilino, resume en pocas líneas el contenido y fin de la obra. Luego, en los preliminares, seguimos paso a paso los eslabones de una larga tramitación: licencia, privilegio real, tasa, fe de erratas, corresponden a otras tantas etapas, y tanto más en cuanto que la licencia o el privilegio muchas veces repiten casi textualmente las palabras en que el autor formularía su instancia. Todas ellas son manifestaciones visibles de una censura que puede interpretarse como signo de atraso —aunque bajo una u otra forma se halla en casi todas las naciones y en casi todas las épocas—, pero también revela un eficaz sistema de protección de los derechos de autor, el interés del Estado por la cultura y el afán de lograr corrección y exactitud en la imprenta. Significativos por demás son, p. ej., aquellos privilegios reales otorgados no tan sólo para las obras ya impresas de Simón Abril, sino para las que quisiere imprimir o mandar imprimir [1], y esto naturalmente en vista de la *utilidad* de sus publicaciones para la República.

Ilustrativas para la historia de la enseñanza del latín en España son las impresiones de las *Epístolas selectas* y las *Epístolas familiares* de Cicerón, de las *Comedias de Terencio* y las *Fábulas de Esopo*. ¿Servirían además las *Epístolas familiares* para el fin al que las destinó Simón Abril [2], circulando entre los muchos formularios epistolares en boga entonces? ¿Y tuvieron las comedias de

---

[1] Cfr., p. ej., la licencia real para la segunda impresión de las *Comedias de Terencio* (1583).

[2] "... mudando solamente el estilo de las cortesias, que es algo diferente del de aquellos tiempos, tendran los nuestros vn como formulario de escriuir graues consuelos, prudentes esortaciones, discretas disculpas, benignos i amorosos fauores, sabrosas burlas y donayres cortesanos, manera graue de contar sucessos de negocios, con otros mil generos de cosas, de que estan llenas las cartas que en este libro se contienen." *Ep. fam.,* 1589. Dedicatoria.

Terencio en la versión de nuestro autor el influjo sobre el teatro erudito español del que habla Pfandl?[1] He aquí otros tantos temas de interés que plantea la reimpresión de las obras de Simón Abril.

Detalle curioso e ilustrativo para la cultura y mentalidad de otros tiempos es el hecho de que en 1678 *Los Dieziseis Libros de las Epistolas* sirvieran al librero valentino Francisco Duarte para hacer un obsequio a los señores Canónigos de la Iglesia Metropolitana[2] de Valencia, y el año siguiente el librero Santiago Martín Redondo ofreciera las mismas a D. Antolín de Casanova, "Maestro en Philosophia, graduado en la Vniversidad de Alcalà".

Si, por otro lado, consideramos la frecuencia de las reimpresiones, vemos que la mayoría se hicieron al final del siglo XVI y al principio del siguiente. Otra temporada muy fecunda empezó hacia la sexta década del siglo XVIII, cuando salió de las prensas valentinas, bajo los auspicios de la Compañía de Libreros e Impresores de Valencia y por inspiración de D. Gregorio Mayans y Siscar[3], aquella serie de tomitos de tipos tan claros y papel escogido[4] cuya preparación refleja la siguiente carta de uno de los directores de Compañía, el librero Manuel Cavero Cortés a Mayans. Citaremos la parte que se refiere a las obras de Simón Abril:

> "Remito á V. el primer fruto de nuestra Compañia i en nombre de ella que son seis Exemplares de las Selectas de Abril i seis de las fabulas i unos i otros son obritas que logran el aplauso de los curiosos i azen ver el buen gusto i eleccion de V.
> Aora se imprime el terencio, i la Oracion in Verres solo que en esta ultima no savemos que rumbo tomar para su impresion por la variedad de letras que tiene pues la queremos azer en 8.° para que aga juego con los demas

---

[1] *Historia de la literatura nacional española en la edad de oro*, Gili, Barcelona, 1933, pg. 113. La primera edición de las *Comedias de Terencio* estaba agotada cuando, en 1583, Simón Abril pidió licencia para la segunda; pero esto se explica por lo mucho que se leía en las escuelas.

[2] "Obsequio es dedicar —decía el editor— lo más eloquente de Marco Tulio Ciceron a la eloquencia de VSS" (!).

[3] Según afirma él mismo en su Prólogo a la edición valentina de las obras de Fr. Luis de León.

[4] En las ordenanzas de la Compañía leemos que corría a cargo de los directores, entre otras cosas, el comprar el papel para las impresiones, cuidar de su limpieza y hermosura y elegir correctores a su satisfacción.

i asi V. deme si gusta su parecer... Valencia i Abril 17 de 1761" [1].

Nuestra bibliografía termina con las ediciones de los *Apuntamientos* hechas en 1815 y 1817. Esta última obra fué incluída en la *Biblioteca de Autores Españoles* formando parte del tomo LXV, dedicado a los escritos de carácter filosófico; las *Epístolas familiares,* la *Tabla de Cebes,* las *Comedias de Terencio* han sido publicadas en la *Biblioteca Clásica* (respectivamente, vols. 77, 79 y 117); en el Prólogo ya mencionamos la edición de la *Etica* preparada en 1918 por el Sr. Bonilla; la *Política* ha aparecido en varias colecciones, y últimamente la Editorial Aguilar ha impreso de nuevo la *Tabla de Cebes* y las *Comedias de Terencio* en su *Colección Crisol.*

No hemos descrito aquí las ediciones más recientes porque algunas de ellas no merecen figurar en una bibliografía que empieza con tanto lustre en el siglo de oro, y en segundo lugar porque las versiones de Simón Abril, en la mayoría de los casos, han sido aprovechadas por no haber otras hechas de un original más depurado y con criterios modernos. Es triste y al mismo tiempo alentador de nuevos esfuerzos el que haya que repetir lo que Mayans y Siscar decía en 1762 respecto a una de estas obras: "En España no tenemos otro Traductor de las comedias de Terencio sino el Maestro Pedro Simón Abril. I assí digamos con el Emperador Augusto: Estemos contentos con este Catón."

1561

LATINI / IDIOMATIS / DOCENDI, AC DISCEN-/DI ME-THODVS AD ILLVSTRIS-/simum, eundemque amplissimum Do/minum D. FERDINANDVM AB / ARAGONIA Caesar Augustanorum / Pontificem, vel vt nunc lo-/quuntur. Archie-/ piscopum / § / Authore Petro Simone Aprileo, Craticulensi / (Viñeta) / CAESAR-AGVSTAE *(sic),* / Apud. Bartolomaeum Marcum / Filete / 1561.

---

[1] Serrano y Morales, E.: *Diccionario de las imprentas que han existido en Valencia... hasta el año 1868.* Valencia, Domenech, 1898-9, pg. 88; sobre la Compañía, pg. 83 y sigs.

8.º—3 h. en b. + 131 pg. (la última marcada 132 por equivocación) + 3 h. en b.—Letras itálicas y redondas de varios tamaños.—Renglón seguido.—25 líneas en cada plana, menos en los preliminares.—Adornos y capitales grabados en madera.· Reclamos.—Encuadernación en piel con hierros dorados —muy estropeada—, levemente apolillado.

h. 3 (en blanco): Escrito a mano.—"D. Pedro Nicolás de Jausoro le regaló a D. Juan Antonio Mayans."

p. 1: Portada.

p. 2: En blanco.

p. 3: ILLVSTRISSIMO, / EIDEMQUE AMPLISSIMO DO-MI/no D. Ferdinando ab Aragonia, Caesar Au-/gustanorum Pontifici, vel vt nunc / loquuntur, Archiepiscopo di-/gnissimo. Petrus Si-/mon Aprileus, / S. P. D. /; la dedicatoria termina en la pg. 12.

p. 13: EXHORTACION / al Lector; termina en la pg. 16.

p. 17-131: Texto; pg. 117: EPITHOME EORVM / quae hoc toto Opere continen-/tur, in gratiam eorum / qui infirma sunt / memoria.

p. 131 (132 por equivocación): Colofón en un marco renacentista.—LVGDVNI, / Mathias BONHOME / EXCUDEBAT.

No sé que existan más ejemplares que el de la Biblioteca Universitaria de Valencia. Este fué el que vió también J. M. Sánchez (cfr. su *Bibliografía aragonesa del siglo XVI*, Madrid, 1914 ,t. II, pg. 109, núm. 422).

Nota.—D. Gregorio Mayans y Síscar, que tuvo esta obra en su biblioteca, escribe: "Libellus hic Lugduni excusus, vendebatur Caesaraugustae" (*Specimen Bibliothecae*, pg. 108).

D. J. M. Sánchez, *loc. cit.:* "Ni por los tipos, ni por ningún otro carácter externo é interno del libro, se demuestra que esta obra haya salido de las prensas zaragozanas. Los caracteres son de Lión. Es, por tanto, impresión clandestina con marca aragonesa".

Muchas obras como la de Pedro Simón Abril iban camino de Flandes o de Francia; baste pensar en las Gramáticas latinas de Nebrija impresas en Lion (en la Bib. Nac. existen tres de estas ediciones, una de 1526 —R/5679—, otra de 1536 —R/19468— y otra de 1540 —R/2156—), y Juan Lorenzo Palmireno en su *De vera et facili imitatione Ciceronis*, Valencia, Huete, 1573, escribía: "Yo tengo ya, Dios loado, comentado hasta el quarto libro de las Epistolas a Atico. Si impressor de Lyon de Francia le toma a su costa como me prometen, a su costa imprimir se ha, sino dexar lo hemos alos ratones. Porque gastar io mis ojos, y salud y dinero, para quatro o cinco que lo merquen, es locura" h. iij y v.

Por lo que se refiere a la falta de licencia, recuérdese que muchas impresiones zaragozanas de aquella época no la llevan (cfr. la *Bibliografía* de Sánchez).

1569

§ METHODVS / LATINAE LIN-/GVAE DOCENDAE AT-/que ediscendae ad illustrissimum / amplissimumq. dominum Dida-/cum Ramirez pontificem Pom-/pelonensem authore Petro / Simone Aprileo / Laminitano / § / Fuit examinatum hoc / opusculum mandato excellentis-/simi domini Ferdinandi ab Ara-/gonia Archiepiscopi Caesaraugu/stani, & cum licentia suae excellen/tie impressum, ac cum licentia domi/norum Inquisitorum regni Arago-num / Anno / 1569.

8.º—133 h.—Letra redonda de varios tamaños.—Renglón seguido.—Algunas capitales grabadas en madera.—Orla renacentista en la portada.—Perg.

h. 1 r.: Portada.
h. 1 v.: Authoris distichon ad librum... / Eiusdem exastichon ad Zoilum... (cfr. la ed. de 1573).
h. 2 r.: § AMPLISSIMO ILLV/strissimoq. viro domino Didaco / Ramirez pontifici Pompelonensi / Petrus Simon Aprileus. S. P. D. ...; termina en la h. 8 v.—Fechada: Vnicastri / 12 Calen. Aug./sti anni / 1566 (21-VII-'66).
h. 9 r.: PROLOGO APOLOGE-/tico del author al lector, contra / los enuidiosos detractores.—Termina en la h. 12 r.
h. 12 v: METHODO DE EN-/señar y aprender lengua Latina. / Compuesta por Pedro Simon A-/bril, natural de la Parrilla.
h. 13 r.: METHODVS... (comienza el texto en latín y castellano en páginas opuestas).
h. 61 v. (H⁵): PARTE SEGVNDA... / ... de la composicion de las diez partes de la ora-/cion...
h. 85 v. (L⁵): PARTE TERCERA... / ... de los vicios de la oracion...
h. 103 v. (Nⁱ): PARTE QVARTA... / ... de como se ha de adquirir facili/dad y copia de lengua Latina por el vso.
h. 111 v. (Piij): PETRI SIMONIS / APRILEI LAMINITANI / Libellus de arte Poetica, id est, de litera/rum, syllabarum,

pedum, metro-/rumque natura. / Honesto viro Francisco
Aprileo / ciui Cetabensi Petrus Simon Aprileus S. P. D. ...;
la dedicatoria termina en la h. 115 v., fechada el 4 Cal. Sept.
an. 1568 (29-VIII-68).

h. 116 r.: PETRI SIMONIS / Aprilei... Libellus de arte poetica...
(comienza el texto, tan sólo en latín).

h. 133 v. (R⁷): Escudo y debajo el colofón: Çesaraugustae, in
aedibus olim Geor-/gij Cocij, nunc Petri Bernuz. / Anno,
1569.

Ejemplar de la Biblioteca Nacional, R/370.

Otras ediciones (modificadas): 1573-1769.

1 5 7 2

M. TVLLII / CICERONIS EPISTOLA-/rum selectarum libri
tres: cum interpretationi-/bus & scholijs Hispana lingua scriptis,
qui-/bus aditus facillimus aperitur ad non / magno labore litteras
Latinas perdis-/cendas, Petro Simone Aprileo / Laminitano interprete / & auctore. / Auctoris ad lectorem tetrastichon. / Olim
quod solitum est numeroso tempore disci, / En poteris lector quaerere paruo tibi. / Nam tibi dat paruo praesens volumine charta, /
Quod tulit eloquio lingua Latina suo. / TVDELAE / Per Thomam
Porralis Allobrogem, ipsius / met auctoris studio & opera / correctum 1572. / Cum priuilegio regis per / decennium.

8.°—19 h. + 613 pg. + 4 h.—Letra redonda e itálica de varios
tamaños.—Renglón seguido.

h. 1 r.: Portada.

h. 1 v.: En blanco.

h. 2 r.: Por mandado de los Señores del consejo de Aragon. [Li-
cencia.] Fecha en sant Phelippe de Madrid a .11. / de Março.
de 1572. / Fray Alonso / de Orozco / Por mandado de los
señores del Real consejo deste Reyno de Nauarra... [Licen-
cia.] Hecha en Pamplona a .26. dias / del mes de Iulio
de 1572. / El maestro Ripa canónigo.

h. 2 v.: NOS don Phelippe... [privilegio por diez años para el
Reino de Aragón]; termina en la h. 4 r.: Datis enel Pardo
a / XXViij. de Março. Año del señor mil quinientos / setenta
y dos. / YO EL REY [y varias firmas].

h. 4 v.: DON Phelippe [Licencia real para la Gramática latina, las
Epístolas de Cicerón y la Introducción a la Lógica]; termina

en la h. 5 r.: Dada en la nue/stra ciudad de Pamplona, so el sello de nuestra / chancilleria a veinte y nueue de Iulio de mil y / quinientos y setenta y dos Años. / Vespasiano Gonzaga Colona. / El Licenciado Antonio Vaca [y varias firmas] / Por mandado de su Magestad el Virrey Regen/te y de los de su consejo en su nombre / Miguel de Esayz / secretario.

h. 5 v.: ILLVSTRISSIMO RELI/giossisimoq. viro domino Antonio / Agustino pontifici Ilerdensi, / Petrus Simon Aprileus. / S. P. D.: termina en la h. 7 r.: Vale sexto Kalendas Quintilis 1570 (26-VI-'70).

h. 7 v.: ANNOTACIONES SO-/bre algunas de las mas faciles epistolas / de Tullio, escritas en lengua vul-/gar para abrir camino a los vi-/soños, y que de nueuo co-/minçan *(sic)* de apprender / lengua Latina; termina en la h. 12 v.

h. 12 r.: Instruction o regimiento de la orden methodo, y concierto, que a de seguir en sus estudios / el que de nueuo comiença de apprender len-/gua Latina para el lector estudioso.

h. 18 r.: EPISTOLA, a quien en len-/gua vulgar llamamos carta, di-/xose assi de este verbo Griego, /epistello; hasta la h. 20 v.

p. 1: M. T. C. TERENTIAE / S. P. D. [comienza el texto (Latín, versión literal en castellano, versión más libre —scholio—) termina en la pg. 613].

p. 613 v.: INDEX VERBORVM, / quorum vsus hisce scholijs / declarantur [hasta la h. 4 que contiene también Errata].

Ejemplares en la Biblioteca de Palacio, III-2638, y en la Nacional, R/8765.

1572

§ PETRI SIMO-/NIS APRILEI LAMI-/nitani introductionis ad libros Logico-/rum Aristotelis libri duo ijs qui / logicas artes ediscere aggrediun-/tur, longe quidem vti-/lissimi / § LIBRI AD LECTO-/rem distichon. / Barbarus hinc absit: ne me lege stulte so-/phista. / Non tulit has merces bibliopola tibi. / TVDELAE / per Thomam Porralis Allobro-/gem ipsius met auctoris / studio & opera cor-/rectum 1572.

8.º—8 h. + 275 pg.—Letra itálica y redonda.—Renglón seguido.—21 líneas en cada plana del texto.—Capitales grabadas.—Perg.

h. 1 r.: Portada.

h. 1 v.: En blanco.

h. 2 r.: EGO Michael de Oronsuspe... [Aprobación.] Pompelone sexto Kalendas Sextilis anni (I)LXXij (27-VII-'72).

h. 2 v.: DON Philippe... [Licencia real para "tres libros intitulados la grammatica Latina, y las epistolas de Ciceron con sus versiones y scholios, y la introduction a la logica", firmada por Vespasiano Gonzaga Colona. El Lcdo. Antonio Vaca y otros.] Y otra "Por mandado de su Magestad el Virrey / Regente y los de su consejo en su nombre / Miguel de Esayz secretario".

h. 3 v.: § Excellentissimo / viro Don Vespasiano Gonzagae Co-/ lonae Duci Traiecti, Marchioni / Sabionedae, Fundi atq. Rodigi Co-/miti, regniq. Nauarrae procos. / atq. copiarum pedestrium / cisalpinae Galliae à Ca-/tholico Rege Philippo / praefecto Petrus Si-/mon Aprileus. / S. P. D. (Fechada Idibus Iunii anni (I)LXXII—13 de Junio de 1572); termina en la h. 8 r.

h. 8 v.: Errata.

p. 1: PETRI SIMO-/nis Aprilei Laminitani / Introductionis ad Libros Logico-/rum Aristotelis, Liber / primus.

p. 96: ... liber alter.

p. 275: § PETRI SIMO-/nis Aprilei Laminitani / introductionis ad libros logico-/rum Aristotelis finis — y colofón: EXCVSSVM TVDELAE / per Thomam Porralis Allobrogem, proprijs auc- toris expensis anno / Domini 1572 tertio Idus / Octobris.

Ejemplares en la Nacional —2/23796 y R/26026—; R. Acad. de la Lengua —14-VIII-8*—; Monasterio del Escorial —35-VI- 21—; Bibl. Prov. de Toledo y la de la Universidad de Salamanca —37456—.

1 5 7 3

PETRI SIMO-/NIS APRILEI LAMINITA-/ni de lingua La- tina vel de arte grammatica, libri quatuor / nunc denuo ab ipsomet auctore correcti et emendati, / atq. ad multo faciliorem dicendi stilum reuocati, / cum Hispanae linguae interpretatione, ijs cer-/te qui in latinae linguae vsu sunt / rudes & tirones, vtilissima. / [Es- cudo] / Adiectus est in fine liber de arte poetica ver-/suumq. natura ad facile intelligendos poetas / vtilis in primis. Editio tertia / TVDELAE / Per Thomam Porralis Allobrogem, / ipsius- met auctoris studio & opera correctum 1573.

8.º—7 h. + 2-356 pgs. + 1 h.—Letra redonda de varios tamaños.—Renglón seguido.—El texto latino y el castellano en páginas opuestas.

h. 1 r.: Portada.

h. 1 v.: Auctoris distichon ad / librum. / I liber, & morsus ridentis despice linguae: / Nam res illustres impetit inuidia. / Eiusdem exastichon / ad zoilum. / Inuide quid laceras, quod non lustraueris / ipse? / Perlege: tunc poteris, cum bene ductus eris. / Aspicis, vt nullae tangantur fulmine valles, / Sed magni montes summo tonante Ioue? / Sic vbi vipereae linguae se effudit iniqua / Vis, ferit illustris nominis acta ruens.

h. 2 r.: Por mandado de los señores del real / consejo deste Reyno de Nauarra... hecha / en Pamplona a XXVIj de Julio, de / M.D.LXXII. / El Maestro Ripa / Canonigo.

h. 2 v.: DON Phelippe... [Licencia real para la Gramatica latina, las Epístolas de Cicerón y la Introducción a la Lógica, firmada por D. Vespasiano Gonzaga Colona y otros.]

h. 3 v.: JLLVSTRISSIMO / plurimumq. obseruando viro D. / Didaco Ramirez Sedeño de Fuen-/leal pontifici Pompelonensi / Petrus Simon Aprileus / S. P. D.; termina en la h. 4 r.

h. 4 v.: El auctor al Lector be-/nigno salud; termina en la h. 7 r.

p. 2: LIBRO PRIMERO DELA / lengua Latina... (comienza el texto de los cuatro libros).

p. 304: PETRI SIMONIS APRI-/lei Laminitani liber de arte Poetica, / id est de litterarum, syllabarum, pe-/dum, metrorumq. natura ad fa-/cile intelligendos poetas / vtilis in primis. / Honesto viro Francisco Aprileo ciui / Setabensi, Petrus Simon Aprileus. / S. P. D. [termina en la pg. 307]; fechada: 4 / Kalen. Sept. Anni / 1568 [= 29 de Agosto de 1568].

p. 308: PETRI SIMONIS APRI-/lei Laminitani, liber de arte poetica...; termina en la pg. 349.

p. 350: APOLOGIA DEL AV/ctor al Lector, contra los en/uidiosos murmura/dores; termina en la pg. 356.

h. final r.: EXCVSSVM TVDE/lae, per Thomam Porralis Allobro-/gem impensis ipsiusmet aucto-/ris anno (I)I)XXiij de-/cimoquinto Kalendas / aprilis (18-IV-'73).

Ejemplares en la Nacional —2/21399 - 2/24009 - 2/14979-R/26029—; en la de Palacio —IX-6469—; en la del Escorial —37-VI-39 (2)—, y en la Provincial de Toledo —2/3976.

1574

ACCVSATIONIS / IN C. VEREM *(sic)* LIBER / PRIMVS, QUI DIVINATIO / dicitur, oratio quarta, cum interpretatione Hispana, / & Scholijs Petri Simonis Aprilei Laminitani. / (Escudo) / CAESARAVGVSTAE. / Excudebat Petrus Sanchez Ezpeleta, Typographus / Regius permissu excellentissimi domini Ferdinandi / ab Aragonia Archiepiscopi Caesaraugustani / huius regni pro rege, necnon Illu-/strium dominorum Inqui-/sitorum. 1574. / Prostant exemplaria Caesaraugustae apud Franciscum Simonem Bibliopolam.

4.°—1 h. + 2-40 fol. a dos cols. pareados en ellas el latín y el castellano (menos en los preliminares).—Letra redonda de varios tamaños.—Varía el número de líneas.—Primera capital grabada en madera y las restantes impresas.—Portada con una orla en la parte superior.

h. 1 r.: Portada.
h. 1 v.: En blanco.
fol. 2 r. (por errata 3): ILLVSTRI VIRO / VINCENTIO AVGV-/STINO CAESARAVGVSTANAE / vrbis ciui primario, magnoque eiusdem ciui-/tatis Senatori Petrus Simon Apri-/leus S. P. D.; termina en el fol. 3 r., y debajo: "Si tibi hunc nostrum laborem probari in-/telligemus lector studiose, & in reliquas orationes contra Verrem, & in / nonnullas alias operam & la/borem eundem tua cau/sa conferemus.
fol. 3 v.: ACCVSATIONIS IN C. VERREM (texto en latín y castellano con escolios en ambas lenguas hasta el fol. 40 r.—Sigue la licencia que reproducimos íntegra por su interés:
"EN EL Palacio real dela Aljafferia a dos de Octubre de 1574 años, ante los señores Inquisidores doctor Don Rodrigo de Mendoça y Licenciado Ahedo parecio el maestro Pedro Simon Abril y presento este libro y suplico se le de licencia para imprimir lo, y los dichos señores Inquisidores mandaron lleuar dicho libro al Licenciado Cercito consultor Theologo deste sancto Officio, para que lo vea y diga su parecer, cerca la licencia que se pide para imprimir lo. Passo ante mi Lanceman de Sola.
"YO e visto este libro y no hallo en el cosa alguna contra nuestra religion Christiana: y lo firme de mi nombre en

Çaragoça a 4. de Octubre 1574. El Licenciado de Cercito.")
fol. 40 v.: En blanco.

Ejemplares en la Biblioteca de Palacio —III/6876—; Bibl. Universitaria de Zaragoza —A-38-38—.
Sánchez, *op. cit.*, pg. 208 (vol. II), cita un ejemplar de la Nacional que no he podido localizar. El mismo también poseía uno.
Otra edición de esta obra en 1761.

1575

AESOPI / FABULAE LATINE ATQ. / Hispane scriptae, quaq. fieri potuit dili-/gentia fidelitateq. e Graeca in duas / has traductae, iisq., qui Latinas litteras e-/disfere *(sic)* incipiunt, collatione lingua-/rum vtilissimae interprete Pe-/tro Simone Aprileo / Laminitano / (Viñeta) / CAESARAVGVSTAE / In aedibus Michaelis Huessaɛ. Anno / 1575 / Con licentia Impressa.

8.°—94 fols.—Letra redonda de varios tamaños.—Renglón seguido y a dos cols.—22 y 28 líneas en cada plana.—Capitales grabadas en madera e impresas.

fol. 1 r.: Portada.
fol. 1 v.: En blanco.
fol. 2 r.: Cypriano Martinez viro illustri...
fol. 6 r.: Pedro Simon Abril al benigno y ahidalgado lector S. Y.
      P. F. O.
fol. 8 r.: Texto.
fol. 94 r.: Colofón y erratas.
fol. 94 v.: En blanco.

Ejemplar en el Monasterio del Escorial —37-VI-29 (3)—, a cuyo bibliotecario debo esta ficha; cfr. también J. M. Sánchez, *op. cit.*
Otras ediciones: 1647 y 1760.

1576

ARTIS / GRAMMATI-/CAE LATINAE LIN-/GVAE RV-DIMENTA, / IIS, QVI EAM LINGVAM / ediscere incipiant, vtilissi-/ma Petro Simone Apri-/leo Laminitano / Auctore. / (Viñeta) / CAESAR AVGVSTAE / Ex officina Petri Sanchez / ab Ezpeleta, / 1576.

8.°—29 fols. + 1 hoj.—Letra redonda de varios tamaños.—Renglón seguido.—24 líneas en cada plana.—Una capital grabada.—Encuadernación en pergamino.

fol. 1 r.: Portada.
fol. 1 v.: En blanco.
fol. 2 r.-29 r.: Texto (solamente en latín).
h. final r.: Loca inter excudendum deprauata sic / emendabis.
h. final v.: En blanco.

El ejemplar de la Biblioteca Nacional (3/20556) está deteriorado por la humedad y sólo llega hasta el fol. 24. Se hallan otros ejemplares en la Biblioteca Universitaria de Zaragoza —A-39-212— y en la del Escorial —37-VI-29—.

1577

LAS SEIS / COMEDIAS / DE TERENCIO ESCRITAS / EN LATIN Y TRADVZIDAS / en vulgar Castellano por Pedro Si-/mon Abril professor de letras / humanas y philosophia, / natural de Alcaraz. / Dedicadas al muy alto y muy poderoso señor / DON HERNANDO DE AVSTRIA / principe de las Españas. / (Escudo de D. Fernando) / Impresso en Çaragoça en casa de Iuan Soler, / Impressor de libros. 1577. / Vendense en casa de Francisco Simon librero. / CON LICENCIA.

8.°—8 h. + 396 fols. (irregularmente numerados).—Letra redonda de varios tamaños.—A dos columnas y renglón seguido.—Capitales grabadas.

h. 1 r.: Portada.
h. 1 v.: El doctor Pedro Cerbuna... [Licencia para la impresión en el arzobispado de Zaragoza.] ... Dat. en Çaragoça 14. de Iulio de 1577.
h. 2 r.: ALTISSIMO / POTENTISSIMOQVE / domino D. Fernando / ab Austria...; en la col. yuxtapuesta: AL MUY ALTO / Y MUY PODEROSO / señor; termina en la h. 6 v.
h. 7 r.: PROLOGO DEL INTERPRETE / al Lector, el qual se

a de leer para sa-/ber se aprouechar deste / trabajo...; hasta la h. 8 v.

fol. 1: TEREN-/TII, VITA EX / AELIO DO-/NATO... LA VI/DA DE TERENCIO ESCRITA POR / ELIO DONA-TO...; acaba en el fol. 25 v.

fol. 25 v.: Interpres lectori / S. P. D. ... El interprete al lector / salud.

fol. 29 r.: AELII DONA-/ti in Andriam Te-/rentii Praefatio... PREFACION / de Elio Donato...; termina en el fol. 35 r.

fol. 35 v.: ANDRIAE / FABULAE INTERLO-/QVVTORES... C. SULPICII APOLLI-/NARIS PERIOCHA.

fol. 36 r.: ACTVS I. / INTERLOCVTORES... ARGVMENTO DE GAIO / Sulpicio Apollinar.

fol. 36 v.: ANDRIA TE-/RENTII...

fol. 36 r.: EL AÑDRIA / DE TERENCIO...

fol. 91 v.: AELII DONATI PRAEFATIO / IN EVNVCHVM TERENTII.

(fol. 92) r.: PREFACION DE ELIO DONATO...

fol. 92 v.: AGVMENTVM EVNVCHI y trad. en la pg. opuesta.

fol. 94 v.: EVNVCHI PERSONAE... C. SVLPICII APOLLI-NARIS / PERIOCHA.

fol. opuesto: PERSONADOS DEL EVNVCHO y ARGVMEN-TO DE GAIO / Sulpicio Apollinar.

fol. 94 v. (numerado así por error): EVNVCHVS / TERENTII.

fol. 95 r.: EL EVNVCHO / DE TERENCIO.

fol. 156 v.: PETRI SIMONIS APRILEI / Laminitani in Terentij comoediam Eauton / timorumenon argumentum, quod / eius loco repositum est, quod / desideratur ex Donati / praefatio-nibus

fol. 157 r.: ARGVMENTO DE PEDRO SIMON / Abril...

fol. 157 v.: ARGVMENTVM FABVLAE y traducción.

fol. 158 v.: FABVLAE INTER-/LOCVTORES... C. SVLPICII APOLINARIS P.

fol. opuesto: PERSONADOS... ARGVMENTO.

fol. opuesto v.: HEAVTON / TIMORVMENOS TERENTII...

fol. 162: EL EAVTONTI / MORVMENOS DE / TERENCIO.

fol. 220 v.: DONATI PROLEGOMENA / in Adelphos Terentij.

fol. 221: PROLEGOMENOS DE DONATO...

fol. 225 v.: ADELPHORVM PERSONAE... C. SVLP. APOL. PERIOCHA.

hoj. opuesta: PERSONADOS... ARGVMENTO.

hoj. opuesta v.: ADELPHI / TERENTII.

fol. 227: LOS ADEL-/PHOS DE TE-/RENCIO.

fol. 281 v.: DONATI PROLEGOMENA IN / Hecyram Terentij.

fol. 282 r.: PROLEGOMENOS DE DONATO.

fol. 284 v.: FABVLAE PERSONAE... C. SVLPICII APOLLI-
NARIS / PERIOCHA.

hoj. opuesta: Los personados de la comedia... ARGVMENTO.

hoj. opuesta v.: HECYRA / TERENTII.

hoj. siguiente: LA HECYRA / DE TERENTIO.

fol. 334 v.: DONATI PROLEGOMENA / in phormionem Terentij.

fol. 335: PROLEGOMENOS DE DONATO.

fol. 338 v.: PHORMIONIS PERSONAE... C. SVLPICII APOL-
LINARI/ris Periocha.

fol. 339: PERSONADOS DEL PHORMION... ARGVMENTO
DE GAIO / Sulpicio Apollinar.

fol. 339 v.: PHORMIO / TERENTII.

fol. 340: EL PHORMION / DE TERENCIO.

fol. 396 v.: ERRATO. — Colofón: CAESARAVGVSTAE /
APVD IOANNEM SOLER. ET / VIDVAM IOANNIS
A VIL-/LANOVA Idibus / Quintilis. / M.D.LXXVII. / Expensis ac sumptibus PETRI A MOLI-/NOS ciuis Caesaraugustani, & FRANCI-/SCI SIMONIS bibliopolae.

Otras ediciones: 1583, 1599, 1762, 1890, 1946.

Ejemplares en la Biblioteca Nacional —R/16369, T/5480,
T/9029, T/15164—; Biblioteca de Palacio —2/194—; Bibl. de Menéndez y Pelayo —R-VIII-1-11—; Real Academia de la Lengua
—3-IX-85—.

1583

LOS DOS LI-/BROS DE LAS EPISTO-/LAS SELECTAS
DE MARCO TV-/lio Ciceron: en que se pone el vso de cartas /
narratorias i de fauor llamadas comendaticias / puestas con traduction i declaraciones en / lengua Castellana hechas por el mae-/
stro Pedro Simon Abril professor / de letras humanas i Filosofia
na-/tural de Alcaraz i cathe-/dratico en la insigne / vniuersidad
de / Çaragoça. / Auctoris ad lectorem tetrastichon / Olim quod
solitum est numeroso tempore disci, / En potes exiguo quaerere
lector: habe. / Nam tibi dat paruo praesens volumine charta, /
Quod tulit eloquio lingua Latina suo. / EN ÇARAGOÇA / Por
Iuan Soler Impressor de libros. / Año 1583. / Con Priuilegio. /
Vendense en casa de Luis Ganareo / ala cuchilleria.

8.º—20 h. + 294 pgs. + 4 h.—Letra redonda de varios tamaños.—Renglón seguido en los preliminares y a dos cols. en el texto.—Capitales impresas.

h. 1 r.: Portada.
h. 1 v.: En blanco.
h. 2 r.: Por mandado de los Señores del consejo de Aragón [las mismas censuras como para la edición de 1572].
h. 2 v.: [Licencia real expedida para la ed. de 1572]; hasta la h. 4 r.
h. 4 v.: ILLVSTRISSIMO RELI/giosissimoque viro domino Antonio / Augustino...; hasta la h. 6 r.
h. 6 v.: INSTRVCION / A CERCA DELA ORDEN / QVE DEVE SEGVIR / en sus estudios, el que de nueuo / comiença de aprender len-/gua Latina; termina en la h. 13 r.
h. 13 v.: ANOTACIONES SOBRE / algunas de las mas faciles epistolas de / Tulio escritas en lengua Castellana, para / facilitar el camino a los que de nueuo / comiençan de aprender len-/gua Latina; termina en la h. 17 v.
h. 18 r.: LIBRO PRIMERO DELAS / epistolas selectas de Marco Tulio Ci-/ceron... / Epistola, a quien en nuestra lengua comun llamamos carta, se dixo assi...; hasta la h. 20.
p. 1: Comienza el texto, que acaba en la pg. 203.
p. 204: LIBRO SEGVN/DO DE LAS EPISTOLAS / ...; hasta la pg. 294.
p. 204 v.: TABLA DE LOS AVTO-/ res, de que se haze mencion en estas / anotaciones.
h. final 2: INDEX VERBORVM, / quorum vsus hisce scholijs / declarantur; termina en la h. 4.

Biblioteca Nacional, R/18348.
Otras ediciones: 1752, 1756, 1760, 1770, 1777, 1790.

LOS DOS LIBROS / DELA GRAMMATICA / latina escritos en lengua Castellana por Pe/dro Simon Abril natural de Alcaraz. / Dirigidos al muy alto y muy pode-/roso señor don Diego de Austria / Principe de las Españas. / Los quales son muy vtiles para que los que des-/sean entender la lengua latina, ora por su / proprio estudio y trabajo, ora de biua / voz del Maestro. / Es assi mismo muy vtil este libro para que / los niños aprendan de leer en el enlas escuelas, para que / se les impriman estos preceptos enlos tiernos años fa-/cilmente, y de las escuelas del leer uayan a las del Latin / medio instruydos, con que ahorren mucho tiempo / y gran parte de trabajo. / CON PRIVILEGIO / Impresso en Alcala por Juan Gracian. / Año de 1583.

8.º—1 h. + 2-84 fol. + 4 h. (algunos mal numerados o sin numerar).—Letra redonda e itálica de varios tamaños.—Renglón seguido.—Capitales grabadas.

h. 1 r.: Portada.
h. 1 v.: En blanco.
h. 2 r.: AL MUY ALTO / I MVI PODEROSO SE/ñor D. Die-/ go de Austria Serenissimo Principe de las / Españas Pedro Simon Abril el me-/nor de sus subditos y sieruos. / S. Y. P. F. D.
fol. 4 v.: EL AVTOR AL / benigno lector S.
fol. 7 v.: En blanco.
fol. 8 r.: FORMVLA DE VA/riar nombres [comienza la sinopsis morfológica, que acaba al fol. 18 v.].
fol. 19 r.: LIBRO PRIMERO / de la Grammatica Latina...
fol. 51 r.: LIBRO / SEGVNDO DE LA / GRAMMATICA LATINA...
fol. 80 v.: (Acaba el texto) Finis.
h. final 1 r.: El Rey [Privilegio por diez años para Castilla]. Fecha en Aranjuez, a doze dias del mes de Mayo, de mil y quinientos y ochenta y tres años. / YO EL REY / Por man-dado de su Magestad / Antonio de Erasso.
h. final 2 r.: NOS don Phelippe [Privilegio de diez años para las Comedias de Terencio, la Gramática latina en castellano y las "tablas de leer y escriuir facilmente por letra colorada" y lo demás que quisiere imprimir Pedro Simón Abril, vale-dero para Aragón]. Dada en sant Lorenço a onze dias del mes de Iunio... de mil quinientos ochenta y tres / YO EL REY [y varios vistos buenos].
h. final 4 r.: Tassa... fecha en la villa de Madrid, a doze dias del mes de Mayo de mil y quinientos y ochenta y tres años / Christoual de Leon.
h. final 4 v.: ERRATAS... Fecha en Alcala de Henares. a. 4. de Abril. de 1583. años / Miguel de Lerga.

Ejemplares en la Nacional —R-13404— y en la Academia de la Lengua —39-IV-91— (falta la portada y hojas finales).

Nota.—Tamayo de Vargas en su *Junta de Libros* (II Parte, voz "M.º Pedro Simon Abril") señala otra "Grammatica latina en Español / Çaragoza por J. Soler 1581. 8"; también la registra

Nicolás Antonio en la B. H. N., t. II, pg. 139; J. M. Sánchez, *op. cit.*, t. II, pg. 281, opina que debe ser una traducción castellana de los *Rudimenta linguae latinae* publicados en Zaragoza en 1576 q. v. No conozco otra edición de la *Gramática latina* en castellano que la descrita arriba .

LAS SEYS / COMEDIAS / DE TERENTIO CONFOR-/ me ala edicion de Faerno. Impressas en La-/tin, y traduzidas en Castellano por / Pedro Simon Abril natural / de Alcaraz. / DEDI-CADAS AL MVY ALTO /y muy poderoso señor don Hernando de Austria / Principe delas Españas. / (Grabado) / CON PRI-VILEGIO. / Impresso en Alcala, Por Juan Gracian. / Año de 1583.

8.°—18 h. + 3-344 fol.—Letra itálica y redonda.—Renglón seguido y a dos columnas.

h. 1 r.: Portada.
h. 1 v.: En blanco.
h. 2 r.: ERRATAS: 24. de Abril de 1583. años / Miguel de Lerga.
h. 2 v.: En blanco.
h. 3 r.: El Rey... [Privilegio de 10 años para el reino de Castilla].
    Fecha en Lisboa, a quatro dias del mes de Diziembre, de
    mil y quinientos y ochenta y dos años. / YO EL REY. / Por
    mandado de su Magestad / Antonio de Erasso.
h. 4 v.: En blanco.
h. 5 r.: NOS don Phelippe... [Privilegio de 10 años para las Co-
    medias, la Gramatica latina, las tablas y lo demás que quisiere
    imprimir] valedero en Aragón. Dada en sant Lorenço a onze
    dias del mes de Iunio del año... de mil quinientos ochenta
    y tres.—YO EL REY [y varios vistos buenos].
h. 7 v.: YO Christoual de Leon (Tasa)... fecha en la villa de
    Madrid, a doze dias del mes de Mayo, de mil y quinientos
    y ochenta y tres años. / Christoual / de Leon.
h. 8 v.: PETRI PANTINI BEL-/gae de Terentij in Hispanam /
    linguam traductione / Carmen...; termina en la h. 9 v.: Petro
    Simoni Aprilae Hispano / Petrus Pantinus Belga ami-/citiae
    ergo, D. D.
h. 10 r.: En blanco.
h. 10 v.: ALTISSIMO PO-/tentissimoque D. D. Fernan-/do ab
    Austria inclyto Hispaniarum Principi (en latín y castellano
    en páginas opuestas).
h. 15 v.: En blanco.

h. 16 r.: Al pio y benigno Lector so/bre la segunda edicion de Teren-/cio traduzido en Castellano.

h. 17 v.: C. SVLPICII / Apollinaris Periocha.

h. 18 r.: Argumento de Gayo Sulpi-/cio Apollinar.

h. 18 v.: ANDRIA / TERENTII.

h. 19 r. = fol. 3 (el primero numerado): EL ANDRIA / de Teren-cio [comienza el texto latino con la traducción castellana, en páginas opuestas, cada comedia precedida por el argumento de Sulpicio y la lista de los personajes en el siguiente orden:]

fol. 53 v.: (Sin título, empieza el Eunuco) FABVLAE INTER-LOCUTORES.

fol. 54 r.: Interlocutores de la Comedia.

fol. 54 v.: C. SVLPICII APOL/linaris Periocha, etc.

fol. 110 v.: HEAVTON TIMORVME/NOS.

fol. 166 v.: ADELPHI.

fol. 218 v.: HECYRA.

fol. 264 v.: PHORMIO...; termina en el fol. 320: Laus Deo.

fol. 320 v.: En blanco.

fol. 321 r.: Los argumentos de Ælio / Donato sobre las seys co-medias de / Terencio, escriptos en Latin y tra/duzidos en Castellano por el / mismo interprete... (texto y traducción en cols. yuxtapuestas); termina en el

fol. 344 v.: Colofón: IMPRESSO EN AL/cala de Henares por Iuan Gracian Año 1583.

Ejemplar de la Biblioteca Nacional —R 1141—.

1584

§ LOS OCHO LI-/BROS DE REPVBLICA DEL / Filosofo Aristoteles, traduzidos original/mente de lengua Griega en Caste-llana por / Pedro Simon Abril natural de Alcaraz i / Cathedratico de Rhetorica enla Vniuersi/dad de Çaragoça, i declarados por el mis-/mo con vnos breues i prouechosos comenta/rios para todo genero de gente i par/ticularmente para la que tiene car-/go de publico gouierno. / Dirigidos al Ilustrissimo Señor el Reino de Aragon, i en su / nombre al mui Ilustre señor sus Diputados. / Estan assi mismo aparejados para salir a luz con la misma dili-gencia los diez / libros de las Ethicas del mismo Filosofo, si por la esperiencia / se viere, que da gusto esta dotrina. / Vendense en Çaragoça en casa de Luis Ganareo mercader / de libros en la Cuchilleria. / EN ÇARAGOÇA, / Con licencia impressos. En casa de Loren/ço, i Diego de Robles Hermanos / Año. M.D.LXXXIIII.

4.º—6 h. + 264 fol. (por errata dice 268).—Letra redonda de varios tamaños.—Renglón seguido.—Capitales grabadas.—Perg.

h. 1 r.: Portada.

h. 1 v.: En blanco.

h. 2 r.: AL ILVSTRISSIMO SEÑOR EL / Reino de Aragon, i en su nombre al mui Ilustre / Señor sus Diputados; termina en la h. 4 v.

h. 5 r.: APROBACION... por mandado i comission del Ilustrissimo señor don Andres de Santos Arçobispo de Çaragoça... firmada de mi nombre en Çaragoça a xj. de Março del año 1584. / El Dotor Geronymo Ximenez.—LICENCIA... Datis en Çaragoça a quinze dias del mes de Nouiembre del año Mil Quinientos ochenta i quatro. / El Licenciado Alonso Gregorio / De mandato del mui Ilustre señor Vicario General. / Luis Capdeuilla Notario.

h. 5 v.: RRA AS *(sic)*... termina en la h. 6 v.

fol. 1 r.: DECLARACION / de todo el processo de la mo-/ral filosofia del Filosofo Aristoteles, con/que el que della quiera sacar algun fruto, / que le quede, vaia bien instruido i / informado enel processo / de la obra.

fol. 4 r.: LIBRO PRIMERO / de los libros de Republica... (comienza el texto —cada libro está precedido por un argumento—; los escolios —resúmenes, introducciones, aclaraciones, etc.— van intercalados entre los capítulos en letra más pequeña).

fol. 268 r.: termina el texto: FIN DE LOS OCHO LIBROS / de Republica... Colofón: Impressos en Çaragoça, en casa de Lo-/renço i Diego de Robles Herma-/nos, año M.D.LXXXIIII.

fol. 268 v.: En blanco.

Ejemplares en la R. Academia de la Lengua —20-VIII-54—; en la Bibl. de Palacio —IX/3557—; otro en la Bibl. del Congreso de los Diputados (según el *Catálogo*).—Bonilla y San Martín tenía uno en su poder.

De esta obra se han hecho varias ediciones populares, p. ej., la de 1927 y la de la *Biblioteca económica filosófica,* t. XXIII y XXIV, s. a.

En la Biblioteca Nacional de Brera (Milán) he visto otro ejemplar con algunas diferencias en las hojas preliminares, siendo posteriores las fechas:

h. 2 r.: TASSA. / IO Cristoual de Leon, Escriuano de camara /

del Rei nuestro señor... / fecha en la villa de Madrid a siete dias del mes de / Nouiembre de mil i quinientos i ochenta i seis / años / Cristoual / de Leon.

h. 2 v.: Aprobacion. / POR mandado de V. A. ... Fecha en Ma-/ drid, primero de Otubre de mil y quinientos / i ochenta i seis años. / Lucas Gracian / Dantisco.

h. 3 r.: EL REI.

h. 3 v.: (termina el privilegio real) Fecha en / el Pardo, a veynte i cinco dias del mes de Otubre, de mil / i quinientos i ochenta i seis años. / IO EL REI / Por mandado de su Magestad, / Iuan Vazquez.

h. 4 r.: AL ILVSTRISSIMO... (lo mismo que en el ejemplar de la Biblioteca de Palacio).

fol. 1: Empieza el texto sin interposición de la aprobación y erratas.

Al final se han añadido dos hojas: h. 1 r.: Aprobación y Licencia del 1584; h. 1 r.: RRATAS *(sic),* que termina en la h. 2 v.

1586

LA GRAMATI-/CA GRIEGA ESCRITA / EN LENGVA CASTELLANA PA/RAQVE DENDE LVEGO PVEDAN LOS NI/ños aprender la lengua Griega juntamente con la Latina con-/ forme al consejo de Quintiliano con el aiuda i fauor dela / vulgar, compuesta por Pedro Simon Abril natural de / Alcaraz maestro en la Filosofia i Cathedratico de / lengua Griega en la Vniuersidad de Carago/ça. Dirigida al mui Ilustre señor el Re/tor, Claustro i insigne Vniuersi/dad de Salamanca. / LO QVE ESTE LIBRO CON-/tiene particularmente lo muestra / la pagina siguiente / (Grabado) / EN ÇARAGOÇA, / Con licencia ,en casa de Lorenço i Die/go de Robles ermanos. 1586. / Vendense en la Cuchilleria en casa de Pedro Iuarra / mercader de libros.

8.°—5 h. + 70 fols. irregularmente numerados + 64 fols. + 16 fols.—Letra redonda e itálica de varios tamaños.—Renglón seguido.—Capitales impresas.—Perg.

h. 1 r.: Portada.

h. 1 v.: LAS COSAS, QVE PARTICVLARMENTE EN / este libro se contienen son las siguientes...

h. 2 r.: Al mui Ilustre señor el Re/tor, Claustro i insigne Vni-/ uersidad de Salamanca...; termina en la h. 5 v.

fol. 1 r.: COMPARACION DE LA LEN/gua latina con la Griega...; termina en el fol. 5 v.

fol. 5 v.: DEL MODO QVE SE A DE TE-/ner en el aprender a vna la lengua Latina i Grie/ga en los tiernos años con la conferen-/cia i traducion de la vulgar...; termina en el fol. 14 r.

fol. 14 v.: Articulo masculino... (comienza el texto de la gramática, que termina en el fol. 70 r.) (78 por equivocación).

fol. 78 v.: Algunas palabras van faltas de açentos i aspiraciones por no aver recado en las emprentas [1]. El benino Letor emendarà las faltas con prudencia.

fol. 1 r. (de la nueva numeración): título griego y debajo: Sentencias de vn renglon por orden de alfa-/beto colegidas de diuersos Poetas...; siguen las sentencias en griego, latín y castellano hasta el fol. 38 r. con esta curiosa nota:

Algunas se an dexado de poner de las que andan comunmente en Griego de parecer de varones religiosos i mui dotos, por no tener en si la entereza i perficion que la religion Cristiana nos enseña, o por ser en perjuizio de alguna comunidad, contra quien hablar mal es gran desuerguença, i que tiene mas manera de baldon que de sentencia.

fol. 38 v.: Comienza la tabla de Cebes en griego.

fol. 39 r.: LA TABLA DE CEBES / Thebano (traducción castellana); terminan el texto y la traducción, respectivamente, en el fol. 63 v. y 64. En el fol. 63 v. repite:

Por no ser en España mui vsada la estampa Griega, no estan aperçebidas las emprentas de todos los requisitos della: i assi va esta impression falta en muchos lugares de açentos i aspiraçiones, i algunas μ, cortadas, sirven por v. El curioso i discreto letor supla lo que la estampa no pudo suplir.

fol. 1 r. (de la tercera numeración): EADEM TABVLA /LATINE SCRIPTA EODEM INTERPRETE...; termina en el fol. 16 r.

fol. 16 v.: En blanco.

El ejemplar de la Biblioteca de Palacio —IX/5908— llega hasta el· fol. 64 de la segunda numeración.—Otros ejemplares en la del Escorial —23-V-17—, y en la Universitaria de Valencia —5-1100—.

---

[1] Nótese esta observación de Simón Abril (la penuria de caracteres griegos en las imprentas españolas por esos años es muy significativa), como también la advertencia del fol 39 r. de la numeración siguiente.

1587

LA / GRAMATICA / Griega escrita en lengua / Castellana, para que desde luego / puedan los niños aprender la len-/gua Griega, juntamente con la Latina, confor-/me al consejo de Quintiliano, con el aiuda i / fauor de la vulgar: compuesta por Pedro Si-/mon Abril, natural de Alcaraz, maestro / en la Filosofia. / Dirigida al Retor, Claustro i insigne vniuersidad / de Salamanca. / Lo que este libro contiene, lo mues/tra la pagina siguiente / (Viñeta) / Con priuilegio, / En Madrid, por Pedro Madrigal, / M.D.LXXXVII.

8.º—12 h. + 64 fol. + 16 fol.—Letra redonda e itálica de varios tamaños.—Renglón seguido.—Perg.—Grabados.

h. 1 r.: Portada.

h. 1 v.: Las cosas, que particularmente en este libro se con-/tienen, son las siguientes...

h. 2 r.: Figuras i valor de las letras. Nombre dellas... (comienza el texto de lo que el autor llama "la cartilla Griega" y que se consigna con este nombre en varios catálogos bibliográfi-cos; contiene una lista de las letras con su sonido y nombre, distinción de vocales y consonantes, sílabas, pronunciación, medida, acento y apóstrofo).

h. 8 r.: Euche curiace ec toù catà Matthaion cuangéliou... (plegarias en griego con la transcripción en letra latina; termina en la h. 11 r.).

h. 11 v.: DE LAS CIFRAS O / Abreuiaturas...; termina en la h. 12 r.

h. 12 v.: En blanco.

fol. 1: Sentencias de vn renglon por orden de alfa-/beto... Desde aquí hasta el final equivale en todo a la edición de Zaragoza del año anterior. No corresponde, por tanto, a la descripción que lleva el verso de la portada:

"Primeramente la cartilla Griega: Despues vna comparacion entre la lengua Griega i la Latina... Item una traça para el aprender a vna las dos lenguas... Assi mismo los precetos i arte del aprender lengua Griega escritos en lengua Castellana i exemplificados en la Griega... Demas desto unas mui graues sentencias... Vltimamente la tabla dé Cebes, Tebano..."

Ejemplares en la Biblioteca Nacional —R 3731, R 7479, R 8215, R 15309, R II-423, U 3885—; en la del Palacio Real

—X/1693—; en la R. Academia de la Lengua y en la del Escorial (sólo doce folios).

1 5 8 7

PRIMERA PARTE / DE LA FILOSOFÍA / LLAMADA LA LOGICA, O PARTE RA-/cional, la qual enseña, como ha de vsar el hombre del diuino, y cele/stial don dela razon: assi en lo que pertenece a las cien-/cias, como en lo que toca a los nego-cios. / COLEGIDA DE LA DOTRINA DE LOS FI-/losofos antiguos, y particularmente de Aristoteles, por Pedro Simon / Abril Dotor Siquier, Maestro en la filosofia. / DIRIGIDA A DON IVAN DE IDIAQVIZ / Comendador de Monreal, del consejo de su Magestad. / Escudo / CON PRIVILEGIO. / IMPRESSA EN ALCALA DE HENARES, / en casa de Iuan Gracian impressor de libros, año. 1587.

4.º—8 h. + 105 fol.—Letra redonda e itálica—A dos cols.

h. 1 r.: Portada.
h. 1 v.: Aprouacion... firmada: Doctor Valles.
h. 2 r.: EL REY [Licencia real]. Dada en Madrid a ocho dias del mes de Março, de mil y quinientos y ochenta y siete años / YO ÈL REY / Por mandado de su Magestad / Juan Vazquez.
h. 2 v.: CARTA DEDICATORIA A DON / Iuan de Idiaquiz Comendador de Mon-/real, del consejo de su Magestad.
h. 5 r.: Al letor sobre la orden, que se deue guardar / en el aprender las ciencias: termina en la h. 8 v.
fol. 1: LIBRO PRIMERO / DELA FILOSOFIA, EN QVE / se trata de la origen y antigüedad de la Filosofia...
fol. 9: LIBRO SEGVNDO / DELA FILOSOFIA RACIO-NAL, EN / que se trata de la parte racional... y particu/larmente dela primera parte de la Logica llama/da la parte Topica o inuentiua.
fol. 55 v.: LIBRO TERCERO / DE LA FILOSOFIA RACIO-NAL, EN QVE / se trata de la manera del disponer la demostracion, y otra qualquier manera de argumento por modo de discurso para el in-/quirir y aueriguar la verdad de la question, que es la / segunda parte de la logica, llamada la parte / judicial, o Analytica.
fol. 105 v.: Colofón.—Impresso en Alcala de Henares en casa de / Iuan Gracian impressor de libros.
Ejemplares en la Nacional —R 18718, R 17125, R 16915,

U 9943—; en la del C. S. I. C. (Medinaceli, 4) —L 118—; en la de Menéndez y Pelayo —R-IX-6-24—; en la Universidad de Granada; en la Bibl. Prov. de Cádiz —10470—; en la Bibl. Prov. de Toledo —4456—, y en la del Monasterio de Aula Dei, de Zaragoza.

1588

Aesopi fabulae, latine atque hispane scriptae.
En Madrid.
Según D. Gregorio Mayans y Siscar en su Introducción a la edición de las mismas en 1760 q. v.

1589

APVNTAMIENTOS / De como se deuen reformar las / dotrinas: y la manera de ense-/ñallas para reduzillas a su anti-/ gua entereza y perficion: de que / con la malicia del tiempo, y con / el demasiado desseo de llegar los / hombres presto a tomar las / insignias dellas, han / caydo. / Hechos al Rey nuestro señor, por el Dotor Pe-/dro Simon Abril, natural de / Alcaraz / (Escudo del impresor) / EN MADRID / En casa de Pedro Madrigal, / Año. 1589.

4.°—1 h. + 2-23 fol.—Letra grande redonda e itálica.—Renglón seguido.—Grabados.—Perg.

h. 1 r.: Portada.
h. 1 v.: Suma de aprouacion, y licencia. / ESTE Libro esta impresso con aprouacion del Maestro fray Luys de Leon, y licencia del Real Consejo, escrita por Christoual de Leon, escriuano de Camara del Rey nuestro señor. Que fue fecha en Madrid, a diez dias del mes de Iunio, de mil y quinientos y ochenta y nueue años. Y refrendada por Iuan de Orregui Chanciller.
fol. 2 r. (el primero numerado): SEÑOR... (comienzan los Apuntamientos, que terminan en el fol. 23 r.: LAUS DEO).
fol. 23 v.: TASSA (—veynticuatro marauedis el ejemplar)... fecha en la villa de Madrid a veynte dias del mes de Nouiembre, de mil y quinientos y ochenta y nueue años. / Christoual de Leon. ERRATAS... Iuan Vazquez del Marmol.

Ejemplares en la Nacional —R 26139, R 26162, R 12204,

U 2821—. Otras ediciones: 1766 (a continuación de la *Gramática latina,* q. v.), 1769, 1815, 1817, y en la *Biblioteca de Autores Españoles,* t. LXV (ed. 1862 y sucesiva), 1907 (Blanco y Sánchez, R. *Bibl. Pedagógica,* pgs. 3-21).

LOS DEZISEIS / LIBROS DE LAS EPIS-/tolas, ò cartas de M. Tulio Ciceron, / vulgarmente llamadas familiares: traduzi-das / de lengua Latina en Castellana por el / Dotor Pedro Simon Abril, natural / de Alcaraz. / Con vna Cronologia de veintiun Consulados, y las co-/sas mas graues que en ellos sucedieron, en cuyo / tiempo se escriuieron estas cartas. / Dirigidas à Mateo Vazquez de Leca Colona, del Consejo / del Rey nuestro señor, y su Secretario / (Escudo) / En Madrid, en casa de Pedro Ma-drigal. / Año 1589. / Vendense en casa de Iuan de Montoya, librero.

8.°—8 h. + 471 fol. + 1 h.—Letra redonda e itálica.—Ren-glón seguido.—Algunas capitales grabadas.

h. 1 r.: Portada.

h. 1 v.: En blanco.

h. 2 r.: TASSA... en la villa de Madrid a dezinueue dias del mes de Agosto, de mil quinientos y ochenta y nueue años. / Christoual de Leon.

   (Tiene este Libro sesenta pliegos, y conforme a su tassa, monta cada libro a cinco reales y diez marauedis.)

h. 2 v.: ERRATAS... en Madrid, a .27. de Iulio de .1589. años. Iuan Vazquez del Marmol.

h. 3 r.: APROVACION... hecha en esta escuela y colegio de Madrid a nueue de Otubre, de mil y quinientos y ochenta y seys años. / El Maestro Lazcano.

h. 4 r.: EL REY... [Licencia real]. Fecha en el Pardo a deziocho dias del mes de Otubre de mil y quinientos y ochenta y seys años. YO EL REY. / Por mandado de su Magestad / Iuan Vazquez.

h. 5 r.: A MATEO VAZQVEZ / de Leca Colona, del Consejo del Rey nuestro señor, y su Se-/cretario. Termina en la h. 8 v. Firmada: El Dotor Abril.

fol. 1 r.: AL LETOR / DE LA VTILIDAD / de los libros de cartas fa-/miliares.

fol. 3 r.: LA / VIDA DE CICERON, / Colegida de la variedad de sus escrituras / y de los Paralelos de / Plutarco.

fol. 8 r.: CRONOLOGIA / de los tiempos, en que los deziseis /

libros de las cartas familiares de / Marco Tulio Ciceron
fueron escritas: cuya / noticia facilitara mucho el argumento de / cada vna dellas, para que con menor / trabajo
y dificultad puedan / entenderse.

fol. 27 r.: DELAS DIFERENTES / maneras de gouierno que/
tuuo la Republica / Romana.

fol. 30 r.: LIBRO PRIMERO / de las Epistolas [todo en castellano, argumentos y cartas].

fol. 471 v.: TABLA DE LAS / Epistolas familiares de / Ciceron.

h. final v.: En blanco.

Ejemplares en la Bibl. Nacional —R 15312—; en la Provincial
de Toledo —4/946—; en la del Escorial —20-VI-3—.

Otras ediciones: 1592, 1600, 1615, 1678, 1679, 1797, 1884-5.

Nota.—Marco e Hidalgo, *loc. cit.,* pg. 401, señala una primera
edición de esta obra en 1578, Valencia, por Vicente Cabrera;
es una evidente confusión con la de 1678, que efectivamente salió
de la imprenta de ese editor valentino.

1592

LOS DEZISEIS LI-/BROS DE LAS EPISTO-/LAS, O
CARTAS DE M. TVLIO / Ciceron, vulgarmente llamadas fami-/
liares: traduzidas de lengua Latina / en Castellana por el Dotor /
Pedro Simon Abril, na-/tural de Alcaraz. / Con una Cronologia
de ueyntiun Consulados, y las cosas / mas graues que en ellos
sucedieron, en cuyo tiempo / se escriuieron estas cartas / Dirigidas
à Mateo Vazquez de Leca Colona, del Consejo / del Rey nuestro
señor, y su Secretario. / (Escudo) / CON LICENCIA, / Impresso. En Barcelona en la Emprenta de Iayme / Cendrat,
Año, 1592. / Vendense en la propria Emprenta.

8.º—8 h. + 455 fol. + 1 h.—Letra redonda e itálica de varios
tamaños.—Renglón seguido.

h. 1 r.: Portada.
h. 1 v.: En blanco.
h. 2 r.: APROBACION... Hecha en esta escuela y colegio de
Madrid a nueue de Otubre, de mil, y quinientos y ochenta
y seis años. / El Maestro Lazcano.

h. 2 v.: APROBACIO... als tres de Ianer de. 1592. / Fra Pere Pau Garçes.

h. 3 r.: Licencia para la Diocesis de Barcelona... dic septima mensis Ianuarij. 1592. I. Epis. Barcino.

h. 3 v.: A MATEO VAZQUEZ DE / Leca Colona, del Consejo del Rey...; termina en la h. 8 v.

fol. 1 r.: AL LECTOR, / DE LA VTILIDAD / de los libros de cartas / familiares.

fol. 3 r.: La / VIDA DE CICERON / ...

fol. 7 v.: CRONOLOGIA...

fol. 23 v.: DE LAS DIFERENTES MA-/neras de gouierno...; termina en el fol. 25 v. = fol. 1.

fol. 26: LIBRO PRIMERO...

fol. 455 v.: TABLA DE LAS EPISTO-/las; termina en la h. opuesta.

h. final v.: En blanco.

Ejemplares en la Biblioteca Nacional —R/5527—, y en la de Palacio —III/139—.

1599

LAS SEYS / COMEDIAS DE / TERENCIO CONFOR-ME / a la edicion de Faerno, Impressas en Latin, / y traduzidas en Castellano por Pedro / Simon Abril, natural de / Alcaraz. / DEDICADAS AL MUY ALTO Y / muy poderoso Señor Don Hernando de Austria / Principe de las Españas / (Escudo) / EN BARCELONA, / en la Emprenta de Iayme Cendrat. / Año M.D.XC.IX.

8.º—10 h. + 344 fol.—Letra redonda e itálica.—Renglón seguido y a dos cols.

h. 1 r.: Portada.

h. 1 v.: En blanco.

h. 2 r.: AL PIO Y BENIGNO / Lector sobre la segunda edicion / de Terencio, traduzido / en Castellano.

h. 4 r.: En blanco.

h. 4 v.: Altissimo potentissimoque D. D. / Fernando ab Austria.

h. 5 r.: Al muy alto y muy poderoso Señor D. Fernando de Austria.

h. 9 v.: SVLPICII / Apollinaris Periocha.

h. 10 r.: ARGVMENTO DE GAYO / Sulpicio Apollinar.

h. 10 v.: ANDRIA / TERENTII.

fol. 1: EL ANDRIA / de Terencio... (comienzan el texto y la traducción en páginas opuestas; en el mismo orden en la edición anterior, con sus respectivos argumentos y lista de personajes); terminan en el fol. 320 v.: Laus Deo.

fol. 320 v.: En blanco.

fol. 321: LOS ARGVMENTOS°DE / Aelio Donato sobre las seys comedias de Terencio, escriptos en / Latin, y traduzidos en Ca-/stellano por el mismo interprete; termina en el fol. 344 v.

fol. 344 v.: Colofón: CON LICENCIA / En la Emprenta de Iayme Cendrat. / M.D.XC.IX.

Ejemplar en la Biblioteca Nacional —U 1584—.

La Medea de Euripides.

Luis Joseph Velazquez en sus *Origenes de la Poesía Castellana*, Málaga, Francisco Martinez de Aguilar. Año MDCCLIV. Año 4.°, dice en la pg. 147: "Pedro Simón Abril hizo la Traduccion de la Medèa de Euripides, que se publicó en Barcelona en 1599."

Según Pfandl, *Historia de la literatura nacional española en la edad de oro*, pg. 113, hubo dos ediciones de esta obra, una en 1583, otra en 1599. No he podido hallar huella alguna de ellas.

1600

LOS DEZISEIS LIBROS / DELA EPISTOLAS, / CARTAS DE M. TVLIO / CICERON, VVLGARMENTE / llamadas familiares, traduzidas de lengua Latina / en Castellana por el Dotor Pedro / Simon Abril, natural de Alcaraz / con una Crono-logia de ueynte y un Consulados, y las cosas / mas graues que en ellos sucedieron en cuyo tiempo / se escriuieron estas cartas. / Dirigidas à Mateo Vazquez de Leca Colona, del Consejo / del Rey nuestro Señor, y su secretario / Grabado / EN BARCE-LONA, / En la Emprenta de Iayme Cendrat. / Año M.DC.

8.°—10 h. + 431 fol. + 1 h.—Letra redonda e itálica de varios tamaños.—Renglón seguido.—Algunas capitales grabadas.

h. 1 r.: Portada.
h. 1 v.: En blanco.
h. 2 r.: APROVACION... El Maestro Lazcano (es la de 1586).
h. 2 v.: APROBACIO... Fra Pere Pau Garçes.
    LICENCIA... I. Epis. Barcino (las mismas que en 1592).
h. 3 r.: A MATEO VAZQVEZ DE / Leca Colona, del Consejo
    del Rey nuestro Señor, y su / Secretario...; hasta la h. 8 v.
h. 11 = fol. 3 (primero numerado): LA / VIDA DE CICERON...
fol. 7 v.: CRONOLOGIA...
fol. 23 v.: DE LAS DIFERENTES MA-/neras de gouierno...
fol. 26 r.: LIBRO PRIMERO / DE LAS EPISTOLAS...
fol. 431 v.: TABLA DE LAS EPISTO/las familiares.
h. final: Colofón: Impresso con Licencia, en Barcelona / en la
    Emprenta de Iayme / Cendrat / Año. M.DC.

Ejemplar de la Biblioteca Nacional —R 26474—. Está muy estropeado y le falta la h. 9 (A2), o sea el principio de la Carta al lector.

1615

LOS DEZISEIS / LIBROS DE LAS / EPISTOLAS, O CARTAS / FAMILIARES DE M. TVLIO / CICERON. / Traduzidas de lenga *(sic)* Latina en Castellana por el / Doctor Pedro Simon Abril, natural / de Alcarraz. Con una Cronologia de veyntiun Consulados, y las cosas / mas graues que en ellos sucedieron, en cuyo tiempo / se escriuieron estas cartas. / Dirigidas à Mateo Vazquez de Leca Colona, del Consejo del Rey nuestro señor, y su Secretario. / Año (Escudo) 1615. / EN BARCELONA, / Por Geronymo Margarit, y a su costa.

8.°—4 h. + 455 fol. + 1 h.—Letra redonda e itálica de varios tamaños.—Renglón seguido.

h. 1 r.: Portada.
h. 1 v.: APROVACION (la misma que para la ed. de 1589).
h. 2 r.: APROVACIO... als tres de Ianer de 1592. / Fra Pere
    Pau Garçes.—Licencia para la Diocesis de Barcelona: die
    septima mensis Ianuarij. 1592. / I Epis. Barcino.
h. 2 v.: A MATEO VAZQUEZ DE / Leca Colona...; hasta
    la h. 4 v.
fol. 1 r.: AL LECTOR / DE LA VTILIDAD / DE LOS
    LIBROS DE CARTAS FAM.

fol. 3 r.: LA VIDA DE CICERON...
fol. 7 v.: CRONOLOGIA...
fol. 23 v.: DELAS DIFERENTES MA/neras...
fol. 26 r.: LIBRO / PRIMERO DE / LAS EPISTOLAS...;
comienza el texto, que termina en el fol. 455.
fol. 455 v.: TABLA DE LAS EPISTO-/las familiares...
h. final r.: Colofón: CON LICENCIA. / EN BARCELONA,
Por Geronymo Margarit. Año M.DC.XV.

Este es el ejemplar conservado en la Biblioteca de Palacio
—IX/3719—. En la Biblioteca Nacional hay otro —3/26274— con
la misma fecha de impresión, pero de edición distinta.

LOS / DIEZ Y SEYS LI-/BROS DELAS EPISTOLAS O /
cartas de Marco Tulio Ciceron, vulgarmente / llamadas familiares:
traduzidas de lengua La-/tina en Castellana por el Doctor Pe-/dro
Simon Abril, natural de / Alcaraz. / Con vna Cronologia de
veynte y vn Consulados, y las cosas / mas graues que en ellos
sucedieron, en cuyo tiempo / se escriuieron estas cartas. / Dirigidas à Mateo Vazquez de Leca Colona / del Consejo del Rey
nuestro señor, / y su Secretario. / Año (Grabado) 1615 / CON
LICENCIA EN BARCELONA. / En Casa de Cormellas al Call.

8.º—26 h. + 404 fol. + 1 h.—Letra redonda e itálica de varios
tamaños.—Piel.

h. 1 r.: Portada.
h. 1 v.: En blanco.
h. 2 r.: APROBACION... El Maestro Lazcano. (Según se desprende de la aprobación, ha servido de original la ed. de
Madrid de 1592.)
h. 2 v.: APROBACIO... als tres de Ianer de 1592; Fra Pere Pau
Garçes y Licencia del obispo como arriba.
h. 3 r.: A MATEO VAZQUEZ...; hasta la h. 5 r.
h. 5 v.: AL LECTOR, DELA / Vtilidad...; hasta la h. 6 v.
h. 7 r.: LA VIDA DE CICERON / ...; hasta la h. 10 r.
h. 10 v.: CRONOLOGIA...; hasta la h. 24 v.
h. 25 r.: DE LAS DIFERENTES / maneras de gouierno...; hasta
la h. 26 v.
fol. 1: LIBRO PRI-/MERO DE LAS EPIS-/tolas.
h. final: TABLA DE LAS EPISTO-/las...; termina al v.

1647

FABVLAS / DE / ESOPO: / Traducidas de lengua lati-/na en Castellana por Si-/mon Abril. / DEDICADAS A DON JOSEF DE / EXEA, Y DESCARTIN. / Con Licencia, / En Çaragoça, por Diego / Dormer, Año 1647.

8.°—89 h.—Letra redonda e itálica de varios tamaños.—A dos cols., menos los preliminares.—Capitales grabadas.
h. 1 r.: Portada.
h. 1 v.: En blanco.
h. 2 r.: INLVSTRI / ET ORNATISSIMO ADOLESCENTI, / D. D. JOSEPHO DE EXEA ET DESCAR/TIN IURIS-PRUDENTIAE / PROFESSORI S. / (Dedicatoria en latín firmada Didacus Dormer.)
h. 4 r.: AD LECTOREM
h. 4 r.: AESOPI FABV-/lae Latine atque Hispane /scriptae... LAS FABVLAS... (comienza el texto de la traducción latina y castellana en columnas yuxtapuestas).

Ejemplar de la Biblioteca Nacional —R 7784—.

1678

LOS / DIEZYSEIS LIBROS / DE LAS EPISTOLAS, O CARTAS DE MARCO TVLIO CICERON, VVLGARMEN-TE / llamadas familiares: traduzidas de lengua Latina / en Castellana por el Dotor Pedro Simon / Abril, natural de Alcaraz. / CON VNA CRONOLOGIA DE VEYNTE Y UN / Consulados, las cosas mas graves que en ellos sucedieron / en cuyo tiempo se escrivieron estas cartas, / DEDICALE FRANCISCO DVART, / MERCADER DE LIBROS / A LOS / ILVSTRES SEÑORES CANONIGOS, / Y CABILDO DE LA SANTA IGLESIA / METROPOLITANA DE / VALENCIA. / Im-presso en Valencia, en la Imprenta de VICENTE CABRERA, / Librero, y Impressor de la Ciudad, vive en la Calle de / las Barcas. Año 1678. / A costa de Francisco Duart, Mercader de libros, y se venden en su / casa, junto a la plaça de Villarasa.

4.°—19 h. + 473 pg. + 1 h.—Letra itálica y redonda de varios tamaños.—Renglón seguido y a dos cols.—Grabados en madera.

h. 1 r.: Portada.

h. 1 v.: En blanco.

h. 2 r.: A / LOS ILLVSTRES SEÑORES / CANONIGOS, Y CABILDO DE LA SANTA / IGLESIA METROPOLI-TANA / DE VALENCIA... firmada por Francisco Duart de Castellar en Valencia el 24 de Febrero de 1678.

h. 4 r.: AL LECTOR / DE LA VTILIDAD DE LOS / LIBROS DE CARTAS / FAMILIARES.

h. 5 v.: LA / VIDA DE CICERON...

h. 8 r.: CRONOLOGIA...

h. 18 r.: DE LAS DIFERENTES MANERAS DE GO-VIERNO...

h. 19 v.: En blanco.

pg. 1: LIBRO PRIMERO... (comienza el texto a dos cols., menos los sumarios).

pg. 473 v.: TABLA DE LAS / EPISTOLAS FAMI-/LIARES...; termina en la h. final v.—Colofón: Impresso en Valencia, en casa de VICENTE CA-/BRERA, Impressor de la Ciudad, vive / en la calle de las Barcas. / Año 1678.

Ejemplar de la Biblioteca Nacional —2/30.020.

Nota.—Marco e Hidalgo, *loc. cit.*, pg. 398, registra una edición de las *Epístolas Familiares,* atribuyéndola a J. F. Martínez en Pamplona. Se trata, probablemente, de una confusión. El corrector de la edición de las mismas en 1797 q. v. declara que la impresión de J. F. Martínez, que él tuvo a la vista para hacer la suya, no indica el año de impresión, aunque probablemente sería del siglo XVI, ya que para ella se sacaron las licencias, según declara dicho corrector.

1679

LOS / DIEZ Y SEIS LIBROS / DE LAS EPISTOLAS, O CARTAS / de Marco Tulio Ciceron, vulgarmente / llamadas familiares, / TRADVZIDAS DE LENGVA LATINA / en Castellana, por el Doctor Pedro Simon Abril, natural de Alcaraz. / CON VNA CRONOLOGIA DE VEINTE / y vn Consulados, y las cosas mas graues que en / ellos sucedieron en cuyo tiempo se escriuieron / estas Cartas. / DIRIGIDAS / A DON ANTOLIN DE CASANOVA, / Maestro en Philosophia, graduado en la Vni-/uersidad de Alcalà, y al presente Escudero de su / Magestad en su Real Guarda / de a Cauallo. / Con licencia: EN MADRID,

Por Antonio Gonçalez / de Reyes. Año de M.DC.LXXIX / A costa de Santiago Martin Redondo, / Vendese en su casa, en la / calle de Toledo, junto à la Porteria de la Concepcion / Geronima.

4.º—4 h. + 452 pg. + 1 h.—Letra redonda e itálica.—A dos columnas, menos los preliminares y la fe de erratas.—Grabados.

h. 1 r.: Portada.

h. 1 v.: En blanco.

h. 2 r.: Escudo que ocupa la parte superior de la página / A DON ANTOLIN DE CASANOVA... firmada en la h. 2 v. por Santiago Martin Redondo.

h. 3 v.: APROBACION... (es la del Maestro Lazcano de 1586). Suma de la Licencia: Madrid à 26 de Nouiembre de 1678 años. — Suma de la Tassa: Madrid à 29 de Nouiembre de 1678 años.

h. 3 v.: AL LECTOR / DE LA VTILIDAD DE LOS LIBROS DE / Cartas familiares.

pg. 1: LA / VIDA DE CICERON...

pg. 6: CRONOLOGIA.

pg. 28: DE LAS DIFERENTES MA-/neras de gouierno...

pg. 31: LIBRO PRIMERO... (comienza el texto).

h. final r.: TABLA DE LAS EPISTOLAS.

h. final v.: FEE DE ERRATAS... Madrid à veinte y quatro de Nouiembre, de mil seiscientos y setenta y ocho. Lic. D. Joseph Marin.

Ejemplares en la Biblioteca Nacional —3/40.997—; en la Biblioteca de la Universidad de Zaragoza —A-44-266—, y en la Provincial de Sevilla —55/93—.

1752

M. Tullii Ciceronis Epistolae Selectae. Valentiae Contestanorum sumptibus Salvatoris Moles Bibliopolae. Ex officina viduae Hieronymi Conejos, 1752, en 8.º

La registra Gregorio Mayans y Siscar en la Introducción de las *Epístolas Selectas* de 1760. Cfr. también Menéndez y Pelayo, *Bibliografía hispano-latina clásica,* que la consigna juntamente con otras cinco ediciones de la misma obra (pgs. 616-623).

No he podido hallar ningún ejemplar de esta edición.

1756

Epistolas selectas de Marco Tulio Ciceron, sacadas de las que bolvió en Español Pedro Simon Abril. En Orihuela, por Josef Vicente Alagarda, año 1756, en 8.°

Cita esta edición D. Gregorio Mayans y Siscar en la Introducción a las *Epístolas Selectas* de 1760 q. v., diciendo además que "El que eligiò, i hizo imprimir estas Cartas escogidas, variò algunas palabras, i maneras de hablar de sus traducciones, acomodandolas al estilo de hoi".

No he logrado ver esta edición, ni localizar ejemplar alguno.

1760

AESOPI / FABULAE / LATINè, ATQUE HISPANè / SCRIPTAE / QUAQUE FIERI POTUIT· / diligentia è Graeca Lingua / in duas has traductae, iisque, qui Latinas / litteras ediscere incipiunt, collatione / linguarum utilissimae, / INTERPRETE / PETRO SIMONE APRILEO / Laminitano. / REGALI PERMISSU, / Valentiae: Excudebat JOSEPH THOMAS LUCAS, / in Comoediarum platea. Anno 1760.

8.°—12 h. + 168 pg.—Letra redonda e itálica de varios tamaños.—Latín y castellano en columnas yuxtapuestas en el texto y declaración de las fábulas; el resto, renglón seguido.

h. 1 r.: Portada.
h. 1 v.: En blanco.
h. 2 r.: CYPRIANO / MARTINEZ, VIRO ILLUSTRI, / Templique maximi Caesarau-/gustani Caritatario, Petrus / Simon Aprileus / S. P. D.; hasta la h. 5 v.—Imprimatur. Dr. Albornoz, Vic. Gen.
h. 6 r.: LICENCIA DEL REAL CONSEJO... en Madrid à cinco de Marzo de mil setecientos y sesenta / D. Juan de Peñuelas.
h. 6 v.: FEE DEL CORRECTOR... Madrid, y Octubre treinta y uno de mil setecientos y sesenta / Dr. D. Manuel Gonzalez Ollero / Corrector General por S. Mag.—Tassa por D. Juan de Peñuelas (setenta y tres maravedis y medio de vellon).
h. 7 r.: PEDRO SIMON ABRIL, / al benigno i ahidalgado Letor / S. I. P. F. D.
h. 8 v.: D. GREGORIO MAYàNS I SISCAR / a los Letores

de las Fabulas de Isopo... ["Publicòse la primera vez en Zaragoza impresso por Miguel Huessa, año 1575, en 8. la segunda *en Madrid, año 1588.* la tercera en Zaragoza, año 1647..."]; hasta la h. 12 r.

h. 12 v.: Esta Obra, y las demàs que vayan saliendo en nombre de la Compañia nuevamente establecida en esta Ciudad de Valencia, se hallarà en las Librerias siguientes. Juan Antonio Mallèn. Salvador Faulì. Simon Faure. Manuel Cavero Cortès. Pedro Mirò. Thomàs Santos. Joseph Thomàs Lucas. Benito Monfort.

pg. 1: AESOPI / FABULAE / Latinè atque... LAS FABULAS / DE ESOPO / escritas...; comienza el texto, que termina en la pg. 168.

Ejemplares en la Biblioteca de Palacio —IX-4065—, y en la Universitaria de Valencia —1.º-2138—.

LOS DOS LIBROS / DE LAS / EPISTOLAS / SELECTAS / DE MARCO TULIO CICERON: / EN QUE SE PONE EL USO DE CARTAS / Narratorias, i de favor llamadas Comendati-/cias, puestas con Traduccion i Declaraciones en / lengua Castellana, hechas por el Maestro PEDRO / SIMON ABRIL, Professor de Letras Humanas i / Filosofia, natural de Alcaraz, i Cathedratico / en la insigne Universidad de Zaragoza. / Auctoris ad Lectorem Tetrastichon. / Olim quod solitum est numeroso tempore disci. / En potes exiguo quaerere lector: habe. / Namque tibi praesens dat charta volumine parvo, / Quod tulit eloquio lingua Latina suo. / REGALI PERMISSU, / Valentiae: Excudebat JOSEPH THOMAS LUCAS, / In Comoediarum platea. Anno 1760.

8.º—24 h. + 320 pg.—Letra redonda e itálica de varios tamaños.—Texto y traducción en dos columnas; lo demás, renglón seguido.—Perg.

h. 1 r.: Portada.

h. 1 v.: En blanco.

h. 2 r.: ILLUSTRISSIMO / RELIGIOSISSIMOQUE VIRO / D.ᴺᴼ ANTONIO / AUGUSTINO...; termina en la h. 4 r. Imprimatur. Dr. Albornoz, Vic. Gen.

h. 4 v.: LICENCIA DEL REAL CONSEJO... En Madrid a

cinco de Marzo de mil setecientos y sesenta. / D. Juan de Peñuelas.

h. 5 r.: FEE DEL CORRECTOR... Madrid, y Octubre treinta de mil setecientos y sesenta. D. Juan de Peñuelas.

h. 5 v.: INSTRUCCION...; hasta la h. 11 r.

h. 11 v.: ANOTACIONES...; hasta la h. 15 v.

h. 16 r.: D. GREGORIO MAYàNS I SISCAR / a quien leyere; hasta la h. 24 r.

h. 24 v.: Esta obra... / se hallarà en / las Librerias / si-/guientes... LIBRO I / DE LAS / EPISTOLAS SELECTAS...; termina en la pg. 211.

pg. 212 (sin numerar): Grabado.

pg. 213: LIBRO II. / DE LAS / EPISTOLAS SELECTAS...; termina en la pg. 309.

pg. 310: TABLA DE LOS AUTO-/res...

pg. 311: INDEX VERBORUM...; termina en la pg. 320.

· *Nota.*—Para esta edición sirvió de original la de 1583, según declara D. Gregorio Mayans y Siscar en su Introducción.

Ejemplares en la Nacional —U/9662—, y la Bibl. de Amigos del País, de Málaga —45—.

1 7 6 1

ACCUSATIONIS / IN / C. VERREM / LIBER PRIMUS / QUI DIVINATIO DICITUR; / ORATIO QUARTA, / CUM / INTERPRETATIONE HISPANA, / & Scholiis PETRI SIMO- NIS APRILEI / Laminitani. / (Viñeta) / REGALI PERMISSU, / Valentiae: Excudebat JOSEPH THOMAS LUCAS, / in Co- moediarum platea. Anno 1761. / Sumptibus Bibliopolarum, & Ty- pographorum Societatis noviter institutae in Val. ipsa Civitate.

8.º—8 h. + 195 pg.—Latín y Castellano (texto, traducción y anotaciones) en dos columnas; lo demás, renglón seguido.—Letra redonda e itálica.

h. 1 r.: Portada.

h. 1 v.: En blanco.

h. 2 r.: ILLUSTRI VIRO / VINCENTIO / AUGUSTINO, / Caesaraugustanae Urbis Civi pri-/mario, magnoque ejusdem Ci-/vitatis Senatori, / PETRUS SIMON APRILEUS / S. P. D.; hasta la h. 3 v.

h. 4 r.: Si tibi hunc nostrum laborem probari intelligemus, lector studiose, & in reliquas Orationes contra Verrem, & in nonnullas alias, operam & laborem eundem tua caussa conferemus.

h. 4 v.: DON GREGORIO MAYàNS / I SISCAR, / à los que desean ser Ciceronianos.

h. 7 v.: LICENCIA DEL REAL CONSEJO... en Madrid à treinta y uno de Mayo de mil setecientos y sesenta / D. Juan de Peñuelas.

(Certifico, que por los Señores de èl se ha concedido licencia à la Compañia de Mercaderes de Libros de la Ciudad de Valencia, para que por una vez pueda reimprimir, y vender el Libro intitulado... *con tal de que la dicha reimpression se haga en papel fino, y de buena estampa...*)

Y, efectivamente, todas estas ediciones valentinas de las traducciones de Simón Abril son extremamente claras y agradables a la vista.

h. 8 r.: FEE DE ERRATAS... Madrid, y Octubre veinte y uno de mil setecientos sesenta y uno. / Dr. D. Manuel Gonzalez Ollero, / Corrector general por su Mag.

h. 8 r.: Tasa por Juan de Peñuelas (cada ejemplar a setenta y cinco maravedis de vellon).

h. 8 v.: ESta Obra... se hallarà en / las Librerias si-/guientes...

pg. 1: ARGUMENTUM / IN OMNES / CICERONIS /ORATIONES / CONTRA / C. VERREM; al lado ARGUMENTO...; el texto termina en la pg. 194.

pg. 195: Licencia del 4 de Octubre de 1574 por el Licenciado Cercito como en aquella edición q. v.

Ejemplares en la Nacional —2/38.140—, y en la de Palacio —VIII-5.971—.

1 7 6 2

LAS SEIS / COMEDIAS / DE TERENCIO, / CONFORME A LA EDICION / DE FAERNO, / IMPRESSAS EN LATIN, / I TRADUCIDAS EN CASTELLANO / POR PEDRO SIMON ABRIL, / natural de Alcaraz. / TOMO I. / DEDICADAS AL MUI ALTO, / i mui poderoso Sr. Dn. Fernando / de Austria, Principe de las / Españas. / EN VALENCIA: Año M.DCC.LXII. / En la Oficina de BENITO MONFORT, junto al Hospital / de los Estudiantes.

8.°—2 tomos.—Tomo I: 24 h. + 10-379 pg.: tomo II: 7 h. +

10-406 pg.—Perg.—Todo renglón seguido menos los Argumentos de Donato.

h. 1 r.: Portada.

h. 1 v.: En blanco.

h. 2 r. (encuadrada en una orla): Un escudo entre dos L y a continuación: ESta Obra, y las demàs que / vayan saliendo.

h. 3 r.: AL MUI ALTO I MUI PODE-/roso Señor D. Fernando de Austria (en latín y castellano)...; hasta la h. 8 r.

h. 8 v.: LICENCIA DEL CONSEJO, en Madrid, à 14 de Marzo de 1760. Dr. Juan de Peñuela.

h. 9 r.: TASSA Madrid, à doce de Junio de mil setecientos sesenta y dos. / D. Juan de Peñuelas.

h. 9 v.: FEE DE ERRATAS.

h. 10 r.: D. GREGORIO / MAYANS I SISCAR / A QUIEN LEYERE...; hasta la h. 20 v.

h. 21 r.: AL PIO I BENIGNO LECTOR SO/bre la segunda edicion de Terencio, traducido en Castellano...; hasta la h. 22 r.

h. 22 v.: C. SULPICII APOLLI-/naris Periocha.

h. 23 r.: Traducción de lo anterior.

h. 23 v.: ANDRIA / TERENTII...

h. 25 v. (primera pg. numerada, o sea la 10): ANDRIAE / ACTUS PRIMI / ... (comienza el texto y traducción).

Tomo II:

h. 1 r.: Portada.

h. 1 v.: En blanco.

h. 2 r.: TASSA.

h. 2 v.: FEE DE ERRATAS.

h. 3 r.: En blanco.

h. 3 v.: C. SULPICII APOLLI/naris Periocha.

h. 4 r.: ARGUMENTO DE / Gayo...

h. 4 v.: ADELPHII TERENTII y traducción.

h. 6 v.: FABULAE INTERLO/cutores..., y traducción.

h. 7 v.: Adelphi / Actus primi.

primera pg. numerada (10).

pg. 356: ARGUMENTOS DE ELIO / Donato sobre las seis Comedias de / Terencio, escritos en Latin y tra/ducidos en Castellano por el mismo / interprete, Pedro Simon / Abril.

Ejemplares en la Biblioteca Nacional —T 42.5617—; en la Biblioteca Prov. de Sevilla —252/23—, y en la del Escorial —112-VII-28 y 29—; en la Bibl. Universitaria de Valencia

—5.°-816-7—; en la Universitaria de Zaragoza —B-3-47, y en la Central de Barcelona.

1 7 6 9

PEDRO SIMON / ABRIL / NATURAL DE LA MAN-CHA. / QUATRO LIBROS / DE LA LENGUA LATINA, / O ARTE DE GRAMATICA. / AHORA NUEVAMENTE CORREGIDOS / Y ENMENDADOS / POR EL MISMO AUTOR: / Y PUESTOS EN ESTILO MUCHO MAS / facil con su interpretacion en la lengua Espa-/ñola muy util para los que apren-/den la Latina. / VA AÑADIDO AL FIN / UN LIBRO DE ARTE POETICA, / y de la composicion de los Versos / muy util para entender facil-/mente los Poetas / QUAR-TA EDICION. / EN MADRID: En la Oficina de la Viuda / de Manuel Fernandez. Año de 1769. / Se hallarà en las Librerias de Ulloa, Calle de la / Concepcion Geronima; y en Cadiz junto al Populo.

8.°—6 h. + 357 pg. + 93 pg.—Letra redonda e itálica de varios tamaños.—Texto en latín y castellano en páginas opuestas.

h. 1 v.: Portada en Castellano.
h. 2 r.: Portada en Latín.
h. 3 r.: AUCTORIS DISTICHON AD LIBRUM... / EIUS-DEM EXASTICHON / ad Zoilum...
h. 3 v.: ILLUSTRISSIMO / PLURIMUMQUE OBSERVAN-DO VIRO / D. DIDACO RAMIREZ SEDEÑO / DE FUENLEAL...; hasta la h. 4 r.
h. 4 v.: EL AUTOR AL LECTOR / benigno, salud...; termina en la pg. 1 (no numerada).
pg. 2 (no numerada): LIBRO PRIMERO / DE LA LENGUA LATINA (comienza el texto en castellano).
pg. 3: PETRI SIMONIS / APRILEI LAMINITANI / DE LINGUA LATINA / SIUE DE ARTE GRAMMATI-CA / LIBER PRIMUS (texto en latín).
pg. 308: SIMONIS APRILLEI *(sic)* / Laminitani, Liber de arte poetica...
pg. 350: APOLOGIA DEL AUTOR...; termina en la pg. 357: LAUS DEO.
pg. 357 v.: En blanco.
pg. 1 (de una nueva numeración): APUNTAMIENTOS, / DE COMO / SE DEBEN REFORMAR / LAS DOCTRI-

NAS... En Madrid: En la Oficina de la Viuda de / Manuel Fernandez. Año de 1769...
pg. 1 v.: Suma de aprobación, y licencia.
pg. 3: SEÑOR...
pg. 93: Fin: LAUS DEO.

Ejemplares en la Nacional —3/34.482—; en la R. Academia de la Lengua —22-IX-34—; en la Biblioteca Provincial de Toledo —D/1.248—, y en la Biblioteca Colombina de Sevilla —70-I-18—.

APUNTAMIENTOS, / DE COMO / SE DEBEN RE-FORMAR / LAS DOCTRINAS: Y LA MANERA DE ENSE-ÑALLAS, / para reducillas à su antigua entereza, y perfi-/cion: de que con la malicia del tiempo y con / el demasiado deseo de llegar los hombres / presto à tomar las insignias de ellas, / han caido. / HECHOS AL REY NUESTRO SEÑOR / Por el Doctor Pedro Simon Abril, natural / de Alcaraz. / CON LAS LICEN-CIAS NECESSARIAS. / En Madrid: en la Oficina de la Viuda de / Manuel Fernandez. Año de 1769. / Se hallará en las Librerías de Ulloa, Calle / de la Concepcion Geronyma.

8.º—93 pg.—Letra redonda grande.—Renglón seguido.—Piel.

pg. 1: Portada.
pg. 2 (ambas sin numerar): Suma de aprobacion, y licencia (se refiere a las de 1589).
pg. 3: SEÑOR... (comienza el texto, que termina en la pg. 93).

Ejemplares en la Nacional —3/3.482—; en la de Palacio —III-3.548—, y en la Biblioteca Colombina —70-I-18—.

1 7 7 0

Los dos libros de las Epistolas Selectas de Marco Tulio Ciceron... Valencia, Salvador Faulí.

Esta obra la cita Menéndez y Pelayo en la *Bibl. hisp.-lat. clás.* en la pg. 618, diciendo que es una "reimpresión exacta de la de 1760, salvo la licencia y la tasa, que se omiten."
No he logrado ver ningún ejemplar.

1 7 7 7

LOS DOS LIBROS / DE LAS / EPISTOLAS SELECTAS / DE MARCO TULIO CICERON: / EN QUE SE PONE EL USO DE CARTAS / Narratorias, i de favor llamadas Comendaticias, / puestas con Traduccion i Declaraciones en lengua / Castellana, hechas por el Maestro PEDRO SIMON ABRIL, / Profesor de Letras Humanas i Filosofia, / natural de Alcaràz, i Cathedratico en la insigne / Universidad de Zaragoza. / Auctoris ad Lectorem Tetrastichon. / Olim quod solitum est numeroso tempore disci, / En potes exiguo quaerere lector: habe. / Namque tibi praesens dat charta volumine parvo, / Quod tulit eloquio lingua Latina suo. / SUPERIORUM PERMISSU, / Valentiae: In Officina SALVATORIS FAULI. Anno 1777.

.8.°—4 h. + 320 pg.—Texto y traducción en dos columnas; lo demás, renglón seguido.—Grabados.

h. 1 r.: Portada.
h. 1 v.: Reimprimatur. Dr. Almarza, V. G.
h. 2 r.: ILLUSTRISSIMO / RELIGIOSISSIMOQUE VIRO / D.ᴺᴼ ANTONIO / AUGUSTINO...
pg. 1: LIBRO I / DE LAS / EPISTOLAS.
pg. 212 v.: Grabado.
pg. 213: LIBRO II. DE LAS EPISTOLAS...
pg. 310: TABLAS DE LOS AUTO-/res...
pg. 311: INDEX VERBORUM...

Ejemplar de la Biblioteca Nacional —2/48.436—.

1 7 8 0

EPISTOLAS, / O CARTAS / de Marco Tulio Ciceron, / vulgarmente llamadas / FAMILIARES. / Traducidas / por el Dr. PEDRO SIMON ABRIL / natural de Alcaráz / Tomo I / Grabado / En Valencia: / Por Joseph y Thomas de Orga. / M.DCC.LXXX. / Con las licencias necesarias.

4.°—4 vols.—I tomo: 8 h. + 500 pg.—II tomo: 504 pg.— III tomo: 552 pg.—IV tomo: 480 pg.

h. 1 r.: Portada.

h. 1 v.: En blanco.
h. 2 r.: El Corrector / al que leyere.
h. 6 r.: Al Lector de la utilidad de los libros...
pg. 1: (Comienza el cuerpo de la obra, Vida de Ciceron, Cronología, etc. Cfr. ed. del mismo en 1797.)

Ejemplares en la Biblioteca del Escorial —35-II-43-46—, a cuyo bibliotecario debo esta ficha; y en la Provincial de Sevilla —5/7-8-9-10—.

1 7 9 0

LOS DOS LIBROS / DE LAS EPISTOLAS / SELECTAS / DE MARCO TULIO CICERON: / En que se pone el uso de Cartas narratorias y de favor llamadas Comendaticias, puestas con Tra-/duccion y Declaraciones en lengua Castellana, he-/chas por el Maestro PEDRO SIMON ABRIL, Profe-/sor de letras Humanas y Filosofia, natural de / Alcaraz, y Catedratico en la insigne Univer-/sidad de Zaragoza. / Auctoris ad Lectorem Tetrastichon / Olim quod solitum est numeroso tempore disci, / En potes exiguo quaerere lector: habe. / Namque tibi praesens dat charta volumine parvo, / Quod tulit eloquio lingua Latina suo. / MATRITI: MDCCXC, / EX OFFICINA BENEDICTI CANO. / Superiorum permissu.

8.º—4 h. + 319 pg.—Es una reproducción exacta de la edición anterior.
Ejemplar de la Biblioteca Nacional —3/31.903—.

1 7 9 7

EPISTOLAS / O CARTAS / DE MARCO TULIO CICE-RON, / VULGARMENTE LLAMADAS FAMILIARES / TRADUZIDAS / POR EL DOCTOR PEDRO SIMON ABRIL / NATURAL DE ALCARAZ. / TOMO I. / EN VALENCIA / POR LOS HERMANOS DE ORGA / M.DCC.XCVII. / CON LAS LICENCIAS NECESARIAS.

4.º—4 vols.—I tomo: 8 h. + 500 pg.—II tomo: 504 pg.—III tomo: 552 pg.—IV tomo: 480 pg.—Renglón seguido.—Letra itálica y redonda.

h. 1 r.: Portada.
h. 1 v.: En blanco.

h. 2 r.: EL CORRECTOR / AL QUE LEYERE; termina en la h. 5 v.

En este prefacio el editor hace referencia a una edición de Pamplona que no hemos podido hallar:

"Por lo que toca á la traduccion, oxalá hibiéramos logrado una edicion de Simon Abril, igualmente enmendada que las Latinas; pero solo teníamos la que (sin expresion del año) hizo en Pamplona Joachîn Joseph Martinez, por la qual se habian sacado las licencias; y otra que publicó en Madrid Antonio Gonzalez de Reyes año 1679, ambas en quarto, y casi iguales en las erratas. ... Pasado algun tiempo logré un exemplar en octavo, sin principio ni fin, pero su carácter y modismos indican mayor antiguedad, y por lo mismo estaba mas completo, y mucho mas correcto que los otros. Por este pues, y por el cotejo de varias ediciones Latinas, hice la correccion..."

Expone, además, el criterio que le ha guiado (además de ilustrativa en cuanto al presente texto, es una página interesante de erudición dieciochesca): arregla levemente la traducción de Simón Abril cuando discrepa en puntos accidentales con el texto latino; elige entre las lecciones variantes la que más probablemente siguió el traductor; invierte en algunos puntos el orden de las epístolas; acomoda la ortografía a la de la Academia Española, etc.

h. 6 r.: AL LECTOR. / DE LA UTILIDAD DE LOS LIBROS / DE CARTAS FAMILIARES; termina en la h. 8 v.

pg. 1: LA VIDA / DE CICERON...; hasta la pg. 14.

pg. 15: CRONOLOGIA / DE LOS TIEMPOS...; hasta la pg. 75.

pg. 75: DE LAS DIFERENTES MANERAS / de gobierno...; hasta la pg. 83.

pg. 84: TABLA / DE LAS EPISTOLAS FAMILIARES.

pg. 86: (Comienza el texto, que está distribuido en los 4 tomos, con índices al final de cada uno y un trozo latino de algún humanista al principio.)

Ejemplares en la Nacional —U-429-32—, y en la R. Academia de la Lengua —16-VII-40 al 43—.

1815

APUNTAMIENTOS / DE COMO SE DEBEN REFORMAR / LAS DOCTRINAS, / Y la manera de enseñarlas para redu-/cirlas á su antigua entereza y perfeccion, / hechos á la magestad de Felipe II por / el doctor Pedro Simon Abril, y ahora / nuevamente publicados y añadidos con algunas observaciones y notas / POR / DON JOSE CLEMENTE CARNICERO, / Oficial del archivo de la secretaria de / gracia y justicia de Indias / MADRID / IMPRENTA DE M. DE BURGOS. / 1815.

8.º—3 h. + 7-92 pg. + 2 h.—Letra itálica y redonda de varios tamaños.—Renglón seguido.

h. 1 r.: Portada.
h. 1 v.: En blanco.
h. 2 r.: BREVE ADVERTENCIA / DEL EDITOR / á los que leyeren estos discursos. / hasta la h. 3 v.
pg. 7: Discurso preliminar al de Pedro / Simon Abril sobre el modo de / estudiar las ciencias; hasta la h. 3 v.
pg. 35: Apuntamientos de como se deben reformar... (título entero como en las ediciones anteriores); termina en la pg. 92.
2 h. finales: En las librerias de Perez, Ranz, / Minutria é Riguera se venden / las obras siguientes de D. José Clemente Carnicero...

Ejemplar en la Biblioteca Nacional —3/3.482—.

1 8 1 7

Segunda edición de la misma obra por D. José Clemente Carnicero, idéntica a la de 1815.

Ejemplares en la Biblioteca Nacional —I/37.657—; en la del Escorial —51-11-52 (5)—, y en la Biblioteca de la Facultad de Derecho de la Universidad de Madrid —41-11-14—.

MANUSCRITOS

La segunda parte dela filosofia llamada la / fisiolojia o filosofia natural dividida en cuatro libros / delos cuales lo que cada uno contiene, se entendera por / la tabla de libros y capitulos: colejidos dela dotrina delos / filosofos Griegos y particular mente dela de Aristoteles / Por el Dotor Pedro Simon Abril natural de Alcaraz / y dirijidos a D. Martin de Alagon Comendador de / Castellanos, y dela camara de'l Prinçipe nuestro Señor.

Papel de hilo.—278 h. foliadas a partir de la 6a (2-275); faltan los fol. 68 y 69 y 241; están foliados dos veces con el mismo número los fol. 92 y 117).—Letra del siglo XVI. autógrafa[1]; algunas correcciones, adiciones y referencias a una tabla y dos figuras que debían insertarse en el texto, todas ellas de la misma letra, y algunas apostillas de letra distinta.—Rúbrica en cada página de Pedro Çapata del Marmol y firma y rúbrica del mismo al final del manuscrito.—18 a 21 líneas la página.—Renglón seguido.— Tamaño: 260 × 145; la escritura ocupa espacios desiguales, v. gr.: 165 × 115, 175 × 120.—Pasta.—Tejuelo: ABRIL / FILOSOFIA / NATURAL / MS.—Biblioteca de Palacio. 1158.

h. 1 r.: † La segunda parte dela filosofia llamada la / fisiolojia o filosofia natural... (título).

h. 1 v.: En blanco.

h. 2 r.: A D. Martin de Alagon Comendador de Caste/llanos y dela camara de'l Principe nuestro Senor (sic); termina en la h. 5 v.

h. 5 r. (foliada 2): A'l benino letor; termina en la h. 8 v.

h. 9 r. (foliada 5): Tabla de los capitulos, que en estos cuatro libros se / contienen; termina en la h. 14 r.

h. 14 v. (= fol. 10 v.): En blanco.

h. 15 r. (foliada 11): La segunda parte de la filosofia, llamada / la fisiolojia o filosofia natural... / escrita por Pedro Simon Abril maestro / en la filosofia, natural de Alcaraz. (Segundo título, más amplio, tachado.)

h. 15 v.: Capitulo primero, en que se declara... (Empieza la obra en la línea 5.ª): Si un Rey mui poderoso i liberal quisiesse tanto a un / cavallero...

h. 91 v. (= fol. 89 v.): Libro segundo de la compostura i arquitectura de / toda esta universidad de la naturaleza...

h. 171 v. (= fol. 167 v.): Libro terçero dela filosofia natural, que trata de la jeneraçion i corruçion de las / cosas...

h. 198 v. (= fol. 194 v.): Línea 12: Libro cuarto de la filosofia natural, enque se tra/ta del alma...

h. 278 r. (= fol. 275): Acaba la obra, línea 19: ... de do resultaria este inestimable bien, que / bolveria la dotrina a su dinidad antigua, i toda la naçion /ternia bastante dotrina para si en su propia lengua, como / (h. 278 v.) todas las naçiones antiguas, que supieron algo, la tuvieron en las suyas. / Fin

---

[1] Como se comprueba confrontándolo con las cartas autógrafas publicadas por J. R. Castro en *Principe de Viana*, 1942, pgs. 325-327.

de la segunda parte dela filoso/fia, llamada la parte natural. /
Pedro Çapata / del marmol (Rúbrica).

LOS DIEZ LIBROS / de las Ethicas o Morales de Aristoteles, escritas a su / hijo Nicomacho, traduzidos fiel y original-
mente del / mismo testo Griego en lengua vulgar Castellana /
por Pedro Simon Abril professor de letras humanas / y philosophia, y dirigidos a la S. C. R. M. del rei / DON PHELIPPE
nuestro señor los quales / assi para saberse cada vno regir a si /
mismo, como para entender to-/do genero de politia, son / muy
importantes.

Papel de hilo.—280 h., faltándole una entre la 274 y la 276.—
Letra clara y muy regular del siglo XVI.—Tachaduras y correcciones entre las líneas y en los márgenes, de distinta letra, que
es la del mismo Simón Abril.—Al final de cada libro, sigla del
copista (probablemente una J).—De 16 a 24 líneas en cada página.—Renglón seguido.—Tamaño: 230 × 145.—Caja de la escritura: 130 × 90.—Encuadernación en piel, de la época.—El tejuelo está borrado.—La tinta ha traspasado el papel en varios
lugares.—Biblioteca Nacional, MS. 8.651.

h. 1 r.: Portada.
h. 1 v.: A la S. C. R. M. del rei Don Phelippe / nuestro señor
    Pedro Simon Abril professor / de letras humanas y philo-
    sophia S. Y. P. F. D. [Dedicatoria hasta la h. 5 v.]
h. 6 r.: Prologo del interprete al lector en el qual se le declara /
    el modo de philosophar deste philosopho, y la orden / que
    a de seguir en leer estos libros con los de repu-/blica...;
    hasta la h. 16 r.
h. 16 v.: En blanco.
h. 17 r.: Libro primero de los Morales de / Aristoteles escritos
    a Nicomacho su hijo, y por es-/ta caussa llamados Nico-
    machios.
        Comienza la obra en la línea 4: En el primer libro in-
    quiere Aristoteles, qual es el fin de las humanas actiones...
h. 280 v.: Termina en MS, línea 20: sigamos lo pues començando
    lo a tratar desta manera. Fin de los diez libros Morales de
    Aristoteles.

Nota.—Otro manuscrito de esta obra, quizá el original, lo tuvo
D. Pedro Vindel. No he podido aún hallar su paradero, ya que
su hijo, D. Francisco Vindel, no recuerda a quién se vendió.

Portada y colofón de la segunda Gramática latina de Simón Abril. Este ejemplar (el único que conozco) perteneció a la Biblioteca de D. Cayetano A. de la Barrera y se halla ahora en la Biblioteca Nacional (R. 370).

PETRI SIMO-
nis Aprilei Laminitani
Introductionis ad libros Logico-
rum Aristotelis, Liber
primus.

VONIAM
quidem permul
ti sunt, quib. mo
lesta est illa iu-
risexemplorum
in Topicis Cice
ronis explicatio,
eorumq. difficul-
tas ab eorū deterreri possslectione, placuit cere mihi totius artis Topicae, eo
rumq. omnium, quae a nobisin rib. libris
cōmentariorum in eadem Topica Ciceronis pertractantur, quasi quandam
summā facere & epitomen: vt eius ad
A iumento

Excellentissimo
viro D. Vespasiano Gonzagae Co-
lonae Duci Traiecti, Marchioni
Sabionedae, Fundiarq. Rodigi Co-
miri, regniq. Nauarraeprocos.
arq. copiarum pedestrium
cisalpinae Galliae à Ca-
tholico Rege Philippo
praefecto Petrus Si-
mon Aprileus.
S. P. D.

A T V I
nominis est di-
gnitas Vespa-
siane Princeps
Excellentissime
iisque splendor
gloriae, vt si
quis sint (quos
multos esse ne-
cesse est) qui in rebus grauissiis atq. diffi-
cili.

Principios de la dedicatoria y del texto de la Lógica latina de Simón Abril (1572). Hermoso ejemplar
bibliográfico de la imprenta tudelana.

A D. Martin de Alagon Comendador de Caste
llanos y dela camara del Principe nro señor.

Tenia ya realmente determinado de poner perpetuo silencio en el tratar cosas de dotrina y particularmente de filosofia en lengua Castellana, viendo el poco calor que esta nra nacion tiene en lo que
toca al desseo de saber: el cual, como dexo sabiamente Arist. en el principio de su Metafisica, le es tan
natural al ombre, como al ave el bolar, como cosa que sin ella no puede como damerita el ombre
abcançar su fin, ni dexar de derramarse por sus
sensuales passiones y apetitos: los cuales demas de
que le tocan por razon de aquella villana y baxa
parte, en que con las bestias del campo tiene con for-
midad y semejança, abaten realmente y apo-
can su limdad y autoridad: como lo dexo sabiamente el cual profeta DAvid en al salmo 48 por estas
palabras: Estando el ombre puesto en onrra no se en
teredio: quedo comparado alas bestias faltas de sabiduria; y hed o semejante a ellas. Las causas, que
me induzian a hazer esta determinacion eran
                                                    el ver

Hoja 2 r. de la «Filosofía Natural», de Simón Abril.

RESUMEN DE LAS OBRAS DE SIMON ABRIL
ESCRITO POR EL MISMO

"Lo que io tengo trabajado para esta manera / de enseñar, es lo siguiente. Para la primera classe, vna gramatica llana i facil escrita en Castellano con exemplos en
Latin: y la misma en ambas ados lenguas Latina i Castellana. La misma en sola lengua Latina con exemplos
faciles i claros. Para la Griega esta gramatica Griega no
mui dificultosa, con estas sentencias escritas en tres lenguas en que los niños comiencen a destetarse del preceto.
Para la segunda las fabulas de Esopo Latinohispanas i
Grecohispanas. Para la tercera el Terencio Latinohispano
algunos dialogos de Luciano, el dialogo Gorgias de Platon,
el dialogo Cratylo Grecohispanos. El pluto de Aristofanes,
i la Medea de Euripides Grecohispanas. Para la quarta
las epistolas selectas de Tulio con declaraciones en lengua
Castellana, los deziseis libros de las epistolas familiares
traduzidos en Castellano: i lo mismo se puede hazer facilmente en las epistolas Griegas. Para la quinta por ser
poesia, no se puede dar assi facilmente traducion: pero
ia estan los poetas mas afamados traduzidos en lengua
Castellana, como es Virgilio por Velasco i Homero por
Gonçalo Perez. Para la sesta io tengo a Afthonio traduzido de Griego en Latin i Castellano: las oraciones de
Tullio contra Verres, pro lege Manilia, pro Archia, pro
Ligario, pro Marcello, pro Milone: i para lo Griego las de
Esquines contra Demosthenes, i Demosthenes contra Es-

319

quines: dos sermones de Sant Basilio el vno del aiuno i el otro contra la borrachez: i dos de / Sant Iuan Chrysostomo delos grandes bienes i frutos dela oracion todos en Griego i Castellano: i lo que mas pareciere que darà gusto i aprouecharà, que con el diuino fauor se puede traduzir para vtilidad de los que aprenden estas ienguas." *(Gramática griega,* 1586, fols. 13-14.)

Madrid, 1946-47.

INDICE ANALITICO

Abril, F.: 21 y n. 1; 23 n. 1 (24); 278; 281.
Academia de Ciencias Morales y Políticas, R.: 13.
Academia de la Lengua, R.: 14 n. 1; 315.
Academia de Matemáticas de Felipe II: 63; 143 n. 2 (144).
Aftonio: 45; 59; 270; 319.
Agramont, P.: 36 n. 5 (37).
Agramonte, P. de: 17 n. 2; 40.
Agreda, Sor M. de: 67 n. 1.
Agrícola, J.: 60,
Agrícola, R.: 108 n. 1.
Agustín, A.: 271 n. 4; 279; 287; 307; 313.
Agustín, San: 101; 108 n. 1; 138; 168.
Agustín, V.: 38 y n. 2; 282; 308.
Agustinos: 31.
Ahedo, Lcdo.: 282.
Alagarda, J. V.: 306.
Alagón, M. de: 23 n. 1 (26); 63; 316-7.
Albacete: 12 n. 5; 19 n. 2; 42 n. 3.
Albarrazín: 31.
Albornoz, Dr.: 307.
Alcalá de Henares: 39 n. 4; 288-90; 295.
  Universidad de: 23 n. 1; 46 n. 1; 105; 106 n. 3 (107); 304.
Alcañiz: 251.
Alcaraz: 9 n. 2; 12 n. 5 (13); 14; 15; 19 n. 2; 22; 23 n. 1 (y 24, 25);

40-43; 284, etc. (en los frontispicios).
Aldrete, B.: 184 n. 2.
Alejandro Afrod.: 108 n. 1; 130; 166 n. 3.
Alfonso V de Aragón: 267.
Alfonso X el Sabio: 145 n. 1.
Almarza, Dr.: 313.
Alonso, D.: 191 n. 1.
Anacreonte: 58.
Andrés, Fr. A.: 15; 62 n. 3.
Antonio, M.: 89.
Antonio, N.: 9; 56; 67 n. 1; 93 n. 2 (94); 270-2 n. 2; 288.
Apestegui, J.: 28; 250.
Apolinar, G. Sulp.: 185-6; 290; 300; 310.
Apráiz, J.: 12 n. 4; 93 n. 2; 94 n. 3.
Apuntamientos (1589): 11; 12 y n. 2; 20 n. 4; 23 n. 1 (26); 46; 51 n. 1, 2; 52 n. 1, 4; 53 n. 1, 2, 3; 54 n. 1; 55 n. 3; 56; 61 n. 5; 62; 109; 172 n. 1; 178 n. 3; 181 n. 1; 185 n. 2 y 3; 222 n. 4; 296.
  Ed. 1769: 311-2.
  Ed. 1815: 11; 275; 315.
  Ed. 1817: 11; 275; 316.
Araciel, Mtro.: 44 n. 2; 45 n. 1.
Aragón: 9 n. 2; 12 n. 5 (13); 21 n. 1 (24 y 25); 27 n. 3, 4; 29; 31 y n. 2; 44; 45 n. 2; 76 n. 1; 174 n. 4; 249-57; 277-8; 291.
Aranjuez: 143 n. 2 (144); 288.
Arascues, J.: 249-57.

LISTA DE ERRATAS

Pg. 96, 16 f. dice «imperfecto»; debe decir «perfecto»
    129, 3 f.   «Aristotele»   «Aristotle»
    133, 7 f.   κίνησις   κίνησις
    172, 10   ἀγωρῆς   ἀγωγῆς
    195, 12 f.   ονλλογισμος   συλλογισμός
    211, I   εὖ   εὖ
        2   τήν   τήν

S. AGUIRRE - TELÉF. 23-03-66 - MADRID

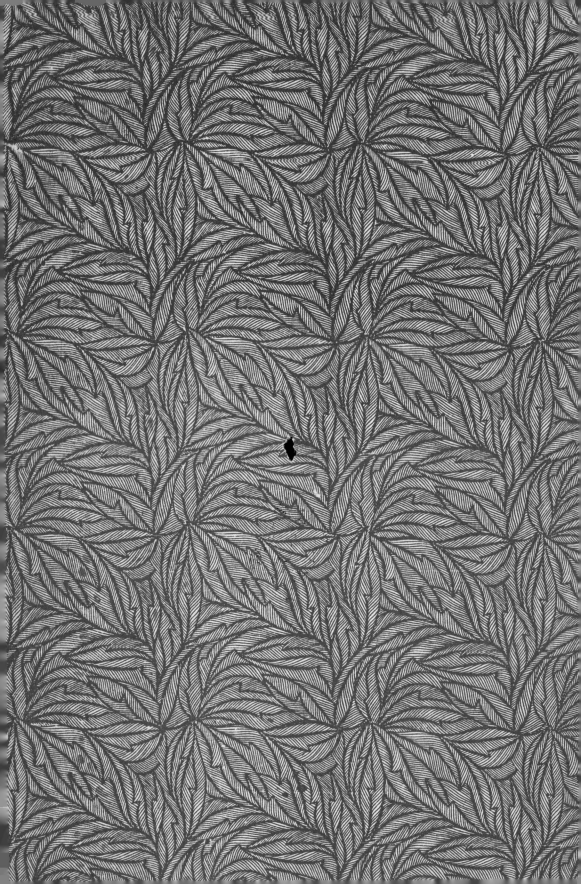